Emily .

Back on track

Vertaald door Iris Bol en Marcel Rouwé

ARENA

Oorspronkelijke titel: *The Life You Want*

Omslagontwerp: HildenDesign, München
Foto voorzijde omslag: HildenDesign/Shutterstock
Foto achterzijde omslag: Roderick Field
Typografie en zetwerk: CeevanWee, Amsterdam
ISBN 978-90-8990-102-6
NUR 305

1

Volgens mij heb ik een zenuwinzinking, en geen mens die het weet.

Het is belachelijk. Ik ben een bofkont, een ongelooflijke bofkont. Ik heb geen enkele reden om in te storten. Mijn leven is volmaakt, ik heb alles wat mijn hartje begeert. Een goed huwelijk, twee prachtige kinderen, freelancewerk dat ik doe omdat ik het wil, niet omdat het nodig is. Zekerheid op elk gebied. Daarom prent ik mezelf voortdurend in dat ik gelukkig ben.

Er zijn echter momenten dat ik door iets word overmand. Dat gebeurt dan zonder enige aanleiding, in de gewoonste situaties. Zo zit ik vandaag aan een klein tafeltje, als een lompe reuzin in een wereld voor kleine mensjes, en voer ik een onschuldig gesprek met de leraar van mijn zoon, als mijn blikveld vervaagt en ik een zoemtoon in mijn oren hoor.

Het is net alsof ik zijn woorden door een tunnel hoor. '...maar in Peking,' zegt hij. 'Ik heb wel zin om van die plaatsen te bezoeken waar de dichtstbijzijnde stad dagen en dagen verderop ligt en waar het pas om tien uur 's ochtends licht wordt.'

Zo begint het elke keer. Ik zeg geen woord. Ik grijp de rand van de tafel met beide handen zo stevig mogelijk beet. Thuis zou ik in elkaar zakken, mijn ogen dichtdoen en eraan toegeven, maar als ik dat nu doe, zal meneer Trelawney een ambulance laten komen.

Daarom knijp ik mijn ogen stijf dicht en luister naar mijn hart dat als een bezetene tekeergaat. Het stuitert door mijn borstkas als een stervende vis. Vervolgens wordt mijn keel dichtgesnoerd. Zo onopvallend mogelijk snak ik naar adem. Ik doe mijn ogen even open, in een poging er normaal uit te zien. De muren hangen vol kindertekeningen van piraten en als die al zwaaiend met hun kortelassen op me af denderen terwijl ze vloeken met een tongval uit Devon, doe ik mijn ogen weer dicht.

Ineens besef ik dat het nog nooit zo erg is geweest. Ik heb het gevoel dat ik doodga. Hij moet een ambulance laten komen. Ik voel dat ik mijn lichaam verlaat en wegglip. Vaagjes merk ik dat ik val, dat ik stik in niks en dat ik een hartaanval heb. Ik haal mezelf uit mijn leven.

Het is opwindend. Er gebeurt tenminste iets. De wereld verandert in sterren en ik geef mijn pogingen om adem te halen op en dwaal af, terwijl ik me vreemd genoeg dankbaar voel omdat ik weet dat dit het beste is.

'Tansy!' Hij schudt me heen en weer. 'Verdomme nog aan toe, wat gebeurde daar nou?'

Als ik mijn ogen open, verwacht ik heel even dat ik in het ziekenhuis lig, dat er voor me gezorgd wordt. Ik lijk echter op de grond in Toby's klaslokaal te liggen. Het heftige gebonk van mijn hart en het hysterische gesnak naar adem zijn opgehouden. Zodra ik mezelf had verlaten, kostte het mijn lichaam geen enkele moeite om in zijn gebruikelijke automatische ritme te vervallen.

'Alles is goed met me,' zeg ik. 'Sorry. Hoe lang heeft het geduurd?' Terwijl ik praat, stellen mijn ogen zich weer scherp en ik kijk van zijn prachtige, vragende gezicht naar de klok aan de muur. Het is nog altijd tien over half vier en ik voel me heel dom.

'Blijf stilliggen,' zegt meneer Trelawney, en hij buigt zich over me heen, waarbij zijn krullende haar omlaag valt. Ik doe mijn best om overeind te komen, en hij legt zijn handen op mijn schouders en kijkt me in de ogen. Ik kijk terug. Ik voel me zelfs te zwak om mijn blik af te wenden, wat ik anders altijd doe.

'Volgens mij ben je flauwgevallen,' zegt hij. 'Je moet nu echt nog niet opstaan.'

Ik schud zijn handen van me af, ruwer dan nodig is. Hij trekt ze terug alsof ik in brand sta. 'Nee, het gaat echt weer,' beweer ik. 'Sorry. Dit overkomt me af en toe. Het stelt niks voor. Nou, waar hadden we het ook alweer over?'

Heel behoedzaam zegt hij: 'China,' en hij kijkt me zijdelings aan, wachtend op nog meer achterlijk gedrag. 'Hoor eens, je moet op zijn minst even gaan zitten. Je kunt nu echt nergens heen. Gebeurt dit vaak? Ben je al naar een dokter geweest?'

'Ja,' lieg ik. 'Het stelt niks voor.' Ik probeer een geloofwaardige diagnose te bedenken. 'Lage bloeddruk,' voeg ik eraan toe. Het klinkt mij overtuigend in de oren. Ik loop wat rond, pak Toby's boekentas en strijk mijn haar achter mijn oren.

'Tansy! Geef jezelf even de tijd om bij te komen.'

Ik ga voorzichtig op de rand van een tafeltje zitten en wacht tot mijn benen niet meer bibberen.

Toby slentert het lokaal weer binnen en staat daar, gezond maar sjofel in zijn groene schooluniform. Omdat ik nog steeds beef, duw ik mijn handen in mijn zakken, en ik pers mijn lippen opeen om ze niet te laten trillen, waarna ik op mijn arme eerstgeborene af loop.

'Hallo,' zeg ik met een brede glimlach, en ik doe mijn best om mijn ogen mee te laten lachen. Ik buig me voorover en druk een zoen op zijn haar terwijl ik mijn handen in mijn zakken hou. 'Kom, dan gaan we je broertje halen.' Het gesuis is bijna weg. Dit komt allemaal wel weer goed.

Toby is een mager, slungelachtig jochie van zes jaar. Hij draagt een grijze korte broek, ook al is het een kille herfstdag, want om te voorkomen dat hij op de zomen van zijn broek gaat staan en ze gaan rafelen laat ik hem in een korte broek lopen tot de stoep glad wordt. Met dat soort dingen hou ik me tegenwoordig bezig. Een van zijn sokken slobbert rond zijn enkel en op zijn groene schooltrui zitten vlekken van de yoghurt die hij tijdens de lunch heeft gehad.

'Even wachten, mam,' zegt hij opgetogen. Hij pakt mijn mouw vast en sleurt me mee naar de muur vol piraten die zich nu allemaal keurig gedragen, al meen ik er eentje uit mijn ooghoek te zien knipogen. 'Dit is mijn piraat. Kijk, ik heb zilverfolie op zijn zwaard gedaan!'

'Prachtig!' probeer ik zo enthousiast mogelijk te zeggen. 'Goed gedaan, Toby.' Ik kijk naar de leraar die zogenaamd druk bezig is. 'Waarom laat u ze plaatjes van piraten maken, meneer Trelawney?' vraag ik, hoewel ik eigenlijk alleen gedag had willen zeggen. 'Iedereen weet toch dat piraten bloeddorstige misdadigers zijn?'

'Weet echt iedereen dat?' vraagt meneer Trelawney, en hij kijkt op met een glimlach die me rillingen bezorgt. Ik vraag me af of hij dat doorheeft. 'Ik bedoel, ze zijn de afgelopen jaren zo populair geworden dat hun imago totaal is veranderd. Dat is waarschijnlijk begonnen met Stevenson. Arrr, Jim, knul en dat soort dingen.'

'Arr,' zegt Toby. 'Toby, knul.' Hij moet om zichzelf lachen.

'Captain Pugwash uit de strips,' zeg ik. 'Om nog maar te zwijgen over die verschrikkelijke films met Johnny Depp. Piraten krijgen prima pr.'

'Wat is prima pr?' vraagt Toby. Ik kijk in zijn grote donkere ogen die me ontzettend aan die van zijn vader doen denken. Op dit moment zie ik Max die me via Toby aankijkt. Zijn blik is bedachtzaam, gereserveerd en keurend. Ik vraag me vaak af of Max een soort poort heeft gecreëerd waarbij hij mijn fiasco's observeert door de ogen van Toby en of hij zich op dat moment afvraagt waar ik mee bezig ben; waarom ik na schooltijd rondhang bij meneer Trelawney en mezelf op de grond van het klaslokaal werp.

'Kom mee,' zeg ik, en ik geef mijn zoon een hand. Mijn greep is nogal stevig.

Meneer Trelawney kijkt glimlachend naar ons. Hij heeft springerige krullen die tot zijn nek komen, hij heeft een bruin kleurtje en, in tegenstelling tot de meeste andere leraren, kleedt hij zich als een surfer. Met moeite wend ik mijn blik van hem af.

'Dag Toby en Toby's moeder,' zegt hij.

'Tot morgen,' zegt Toby heel ernstig.

Als ik de gang inloop, die naar boenwas, kleurkrijt en eeuwigdurende jeugd ruikt, begint het opnieuw. Door mijn hand op Toby's hoofd te leggen probeer ik mijn evenwicht te hervinden. Ik heb een vreemde smaak in mijn mond en er verschijnen zwarte vlekken voor mijn ogen. Toby zegt iets, maar ik kan hem niet verstaan door het bloed dat door mijn oren raast. Ik hoor dat mijn hart het bloed door mijn lichaam pompt. Het is geen 'boem-boem'-hartslag, niet het keurige ritme dat je hoort tijdens de aftiteling van medische programma's, maar een keihard donderend geraas.

Ik doe mijn uiterste best, sta een paar tellen stil, en weet het in de kiem te smoren.

Als de jongens naar bed zijn, probeer ik erover te praten.

'Ik dacht vandaag dat ik dood zou gaan,' zeg ik vanaf de tafel tegen Max als hij hun deur zachtjes dichtdoet.

Hij lacht, maar fluisterend. 'Waaraan?' vraagt hij.

'Tja, dat is het nou net. Nergens aan. Helemaal niks.'

Max, de keurig verzorgde, gladgeschoren zakenman, kijkt me vragend aan. Hij loopt de kamer door en slaat zijn armen om mijn middel. Ik leun onmiddellijk tegen hem aan en we passen precies tegen elkaar, zoals altijd. Hij heeft bakkebaarden en een duur kapsel. Ik vind het heerlijk dat hij na zijn werk thuiskomt en spontaan de jongens naar bed brengt. Ik vind het heerlijk dat hij zo veel van ze houdt.

'Aha,' zegt hij. 'Maar je bent niet doodgegaan.'

Ik druk mijn gezicht tegen zijn borst en probeer de juiste woorden te vinden.

'Dat klopt,' is alles wat ik uit weet te brengen. 'Ik ben niet doodgegaan.'

's Nachts om half vier schrik ik ineens wakker. Dit is me de afgelopen vier nachten ook gebeurd. Vijf dagen geleden was ik redelijk tevreden met mijn leven. De dingen die me dwarszaten, had ik bijna allemaal diep weggestopt in stevige kisten waarvan de deksels goed dichtgespijkerd waren. Daar heeft een e-mailtje verandering in gebracht. Een vrolijk mailtje dat absoluut niet geschreven was met de bedoeling mijn hele kaartenhuis te laten instorten. Ik kan niet geloven dat dit echt gebeurt; ik ben ervan overtuigd dat ik spoedig weer bij mijn volle verstand zal zijn.

Ik kijk naar de oranje gloed op het plafond, van de straatlantaarn buiten. Ik zie de omtrek van het meubilair, van mijn onschuldige man.

Toen ik Max leerde kennen, toen ik eenmaal begreep dat ik van hem hield en dat we voor altijd bij elkaar zouden blijven, voelde ik me heel zelfvoldaan en vrolijk omdat ik me ondanks mijn achtergrond, ondanks alles, had aangepast aan de verwachtingen van de maatschappij. Ik wist dat we zouden trouwen, dat we monogaam zouden zijn en een gezin zouden vormen, dat ik per ongeluk traditioneel zou zijn. Ik had moeten weten dat mijn traditionaliteit nogal kwetsbaar zou zijn.

Ik luister naar het doffe gezoem van het verkeer. Mijn moeder staat buiten voor het raam en beschimpt me om mijn mislukking.

'Jij bent dood,' zeg ik zacht, en ze lost op. Max draait zich om en mompelt iets, maar hij wordt niet wakker. De contouren van zijn slapende gezicht worden griezelig geel verlicht. Ik ga rechtop zitten en kijk een poosje naar hem. Ik hoor zijn rustige ademhaling en staar naar de contouren van zijn comateuze lijf onder het dekbed. Een deel van me wil niets liever dan een tas pakken en op mijn tenen uit mijn leven sluipen, om Ellies voorstel op te volgen. Maar dat zal ik nooit doen. In plaats daarvan ga ik liggen en rol dicht naar hem toe. We liggen naakt tegen elkaar aan, het toonbeeld van intimiteit.

'Hm?' vraagt hij. 'Wat is er?'

Ik kijk naar hem, naar zijn gladde wangen, de vorm van zijn jukbeenderen, de plek waar zijn haarlijn bij zijn gezicht komt. Ik raak zijn wang aan. Ons hele leven is een sprookje. Dat denkt iedereen. Dat denkt hij. Ik kan het niet verdragen om hem teleur te stellen.

'Niks,' mompel ik.

'Ga weer slapen.'

Ik sluit mijn ogen en probeer nergens aan te denken.

2

Om half drie eet ik een kom kleffe, koude pasta en neem ik een drankje. Dat is mijn lunch. Die eet ik staande bij de radiator terwijl ik naar de voeten kijk die voorbijlopen, met de telefoon tegen mijn oor gedrukt.

'... en we zijn naar een wijnbar geweest,' zegt Jessica. 'En toen kwam Jasper binnen, maar die deed net alsof hij ons niet zag en Amelia zegt dat dat komt doordat ik naast Conrad zat...'

'Denk je dat ze daar gelijk in heeft?' vraag ik terwijl ik naar de stoep staar die voor mij op ooghoogte is. Er loopt een stel lompe schoenen langs, waar een stel tere vrouwelijke benen in een zwarte panty in zijn gestoken.

'Nou, dat weet ik eigenlijk niet,' zegt mijn zus. Ik zie haar voor me, in haar piepkleine kamer in het studentenhuis, met haar keurige bobkapsel, gekleed in een zwarte broek en een gestreken blouse. 'Wat denk jij? Ik had nooit gedacht dat Jasper dat soort spelletjes zou spelen. Maar toen stuurde hij me een vis op Facebook, zonder er verder iets bij te schrijven. Wat is dat nou? Een vis? Hij was roze. Ik hou niet eens van roze, en dat weet hij heel goed. In de wijnbar kwam hij na een poos naar ons toe om me iets te vragen over onrechtmatige daden, maar hij bleef niet want er kwamen een paar vrienden van hem binnen...'

Ik kijk om me heen terwijl ze verder vertelt. Onze woning is ruim voor een appartement met twee slaapkamers, maar klein in alle andere opzichten. Het is redelijk netjes, omdat Max daarvoor zorgt en omdat we een schoonmaakster hebben.

Vanwege haar bezoekjes werk ik één ochtend per week in Starbucks; ik kan echt niet een beetje op mijn laptop gaan zitten typen terwijl iemands grootmoeder om mijn stoel heen zuigt.

De ramen zitten hoog in de muren en Max beweert altijd dat dat in de vooravond voor een gouden licht zorgt, maar dat overdrijft hij met opzet. Af en toe valt er een zonnestraal binnen die precies de juiste hoek heeft en voor allerlei schaduwen en honingtinten zorgt, maar eigenlijk is het net als die plek op Orkney waar het licht het altaar maar één keer per jaar raakt. Meestal hebben we helemaal geen licht. De woonkamer is open en heeft een L-vorm, met een keukengedeelte en een grote boerentafel. Om de hoek staan twee banken, een stoel en de tv. De kamer van de jongens zit in het vierkantje dat door de L wordt gevormd, en zonder stapelbed zouden daar nooit twee kinderen in passen. Daarachter liggen onze kamer en de badkamer. Het is ons hol. We wonen half onder de grond.

'... en toen zei ze: "Je gaat toch niet de huiswijn drinken?"' zegt Jessica. Ik pak mijn eigen glas en drink het laatste restje op.

'Er is niks mis met huiswijn,' zeg ik tegen haar.

'Precies. Dus we zeiden...'

Ik hou weer op met luisteren. Er hangen zo veel dingen aan de muren dat hun magnoliakleur nauwelijks meer zichtbaar is. Overal hangen tekeningen van de kinderen en ansichtkaarten en een wereldkaart die meer ruimte in beslag neemt dan alle andere dingen.

Ik ga ervoor staan, met de telefoon tussen mijn oor en schouder geklemd. Hij hangt naast de eettafel en maakt al jaren deel uit van het decor. De hele wereld is erop te zien.

'Wat ga jij doen met de vakantie?' onderbreek ik haar.

'Vakantie? Bedoel je de kerstvakantie?'

'Volgend jaar zomer. Ga je nog ergens heen?' Mijn blik staat op oneindig. Ik wijs op Londen en laat mijn vingers vervolgens vliegen, alsof ze een vliegtuig zijn, helemaal naar de plek waarvan ik allang heb aangenomen dat ik hem nooit zal zien.

Ik stel me voor hoe eenvoudig het eigenlijk zal zijn om daar wel heen te gaan.

'O, dat weet ik nog niet. Een stageplaats om wat ervaring op te doen, denk ik. Sterker nog, ik zal wel moeten. Ik moet echt iets regelen.'

'Wil je niet weg? Jij kunt overal heen.'

Ze is heel kordaat. 'Nee, ik moet werken. Zo gaat het tegenwoordig nou eenmaal. Vakanties zijn om in te werken.'

'Door jou voel ik me ineens heel erg oud.'

Ze begint te lachen. 'Sorry. Zo oud ben je nog niet.'

'Maar goed, ik moet Toby en Joe ophalen.' Ik keer me om, draai de wereld mijn rug toe, en huiver. Mijn maag trekt zich samen en als ik omlaag kijk, zie ik dat ik mijn handen tot vuisten heb gebald.

'Goed. Hoor eens, we organiseren een surpriseparty voor papa's zeventigste verjaardag.' Ze lacht. 'Dat is pas oud. Heeft mam je dat al verteld? Ik kom er speciaal voor naar huis. In november, op de dag dat hij jarig is. We beginnen 's middags, zodat de jongens erbij kunnen zijn.'

Ik stel me het tafereel voor. Familie, stieffamilie, vrienden, kinderen. Daar zijn we wel een dag mee zoet.

Ik hang op en kijk of ik nieuwe e-mails heb voor ik naar school ga.

Ik heb één nieuw bericht en ik word nogal zenuwachtig als ik zie dat het van GoThereNow! is, een onlinereisbureau waar ik voor werk. De afgelopen twee jaar heb ik elke week een nieuwsbrief voor ze gemaakt die naar iedereen op hun adreslijst wordt verstuurd. Dat is nog verbazend tijdrovend en die opdracht vormt de basis van mijn piepkleine 'bedrijfje'. Ik ben nog niet begonnen aan het exemplaar van deze week, en die moet morgenochtend af zijn. Maar ze horen me nu niet te schrijven; een meisje dat Azure heet heeft me alle benodigde informatie al gegeven en Bruce, die zichzelf de 'Opperbaas' noemt, heeft nog nooit contact met me opgenomen.

'Dag, Tansy,' schrijft Bruce. 'Mag ik beginnen met je te vertellen dat je de afgelopen paar jaar meer dan briljant werk hebt verricht met onze bescheiden nieuwsbrief. En we waarderen al je inspanningen. Maar...'

De koude rillingen beginnen. Eigenlijk hoef ik niet verder te lezen dan dat 'maar'. Ik ben mijn baan kwijt. Weer iets waarbij ik heb gefaald.

Ik dwing mezelf om de volgende regels te lezen. Het staat er allemaal: 'moeilijke economische tijden', 'recessie', 'bezuinigen waar we kunnen om ons hoofd boven water te houden'. Kortom: Bruce wil dat Azure de nieuwsbrief voortaan maakt om een heel klein beetje geld uit te sparen. Ik heb geen idee wat ik moet beginnen. Ik kan het niet verdragen om niks te doen, en bovendien kan ik me dat niet permitteren. Maar ik kan het ook niet verdragen om een echte baan te zoeken. Ik knipper een paar keer snel met mijn ogen. Dit is precies waar ik al twee jaar bang voor ben. Nu kan ik het geld voor Joe's kinderopvang niet verdienen.

Voor ik wegga, haal ik Ellies mailtje van vijf dagen geleden uit de prullenbak, waar ik het steeds weer in stop. Ik ken het uit mijn hoofd, maar toch open ik het weer.

> Hoi T. ik hoop dat alles goed met je is enz, hier alles prima, heel veel mensen, overal toeristen, zelfs een paar australiërs op dit mo. heerlijk om mijn accent eens te horen. het is hier prachtig met veel schaduw, al is het in de stad heet en stinkt het er.
> maar goed, ik heb je hulp nodig. je weet dat je in al je mailtjes zegt, 'als we iets voor je kunnen doen, laat het dan even weten?' nou, op dat aanbod wil ik graag ingaan. ik heb hier echt een stel extra handen nodig voor een maandje of zo. we hebben het op het ogenblik heel druk met de kinderen nu het weeshuis op volle toeren draait. er gebeurt van alles waar ik nu niet over zal uitweiden, ik

vertel het je allemaal wel als ik je zie. waar het om gaat is, dat ik jou ken en je vertrouw. dat is heel belangrijk voor wat we hier doen. ik weet dat je je gezin hebt, en zo, maar kun je een maand komen? max kan vast alles in londen wel aan en het wordt hoog tijd dat je weer eens naar azië komt, vind je ook niet? pondicherry en zo. laat het me weten.

E xxx

Ik schud mijn hoofd. Ik weet dat ik niet naar India kan gaan. Mijn leven is hier. Jaren geleden heb ik heel bewust mijn best gedaan om me te settelen en een gezin te stichten. Maar om de een of andere reden krijg ik het idee niet uit mijn hoofd. Ik stel me een metalen blikje voor, diep in mijn psyche. De e-mail heeft de zijkant ervan doorboord en de wormen glibberen naar buiten. Ellies onschuldige woorden hebben sluisdeuren opengezet.

Ik heb Ellie ongeveer tien jaar geleden in Vietnam leren kennen. Ze woont al langer in India dan Max en ik ouders zijn. Ze woont in een ashram en doet liefdadigheidswerk met kinderen; wij sturen haar regelmatig geld, een schijntje waardoor ik me enigszins minder schuldig voel over ons gerieflijke, saaie leventje. Kennelijk heeft ze nu meer nodig dan alleen geld.

Ik klap de laptop dicht en pak mijn sleutels, daarna knoop ik de ceintuur van mijn jas dicht en vertrek op mijn excursie de echte wereld in.

Tenzij ik heel hard mijn best doe en een nieuwe bron van inkomsten vind die genoeg opbrengt om de crèche te betalen terwijl ik alleen tijdens schooluren werk, zal ik het besluit om Joe naar het kinderdagverblijf te sturen niet kunnen rechtvaardigen. Max zou ervoor kunnen betalen, maar dan komen we geld te kort, of Joe kan thuisblijven en ik kan me wijden aan het moederschap.

Alleen bij het idee moet ik al diep zuchten. Was ik maar een vrouw die dolgraag de hele dag in gezelschap van haar driejarige kind verkeert. Joe is mijn oogappel, maar ik zou gek worden als ik voor hem moest zorgen. Ik zou er niet goed genoeg in zijn. Hij zou me gaan haten en op dit moment is hij de enige ter wereld die onvoorwaardelijk van me houdt. Dat mag niet gebeuren. Ik moet een manier bedenken om hem op die crèche te laten, waar hij het heerlijk vindt en er voor hem wordt gezorgd door geduldige mensen die ervoor zijn opgeleid.

Max moet hebben aangevoeld dat dit eraan zat te komen. Vanochtend bracht hij me een kop thee op bed en ging vervolgens naast me zitten.

'Heb je er wel eens aan gedacht om een kantoorbaantje te zoeken?' vroeg hij kalm.

Ik slikte en probeerde me te concentreren. 'Eh...' zei ik. 'Nee. Hoezo?'

Hij besteedde wel heel veel aandacht aan het aantrekken van zijn sok. Max doet elke dag hetzelfde aan naar zijn werk: een donkergrijs pak, een overhemd dat ofwel lichtpaars of wit is, een paarse das en een paar opvallende sokken. Hij wil absoluut niet toegeven dat de sokken een cliché zijn. Vanochtend concentreerde hij zich volledig op het aantrekken van een paar Simpson-sokken dat Toby voor zijn laatste verjaardag heeft uitgekozen.

'O,' zei hij zonder op te kijken. 'Om eens uit huis te komen, nieuwe vrienden te maken, je horizon te verbreden. Lijkt je dat geen goed idee?'

Ik hoorde de ochtendtelevisie van de kinderen, vlak achter de deur. Het muziekje van Bob de Bouwer begon, dus het was Joe's beurt om te kiezen.

'Nee, dat lijkt me niets,' was alles wat ik eruit wist te krijgen.

Onze ogen ontmoetten elkaar in de spiegel en ik wendde mijn blik af. Ik had zin om een potje te huilen.

Een kantoorbaan was nooit iets geweest voor Max en mij.

Wij waren van plan om iets heel anders te doen met ons leven. Wij zouden alleen werken om geld te sparen voor ons volgende avontuur. Acht jaar geleden zouden we hard en lang hebben gelachen om iemand die een kantoorbaan beschouwde als een manier om je horizon te verbreden.

Een paar seconden sta ik mezelf toe om nogmaals aan Ellies opgewekte verzoek te denken. De enige manier waarop ik haar kan gaan helpen in het weeshuis is als we er met zijn allen heen gaan. En dat is onmogelijk.

Als ik de deur dichtdoe, zie ik de foto boven de plank waar we de post op leggen. Max en ik op onze trouwdag. Max gebruind en grijnzend, veel relaxter dan een bruidegom hoort te zijn, met een arm om mijn schouder geslagen. Ik heb een ongecompliceerde glimlach op mijn gezicht, mijn haar gebleekt door de Amerikaanse zon, en ik draag een strakke, crème jurk die me beter staat dan de meeste kleren die ik ooit heb gedragen. Ik zie de toekomst tegemoet in de absolute zekerheid van een leven vol liefde en opwinding en onvoorstelbare nieuwe avonturen.

Ik weet nog dat ik die dag, in het Peak District, moest lachen om hoe Max eruitzag in een pak.

'Dat past echt helemaal niet bij je,' heb ik tegen hem gezegd. Hij lachte en greep me bij mijn middel.

'Droeg jij maar een pofjurk met strikjes,' zei hij tegen me. 'Dan had ik jou ook kunnen uitlachen, maar, Tansy, je bent volmaakt.'

De stoep is nat en glibberig. Er hangt regen in de lucht, nauwelijks te zien, maar het maakt alles wel vochtig. Een deel van me vindt het zalig om in de stad te wonen, die veranderende, neurotische plaats die er altijd in slaagt om mijn stemming te weerspiegelen, waar altijd iemand wakker is en het nooit helemaal stil is. Ik buig mijn hoofd, trek mijn regenjas om me heen en stamp over de stoep. Uit gewoonte kijk ik naar de ramen van de souterrains in de hoop dat er iemand naar buiten kijkt.

De auto's rijden al bij de school vandaan, een knus en veilig onderkomen voor hun inzittenden. Als ik dichterbij kom, loop ik langs kinderen in uniform die uitwaaieren in de buurt. Ik versnel mijn pas, tot ik bijna ren. Een jongen die iets ouder is dan Toby loopt dicht langs me heen, maar hij kijkt niet om. Hij praat zo indringend tegen zijn moeder dat hij geen oog heeft voor waar hij loopt. Ik hoor hem zeggen: 'En mam, toen scoorde ik het doelpunt en iedereen juichte voor me en dat betekende dat we hadden gewonnen, en weet je? Dat was de eerste keer dat ik dat ooit heb gedaan!' Onwillekeurig talm ik even om zijn moeders reactie te horen. Als ik naar zijn achterhoofd met het donzige, blonde haar kijk, kan ik me de geestdriftige blik op zijn gezicht voorstellen.

'O, mooi,' zegt ze vaagjes. 'Ik heb gehaktballen gemaakt.'

Tegen de tijd dat ik bij de school ben, hebben alle kinderen in hun groene trui het gebouw verlaten. Er zijn nog maar een paar achterblijvers en ik haast me verder, in de hoop dat Toby niet de laatste is, dat er nog een paar bij de deur staan te wachten. Vandaag heb ik meer dan ooit het gevoel dat ik niet in één vertrek met meneer Trelawney kan zijn.

Ik haast me voorbij een broodmagere vrouw die 'Olivia's moeder' heet en die voorbijsnelt met de heilige Olivia aan haar ene hand en een vioolkist en een paraplu in de andere. Het is overduidelijk dat Olivia's moeder niet eet en elke keer dat ik haar zie is haar spijkerbroek, maatje tweeëndertig, een verwijt aan mijn weelderige rondingen. Maar ze verspeelt haar voordeel door haar lelijke haar, een zelfgeknipt, grijzend Beatles-bloempotkapsel. Ze doet haar uiterste best om me te negeren. Volgens mij heeft dat te maken met het gesprek dat we een keer hebben gehad over het lesprogramma voor hoogbegaafde kinderen.

Ik heb ontzettend mijn best gedaan om op te kunnen schieten met de moeders van de andere leerlingen. Ik oefen spontane opmerkingen en grapjes, maar die pakken nooit goed uit. Als ik mijn mond opendoe, zeg ik altijd het verkeerde. Ze hebben een soort onuitgesproken communicatie met elkaar en zelfs als ik precies dezelfde woorden gebruik die ik een geaccepteerd lid van hun kliek heb horen gebruiken, kijken ze me behoedzaam en met opgetrokken wenkbrauwen aan. Ik weet dat mijn wanhoop duidelijk te zien moet zijn, maar het lukt me nooit om het goede te zeggen. Ik heb twee vrienden: Sarah en meneer Trelawney.

Toen Toby bij de receptie was, stond ik bij de deur met een paar andere moeders te lachen om wat ze vertelden, omdat ik dacht dat ze een grapje maakten.

'Tabby leest al op het niveau van een achtjarige,' zei Tabitha's moeder. 'We hebben haar IQ laten testen en ze zit helemaal aan de top van de curve. Mijn man overweegt om haar aan te melden bij Mensa.'

'Wat fantastisch,' zei ik. Ik was ervan overtuigd dat ze een geintje maakte.

'Meisjes zijn natuurlijk veel voorlijker,' voegde de vrouw eraan toe.

'Dat is waar,' zei de vrouw aan mijn andere kant, Olivia's moeder. 'Livvy leest al als een négenjarige. Dit weekend heeft ze het eerste Harry Potter-boek zelf gelezen. Zondag rond lunchtijd had ze het uit!'

'Nou, Tobes leest *Oorlog en Vrede*,' zei ik. 'Maar hij vindt de gevechtsscènes een beetje oppervlakkig. Ik geloof dat hij het boek van Dostojevski leuker vond.'

Olivia's moeder wierp me een boze blik toe en heeft sindsdien geen woord meer met me gewisseld. Tabitha's moeder kijkt altijd verbijsterd naar me en praat achter mijn rug over me. Op die manier ben ik erachter gekomen dat ze geen grapjes maakten.

Ik slaak een zucht als ik bij de deur kom. Toby is weer mee naar binnen genomen. Ik loop naar het klaslokaal en verheug me ondanks mezelf op de aanblik van de aantrekkelijke meneer Trelawney.

School na schooltijd maakt me automatisch zenuwachtig. Overal staan borden met kunstwerken erop en als ik door een gang loop die geheel in stijl van het hindoeïsme is versierd, hoor ik het getik van mijn hakken vertragen. Ik kijk naar de kinderlijke afbeeldingen van Shiva en Ganesh, Lakshmi en een paar blauwe goden. Ik moet aan Ellies mailtje denken, en aan India.

Toby zit op een stoeltje en tekent met een blauwe balpen de Tardis.

'Het spijt me dat ik te laat ben,' zeg ik in de deuropening.

'Mam!' zegt hij, en zijn onderlip steekt pruilend naar voren.

Meneer Trelawney zit met zijn voeten over elkaar geslagen op zijn bureau en schrijft iets op een schrijfblok. Ik druk een zoen op Toby's hoofd en controleer of hij zijn boekentas bij zich heeft.

'Sorry,' zeg ik. 'Het spijt me echt, Tobes. Ik was helemaal niet van plan om te laat te komen.' Dat laatste zeg ik nadrukkelijk in de richting van zijn leraar, maar zonder naar hem te kijken. Dit gedoe met Jim Trelawney dreigt uit de hand te lopen: ik betrap mezelf er voortdurend op dat ik onze melancholieke gesprekjes verzwijg voor Max. Ik heb zijn nummer in mijn telefoon gezet onder 'Olivia' en af en toe sms ik hem. Die geheimzinnigheid is belachelijk, want als we allebei vrouwen waren geweest, zou het heel normaal zijn dat we bevriend waren. Dat hou ik mezelf voor.

'Waarom ben je het dan?' Toby staat op, mager en pezig. Hij kijkt me recht in de ogen en eist een antwoord.

'Jessica belde,' zeg ik kordaat. 'Ik heb niet op de tijd gelet. Het spijt me. Hé, Lola organiseert een surpriseparty voor opa's verjaardag. Je weet toch dat hij zeventig wordt? Maar niks tegen hem zeggen.'

Toby lacht. 'Weet opa dan niet hoe oud hij is?'

'Ja. Maar hij weet niet dat hij een feest krijgt.' Ik richt mijn aandacht op zijn leraar. 'Het spijt me, meneer Trelawney,' zeg ik, moeizaam slikkend. 'Het spijt me dat u hier moest blijven. Ik geloof dat ik wel wat lessen klokkijken kan gebruiken.'

Ik besef onmiddellijk dat het onverstandig was om dat te zeggen: ongepast flirterig en onmogelijk terug te nemen.

Meneer Trelawney schudt zijn hoofd en zijn krullerige haar springt om zijn smalle gezicht. Zijn wangen zijn altijd een beetje rozig en fris door de vele uren die hij op zijn surfplank doorbrengt. Zijn gelaatstrekken zijn nonchalant volmaakt, alsof hij een filmster is, maar hij vestigt er geen aandacht op. Zijn kleding, een losse katoenen broek en een Quicksilver T-shirt, is precies goed.

'Geen probleem,' zegt hij. 'Anders zou ik ook hier zijn. Al kun je elke dag die je wilt, privélessen klokkijken krijgen.' Hij vouwt zijn vel papier op, doet het in een enveloppe en geeft die aan Toby. 'Ach, je bent er toch, Toby,' zegt hij. 'Wil jij dit misschien even in het postvakje van mevrouw Mellor leggen?'

Ik pak Toby's arm om hem tegen te houden.

'Geef maar aan mij,' zeg ik, en ik steek mijn hand uit. 'Dat doen we wel als we naar buiten gaan.'

'Nee, laat mij maar, mam.' Trots dat hem een taak wordt toevertrouwd, pakt Toby de envelop en schudt mijn hand van zijn arm.

'Goed, dan,' geef ik toe. 'Ga op de terugweg even naar de wc. We gaan naar de cafetaria en deze keer mag je niet onderweg in iemands tuin plassen.'

Ik loop weg, naar de hoek van het lokaal, en doe net alsof ik de piraten bekijk. Ditmaal rennen ze niet op me af terwijl ze 'verachtelijke schurken' roepen. Ik zie dat meneer Trelawney er een briefje bij heeft gehangen, in een goed leesbaar leraren-handschrift, waarin hij uitlegt dat 'Echte piraten bloeddorstige misdadigers waren, maar dat we ze vandaag de dag graag als amusante personen neerzetten, mannen van me!'

Hij volgt me naar de hoek.

'Doet Toby het goed?' vraag ik zo ferm mogelijk.

'Heel goed,' zegt hij.

Ik kijk hem aan. Hij staat heel dicht bij me. Eigenlijk zou ik bij hem vandaan moeten stappen, maar dat doe ik niet.

'Ik moet steeds aan het mailtje van mijn vriendin denken. Daar heb ik je over verteld.'

Jim grijnst en duwt zijn haar achter zijn oor. 'Ja. Wil dat zeggen dat je gaat?'

Ik wend mijn blik af. 'Ik kan alleen gaan als het hele gezin meegaat. Ik kan de anderen niet achterlaten.'

'Doe dat dan. Hartstikke goed idee.'

Ik stel het me voor. Ik ga op een tafeltje zitten en laat de woorden van Jim Trelawney op me inwerken. Ik stel me Max en mij voor, weer als backpackers. Ik zie de jongens in katoenen broekjes en T-shirts, lekker gebruind en hun haar gebleekt door de zon. We eten viscurry (die de jongens wonder boven wonder lekker vinden) en Toby en Joe en de kinderen uit de buurt doen fantasierijke spelletjes met kartonnen dozen en stokjes, in plaats van plastic koopwaar van Cartoon Network. De branding spettert in mijn gezicht en de zon verwarmt mijn ledematen.

'Zeven maanden in 1993...' zegt Jim. 'En nog drie winters in Goa. Een vriend van me is er gebleven. Heeft alles achtergelaten en is op het strand gaan wonen. Geen idee wat er van hem geworden is.'

Dan kijkt hij me aan. 'Hé, Tansy,' zegt hij, op een toon waardoor ik me een schoolmeisje met een domme verliefdheid voel. Ik probeer er niet op te reageren.

Dan ligt zijn hand in mijn nek. Ondanks mezelf, ondanks

alles, buig ik me voorover en onze lippen raken elkaar. Heel even geniet ik ervan, verlies ik mezelf in hem. Dit is iets waar ik al maanden over fantaseer. Ik kus hem hard. Hij trekt me dichter tegen zich aan en legt zijn handen op mijn heupen. Ik deins net op tijd achteruit.

De deur gaat open en Toby kijkt naar ons. Jim doet snel een stap bij me vandaan en ik haal diep adem en weet dat niets ooit nog hetzelfde zal zijn.

3

In het café-restaurant ratel ik over van alles en nog wat om maar te vergeten wat ik net heb gedaan. Ik doe hard mijn best om een zo goed mogelijke moeder te zijn. Het heeft geen enkel nut om te fantaseren. Dit is echt.

De zaak is groot, kindvriendelijk met ruim voldoende hoge kinderstoelen en bakjes met smerige krijtjes. De jongens zijn moe, maar enthousiast.

'Mogen we warme chocolademelk met marshmallows?' vraagt Toby terwijl Joe instemmend knikt. Joe is ongelooflijk vertederend. Ik voel me stiekem beledigd dat er zo veel mensen om ons heen zitten die niet naar ons toe komen om te vertellen hoe schattig hij is. Toby is pezig, net als zijn vader, maar Joe is molliger, zoals ik. Hij heeft grote groene ogen en ronde, blozende wangetjes. Ik hoef maar naast Joe te staan en ik word een beter persoon.

'Tuurlijk,' zeg ik na een paar seconden tegen ze.

'Taart?' Joe gaat nog een stapje verder.

'Waarom niet? En ik wilde koekjes gaan bakken als we thuis zijn.' Dat doen goede moeders: ze nemen hun kinderen mee uit voor een traktatie en ze bakken koekjes.

'Jummie,' roepen ze in koor. Het is goed dat ze blij zijn.

Ik kan er niks aan doen, ik moet een manoeuvre uithalen, maar wel heel voorzichtig. Tenslotte hebben we vandaag te maken met een noodgeval.

'Toby,' zeg ik. 'Ga jij even met Joe naar die hoek om een paar kleurplaten uit te zoeken.' De platen liggen op een tafel zodat alle gasten erbij kunnen.

'Ik heb geen zin om te kleuren,' zegt hij.

'Maar Joe wel. Toe. Jij hebt niks te klagen, je krijgt warme chocolademelk en een stuk taart.'

Hij glimlacht en knikt en pakt Joe's hand.

Ik loop naar de balie en kijk ze na als ze door het vertrek lopen. Toby slungelig in zijn uniform, Joe aanbiddelijk slordig in een versleten spijkerbroek en een blauw sweatshirt.

Een meisje dat nauwelijks ouder dan een tiener kan zijn, kijkt me vragend aan.

'Ja,' zeg ik. 'Twee warme chocolademelk met marshmallows. Een grote beker thee. Twee stukken chocoladetoffeetaart.' Ik pak mijn telefoon en doe net alsof ik een sms'je lees. 'O, en blijkbaar ook een groot glas sauvignon.'

'Oké, ik kom het zo allemaal brengen.'

'Ik wil de drankjes voor de volwassenen nu graag hebben, als het kan.'

Even voorbij de kassa staat een hoge potplant. Ik heb deze truc al een paar keer uitgehaald en tot nu toe is het steeds gelukt. Ik kijk waar de jongens zijn, die net teruglopen van de tafel met kleurplaten vol treinen en raketten. Ik draai me naar de plant en giet de hete thee op de aarde, in de hoop dat de wortels van de plant niet zullen verbranden waardoor ik mezelf verraad. Vervolgens giet ik de wijn in de lege beker. Ik zet het glas onopvallend op de rand van de balie en loop naar de tafel met de nog altijd warme beker in mijn handen, en voer een toneelstukje op. Niemand die ervan weet.

'Zo!' zeg ik als ik ga zitten. Ik nip van mijn drankje. 'Is dit niet leuk?'

Dit deed mijn moeder vroeger ook. Daar probeer ik niet aan te denken, maar ik weet nog dat ik na schooltijd met haar in een cafetaria zat terwijl zij uit een theekopje dronk en langzamerhand luidruchtig en grof werd. Maar ik ben niet luidruchtig en grof. Ik duw die gedachte aan de kant. Maar daar is ze weer; zelfs tien jaar na haar dood komt ze nog bij me spoken.

Ik praat, alleen om haar buiten te sluiten.

'Hebben jullie zin in een speurtocht?' vraag ik. 'In het weekend. Dan kunnen we Lucy en Ruby ook vragen.'

Ik heb Max bedrogen. Een piepklein, verraderlijk deel van me is opgewonden omdat ik Jim heb gezoend. Alle moeders op school verlangen naar hem, maar hij wilde mij. Maar ik ben voornamelijk bezig om niet te verdrinken in de moerasachtige duisternis en de zelfverachting die omhoog kruipen en me als een tsunami omver dreigen te werpen.

Thuis gooi ik meel en suiker, siroop, eieren, rozijnen en chocoladebolletjes in de mengkom en bak een enorme hoeveelheid biscuitjes. Onder het werk zing ik 'The Sun Has Got His Hat On' en 'The Wheels On the Bus' en alle andere liedjes die ik kan bedenken. Ik til Joe op en knuffel hem tot hij begint te kronkelen en daarna zet ik hem op het aanrecht. Hij kijkt naar me en giechelt. 'Mag ik wat deeg?' vraagt hij. Ik doe een beetje op een theelepel en geef die aan hem.

'Niet te veel, hoor,' zeg ik tegen hem. 'Er zit rauw ei in.'

Ik rol het deeg tot een boomstam en snij er plakjes van, steeds weer, hak, hak, hak, met een scherp mes. Op het aanrecht staat een glas wijn, want het is half zes.

Terwijl de biscuitjes in de oven liggen zit ik aan tafel met Joe op schoot en ik lees hem veertien minuten voor tot de keukenwekker gaat.

'We gaan op berenjacht,' reciteer ik. 'We gaan een grote vangen.' Aan de vorm van zijn wang zie ik dat hij tevreden glimlacht. Dit is altijd een van zijn lievelingsboeken geweest. Hij leunt tegen me aan, helemaal veilig. 'Wij zijn niet bang,' zegt hij samen met mij. Ik streel zijn haar. Het klopt, hij is niet bang, maar ik ben doodsbenauwd.

Uiteindelijk hebben we veertig koekjes met chocoladestukjes en veertig met rozijnen. Het is belachelijk en als ik mijn baksels bekijk die over de hele eettafel liggen af te koelen, lach ik een tikje hysterisch. 'Je mag morgen zo veel koekjes als je wilt in je lunchtrommeltje,' zeg ik tegen Toby.

'Mag ik er zes?' vraagt hij.

'Ja hoor.'

'Mag ik er nu ook twee?'

'Waarom niet?'

Hij wil er een pakken, maar trekt snel zijn vingers terug.

'Auw!' zegt hij. 'Je hebt me gebrand.'

Ik weet dat ik deze manie niet zal kunnen bijhouden. Er komt absoluut een moment dat ik zo'n tekenfilmfiguur lijk die over de rand van een rots loopt. Ik weet dat ik te pletter zal vallen als ik omlaag kijk.

Ik kan de fles net zo goed leegdrinken.

Ik bel Max, die van zijn werk op weg naar huis is.

'Ik ben mijn baantje als schrijver van de nieuwsbrief kwijt,' zeg ik, en ik doe mijn best om helder te klinken. 'En het lijkt me het beste dat ik een baan ga zoeken. Een echte baan. Je hebt gelijk.' Wat ik niet zeg, is: 'En ik heb Toby's leraar gekust, en dat zat er al maandenlang aan te komen, en ik ben doodsbang dat ik het nog eens zal doen en wat erger is, alleen om mijn gedachten een beetje af te leiden.' Dat wil ik dolgraag zeggen, maar het lukt me om het niet te doen.

'O?' vraagt hij. 'Wat voor baan?'

'Ik heb er eentje online gezien. Een functie als PA bij Accenture. Dat krijg ik natuurlijk nooit.'

Hij haalt diep adem. 'Ach,' zegt hij. 'Je weet maar nooit.'

Ik weet niet eens waarom ik dat zei. Het was helemaal niet mijn bedoeling om dat te zeggen.

4

De volgende middag lig ik echt met mezelf overhoop. Ik loop samen met Toby naar de crèche om Joe op te halen en doe vreselijk mijn best om nergens aan te denken.

De wolken verdwijnen en de zon komt tevoorschijn en schijnt op de grijze stoepen en de lage muurtjes voor de kleine voortuintjes van de huizen en appartementen waar we langslopen. De lucht ruikt fris, voor Londen, en als we het laatste uurtje daglicht ingaan, lijkt de herfst naderbij te komen. Ergens is brand: je kunt de rook ruiken. Autolichten gaan aan en ook de straatlantaarns flikkeren op als we erlangs lopen.

Dit is Londen en Londen is altijd mijn thuis geweest. Ik schurk ertegenaan, elke seconde van elke dag.

Toen mijn moeder overleed, dacht ik enigszins triomfantelijk dat de ergste jaren van mijn leven achter me lagen. Toen ze nog leefde was ik, zodra ik daar oud genoeg voor was, het meest flamboyante sociale leven gaan leiden dat mogelijk was. Ik bracht al mijn tijd door in cafés en pubs, waar ik luidruchtig en grof was. Ik gebruikte elke methode om de realiteit te vermijden. Maar in elk geval had ik een leven. Iedereen lachte om me. Mensen die ik als mijn vrienden beschouwde lachten omdat ik nooit een drankje afsloeg en om mijn cocaïnegebruik, waar ik mee te koop liep. Ik was berucht: ik ging zonder mankeren elke avond uit. Toen mijn moeder doodging en ik uit de gezinswoning in Hampstead kon vertrekken, ging ik in een smerige flat in Soho wonen, recht onder een stel prostituees. Ik heb nooit de aanvechting gehad om medelijden op te brengen voor die arme, wanhopige vrouwen.

Er flitst een herinnering aan mezelf op; ik was bevoorrecht, dronken en beledigend en ik schold op ze omdat hun klanten voortdurend de flat inliepen die ik deelde met Guy (Guy was een van mijn vele pseudovrienden. Het laatste wat ik over hem heb gehoord is dat zijn tweede vrouw van hem is gescheiden en dat hij naar Parijs is verhuisd).

'Ik ben godverdomme geen hoer,' hoor ik mezelf in gedachten gillen. Ik heb geen flauw idee of ik dat echt heb gezegd, maar ik vrees van wel, of iets wat even beledigend was. 'Dus stuur jullie kutklanten niet naar mij toe. Sommige mensen die hier wonen hebben normen, hoor.'

Ze krompen een beetje in elkaar en boden hun verontschuldigingen aan. Kon ik ze maar opsporen en het goedmaken.

Ik was ongelooflijk kwetsend tegen iedereen. Ik had een vreselijke relatie met een man die Tom heette en die ik niet eens mocht, en we gingen voortdurend tegen elkaar tekeer en hielden onszelf voor dat we mediterraan en gepassioneerd waren, in plaats van ongelukkig. Toen Joe nog een baby was, heeft Tom me opgespoord via de website Friends Reunited, en hij probeerde me over te halen om hem te ontmoeten 'vanwege de goeie, ouwe tijd'. Ik heb hem vrolijk genegeerd, blij met de wetenschap dat dat hem woedend zou maken. Vorig jaar heeft hij nogmaals contact met me gezocht via Facebook, maar toen heb ik hem opnieuw genegeerd.

Hoe dan ook, een zeurend inwendig stemmetje zegt tegen me dat hoe slecht mijn relatie met Tom ook was, ik hem altijd liet weten hoe ik me voelde, en meestal in keiharde bewoordingen. Ik was nooit bang om hem teleur te stellen, want toen had ik nog lef. En ik heb hem nooit bedrogen. Ik doe mijn ogen dicht en bots bijna tegen een zielig stadsboompje aan. Toby praat tegen me, maar ik reageer alleen met 'Mm-m.' Ik wil deze vrouw niet zijn.

De Mountview Crèche is een vierkant gebouw waarvoor bouwtoestemming moet zijn verleend in de jaren zeventig. Het staat in een rijtje met net zulke lelijke gebouwen en aan de verkeerde kant van een straat waar verder alleen gigantische victoriaanse huizen staan. Bijna niemand in de crèche wordt om half vier opgehaald. Als je kinderen heel jong zijn, accepteert de wereld dat je werk hebt, dat je halverwege de middag niet alles uit je handen kunt laten vallen om je koters op te halen. Daarna gaan ze naar school en verandert alles: kinderopvang is gratis, maar kort. Ik vind het prima, want ik heb in feite ook geen werk meer.

Ik betaal ervoor dat Joe er tot vier uur mag blijven. Als het vijf over is, wordt me een extra uur in rekening gebracht. Ik kijk op mijn horloge. Het is kwart over. Inwendig haal ik mijn schouders op. Ik zal de rekening deze maand toch niet betalen. In de crèche ruikt het naar volle luiers en plakkaatverf. Alles is op kleine schaal, met overal lage stoeltjes. Ik voel me hier lomp en de bedomptheid, de saaiheid van een massa kleine, snotterige kinderen die op één plek worden gehouden, overweldigt me meteen zodat ik me nauwelijks meer kan bewegen.

Een meisje dat op dit moment Joe's 'voornaamste verzorger' schijnt te zijn, kijkt me aan met een glimlach om haar lippen terwijl haar ogen in het rond schieten en blijven rusten op Joe die gehurkt naast een blokkentoren zit en geconcentreerd op zijn onderlip bijt.

'Hallo, Laura,' zeg ik met mijn beste goede moederstem.

'Lauren,' zegt ze. Ze lijkt vijftien, al zou ze best drieëntwintig kunnen zijn.

'Jij bent Joe's moeder.'

'Sorry. Lauren. Ja, ik ben Joe's moeder.'

'Geeft niks. Hij zit daar.'

Joe fronst. De toren is bijna even groot als hij en hij is zo verstandig geweest om hem een brede fundering te geven. Langzaam pakt hij een geel blokje uit de doos en gaat hij op zijn tenen staan om het boven op de top te leggen. De toren helt over en wiebelt. Ik kijk naar mijn kleine Joe die hulpeloos toekijkt als de toren in slowmotion instort. Hij doet zijn best om niet te gaan huilen, maar zijn onderlip trilt. Ik loop naar hem toe en ga op mijn hurken naast hem zitten, met een hand op zijn schouder.

'Geeft niks,' zegt Toby kordaat. 'Ik kan een véél betere bouwen.' Hij loopt naar het speelgedeelte – de bouwplaats – en begint snel en efficiënt blokken op elkaar te stapelen. Een meisje met witblond haar, van ongeveer achttien maanden oud, waggelt zo dichtbij als ze durft, om te kijken. Zoals altijd wordt Joe verscheurd tussen verbolgenheid en ontzag voor de betere vaardigheden van zijn broer.

Lauren kijkt ongeduldig naar ons. Ze doet haar mond open om iets te zeggen, maar ik ben haar voor.

'Kom op, Toby,' zeg ik hard. 'Dit is niet jouw speelhoek, maar die van Joe. En we moeten nu echt weg. Kunnen jullie die blokken even oprapen en ze in de doos doen?' Ik kijk weer naar haar, me afvragend waarom ik haar goedkeuring wil.

Zij had er echter niet onverschilliger uit kunnen zien.

'Daisy!' zegt ze, haar blik op het engelachtige peutertje richtend. 'Heb jij bah gedaan?'

Daisy draait zich om en waggelt weg. Te oordelen aan haar manier van lopen en de geur die ze achterlaat, vermoed ik dat Laurens verdenking klopt.

'O, mam!' zegt Toby. 'Ik heb er niet mee gespeeld. Joe heeft ze gepakt.'

Ik kniel op de grond. 'Hup,' zeg ik, en ik gooi een handvol blokken in een doos. 'Even opschieten, dan kunnen we hier weg, oké?'

'Laat dat maar zitten,' zegt Lauren verveeld. Ze wikkelt een lok gebleekt haar om haar vinger. 'Ga je naar huis, Joe?' vraagt ze.

Joe schudt zijn hoofd. 'Ga naar het park,' zegt hij ernstig.

Ze heeft zich al tot mij gewend. 'Joe is vandaag heel lief geweest,' zegt ze, op een aanmatigend zangerig toontje. 'Hij heeft lekker in de boekenhoek gezeten en hij heeft leuk in de keukenhoek gespeeld, hè liefje?'

Joe knikt. Ik vraag me af of hij deze tiener in haar sweatshirt met Mountview Crèche erop aardiger vindt dan mij. Of ze minder met hem scheelt qua leeftijd dan ik. Vervolgens vraag ik me af waarom de crèche Mountview – Bergzicht – heet. In de nabije omgeving is geen berg te bekennen. Voor zover de ramen niet worden afgedicht door tekeningen in primaire kleuren kun je de Spar aan de overkant van de weg zien en, speciaal vandaag, een verzameling vuilcontainers. Ach, ze kunnen hem natuurlijk moeilijk Containerzicht noemen.

'Eigenlijk zouden jullie Sparzicht moeten heten,' zeg ik kalm, wijzend naar de winkel. 'Een veel passender, maar toch aantrekkelijke naam.'

'Ja, ja,' zegt ze.

Het park zit vol gezinnetjes. Zelfs het gras ziet er verlept uit. Het staat in miezerige kluitjes bijeen met overal stukjes modder. De speeltoestellen zijn heel doorsnee, toestellen die in primaire kleuren zijn geschilderd en die je op elke speelplaats in het land ziet; maar ze zijn oud en versleten door de duizenden Londense kinderen die dit als hun vrije natuur beschouwen.

Iedereen kijkt me aan alsof ze het moment waarop ze naar huis gaan nog even uitstellen. Een snelle blik op de volwassenen in de speeltuin leert dat bijna iedereen geldzorgen heeft. Dat zie ik aan hun samengeknepen mond, de holle ogen die zich op een punt in de verte richten, het feit dat ze iets doen met hun kinderen waar ze niks voor hoeven te betalen in plaats van een van de eindeloze hoeveelheid populaire activiteiten waar de bemiddelde mensen hun kinderen tegenwoordig toe dwingen.

Heel even stel ik me de afgrijselijke vraag hoe het is om onvruchtbaar te zijn. Ik heb het gevoel dat ik er niet erg mee zou kunnen zitten. Wat ben ik toch vreselijk om zoiets te denken.

Sarah staat naast de glijbaan. Haar wangen zijn roze en ze ziet er van top tot teen uit als een bezeten moeder uit Londen. Alleen het feit dat haar kinderen hier zijn en geen Kumon-wiskunde of junior-pilates doen, wijst erop dat zij anders is. Dat, en de geur van alcohol die om haar heen hangt.

Ze steekt haar armen uit om haar dochtertje aan te moedigen de stang boven aan de glijbaan los te laten.

'Toe, dan!' roept Sarah. Haar haar danst om haar hoofd wanneer ze een beetje al te overdreven op en neer springt om aan te geven hoe leuk het leven onder aan de glijbaan is. 'Toe dan, Ruby! Laat je maar naar beneden glijden!'

Ik vraag me af of ik net zo ruik als Sarah. Zij kan onmogelijk maar één glas hebben gehad. Ze is de halve dag al aan het drinken.

Kleine Ruby heeft hetzelfde springerige haar als Sarah. Ze hebben allebei zwarte krullen die over hun schouders vallen. Ik heb altijd medelijden met Sarahs oudste dochter, Lucy, die haar vaders haar heeft. Het is vaalbruin en heel gewoontjes. Sarah en Ruby hebben allebei een gezicht dat verkeersopstoppingen veroorzaakt. Lucy en Gavin, haar vader, zouden niet eens opvallen in een menigte van drie mensen.

'Onzin,' zegt Sarah elke keer dat ik dat zeg. 'Ik ben jaloers op Lucy.' Met moeite haalt ze een hand door haar krullen. 'Je hebt geen idee hoe vervelend dit is. Het is net schaamhaar.'

Lucy is aan het schommelen, ze gaat steeds hoger en zweeft naar de takken van een boom die in de buurt staat. Toby rent erheen en pakt de schommel naast haar uit de hand van een klein meisje. Ik kijk rond of ik een boze ouder zie, maar als er geen in de buurt is, laat ik hem begaan.

'Toe nou, Ruby!' Sarahs masker glijdt af en haar ongeduld is te zien. Dan ziet ze mij. 'Hoi! Alles goed?' Zonder op antwoord te wachten, zegt ze tegen Joe: 'Joe, liefje, wil jij even naar boven klimmen en haar een duwtje geven?'

Joe gaat meteen. Dat betekent dat hij zich langs een rijtje kinderen moet wringen, dat zeurend en onrustig staat te wachten tot Ruby zich overgeeft aan de zwaartekracht. Het verbaast me dat hij dit doet, want meestal is Joe verlegen en durft hij niemand te duwen, vooral geen oudere kinderen. Hij klimt de ladder op, maakt haar vingers kalmpjes los van de stang en zegt: 'Daar ga je,' waarna hij haar een duw geeft. Ze gilt van plezier en belandt in Sarahs armen. Sarah wankelt achteruit en valt in de modder, met haar dochtertje op schoot.

'Meer!' eist Ruby. 'Nog een keer!'

'Vergeet het maar,' zegt Sarah.

'Hoe gaat het ermee?' vraag ik als ze opstaat, haar jas uittrekt en net doet alsof ze het niet erg vindt dat die smerig is. Joe komt na Ruby de glijbaan af en lijkt erg in zijn sas met zichzelf. 'Heb ik je al verteld dat Ellie wil dat we een maand naar India gaan om haar te helpen? Goed gedaan, Joe.'

'Je bent heel nerveus. Jullie gaan toch niet echt?'

'Nee.' Ik kijk haar aan, maar wend snel mijn blik weer af. 'Eigenlijk denk ik erover om een baan te zoeken. Een echte, bedoel ik. Eentje waarvoor ik het huis uit moet.'

Haar ogen worden groot. 'Nee, toch?'

'Waarschijnlijk niet, maar ik heb het gevoel dat ik het moet doen. Wil je met ons mee naar huis?' ga ik snel verder. 'De doos voor Max' wijnclub is gisteren gekomen. Ik heb de witte wijn in de koelkast gezet.' Onze blikken ontmoetten elkaar even. Ik sla mijn ogen neer en zie dat ik in een centimeter water sta. Gelukkig zijn deze stomme, dure schoenen niet van suède. Haastig stap ik in het gras, waar mijn hakken langzaam in de modderige grond wegzakken.

Sarah glimlacht en de opluchting staat op haar gezicht te lezen. 'Tabitha's moeder heeft de meiden en mij uitgenodigd voor slappe thee en worteltaart. Jouw aanbod bevalt me veel beter.'

Op weg naar huis vertelt Sarah tussen neus en lippen door dat Gav in het nieuwe jaar een maand in Singapore gaat werken.

'Ze willen dat hij daar definitief heen gaat,' klaagt ze. 'In elk geval voor een paar jaar. En dan moeten wij nog mee ook. Drie weken is nog maar het begin. En hij wil verdomme dat we alles in de steek laten en gaan! Hij zegt wel van niet, maar hij wil het wel. Hij wil daar een beetje de koloniale meneer uithangen, bedienden hebben en koud bier drinken.'

Ik kijk naar Toby en Lucy die voor ons uit rennen. Toby veracht meisjes, maar voor Lucy maakt hij een uitzondering. Ze spelen een variant van tikkertje waarbij ze elkaar achterna rennen en duwen.

'Echt waar?' vraag ik. 'Willen ze dat jullie naar Singapore gaan?'

'Ja, debiel hè? Ik dacht het niet.'

Met een strak gezicht duwt ze Ruby's wandelwagen. Ik slik moeizaam.

'Singapore,' zeg ik nogmaals. Mijn hoofd loopt over door beelden van overvolle straten en chaos, leven, stof, vochtigheid. Mannen in kostuums, vrouwen in zijden Chinese jurken, ikzelf. Ik zie mezelf te midden van dat alles door de straten dwalen, een bus naar Maleisië pakken. Ik laat de jongens een andere manier van leven zien. Ik draag teenslippers, ga naar de toeristencafés en ik ben heel anders dan de gemiddelde echtgenote van een expat. 'Als Max naar Singapore zou worden gestuurd,' zeg ik zo achteloos mogelijk, 'zou ik graag meegaan.'

'Echt waar?' Ze werpt me een korte blik toe. 'Maar ik dacht dat je...'

'Lang geleden,' zeg ik, terwijl ik Lucy en Toby van de ene

lantaarnpaal naar de andere zie rennen. 'Ik wil terug naar Azië. Op dit moment onderdruk ik die neiging, maar als ik me niet heel hard zou concentreren, zou ik linea recta naar het vliegveld rennen en aan boord van een vliegtuig stappen.'

'Ben je wel eens in Singapore geweest?'

'Niet echt. Alleen op het vliegveld.'

Heel gedecideerd zegt Sarah: 'Nou, toevallig ben ik zelfs niet van plan om op het vliegveld te komen, geloof me maar.'

Ik hou Joe's zweterige handje vast. De straten ruiken naar uitlaatgas en regen en de zon verlicht een stel wolken, alleen om ons te laten weten waar hij precies is. De invallende avond zorgt ervoor dat mijn neus en vingertoppen koud worden. Ik ben doodsbang dat ik hier voor altijd vastzit. Dat ik iets onverstandigs met Jim ga doen. Dat alles om me heen uit elkaar zal vallen.

'Hebt u wat kleingeld voor me?' vraagt een stinkende, baardige man op de straathoek. Soms geef ik hem wat muntgeld uit mijn portemonnee. Vandaag niet.

5

Zodra ik de sleutel in het slot omdraai, rennen Toby en Lucy langs me heen naar de televisie. De verwarming is aangeslagen. Ik zie een leeg glas op de radiator bij het raam staan en ik pak het vlug op en zet het in de gootsteen. De voet ervan is vreemd warm, dankzij de centrale verwarming. Ik begin foutjes te maken; vroeger liet ik nooit glazen per ongeluk staan. Mijn solo-drinken, voor zover je daarvan kunt spreken, is iets wat ik altijd zorgvuldig verborgen heb gehouden.

'De kinderen willen een hondje,' zegt Sarah. 'Lekker is dat. Dan kan ik het zeker elke dag uitlaten. Nou, mooi niet.'

'Je kunt het in je handtas ronddragen,' zeg ik. 'Als een dame uit Parijs.'

Ze trekt haar wenkbrauwen op. 'Alleen willen ze een labrador. Hoe aantrekkelijk het idee ook is, ik geloof niet dat ik daarmee wil rondsjouwen.'

Joe gaat zo dicht mogelijk bij Toby en Lucy zitten als hij mag. Ruby, die bevrijd is uit haar buggy, rent hem achterna en gaat op de grond liggen, met haar kin op haar handen, om naar de tv te kijken. Zoals het jongere kinderen betaamt, kijken Joe en Ruby naar de programma's die de zesjarigen uitzoeken. Ik weet dat ik ze eigenlijk minder tv zou moeten laten kijken. Dat staat op mijn lijstje van zaken die ik moet aanpakken.

Sarah kijkt naar haar dochters die met glazige ogen voor de tv zitten en doet haar eigen ogen even dicht. Vervolgens haalt ze scherp adem en klapt in haar handen.

'Goed,' zegt ze, en ik herken het manische toontje in haar stem. 'Wie wil er sap? Wie wil er water? Zullen we wat fruit in stukjes snijden?'

'Eh,' zeg ik zacht terwijl ik een blik op de fruitschaal werp. 'Op dat gebied zijn we niet echt goed voorzien. Maar we hebben wel een ongelooflijke hoeveelheid enigszins sompige koekjes.'

Ze kijkt er wat beter naar. 'Een beschimmelde mandarijn en een papzachte banaan?' vraagt ze met een opgelucht lachje. 'Goh, wij zijn echt de anonieme paria's. Ik geloof dat ik ook geen fruit heb. Waar liggen je koekjes?' Opeens staat ze voor de kaart. 'En waar ligt Singapore eigenlijk?' voegt ze eraan toe. 'Dat zou ik echt niet weten.'

Ik laat het haar zien en we staan naast elkaar naar Azië te staren.

'Dank je,' zegt Sarah, en ze zet haar glas neer dat al halfleeg is. 'Eigenlijk zou ik niet moeten drinken, maar dat had ik echt even nodig.'

'Wat is er aan de hand?'

Het duurt even voor ze antwoord geeft.

'Ik zal je een hint geven,' zegt ze, op haar lip bijtend. 'Ze is een nagel aan mijn doodskist en ze stinkt nog erger dan ik.'

'Wat is er gebeurd?'

'Gearresteerd.'

'Waarvoor?'

'Flauwvallen achter het stuur. Van mijn auto, nota bene. Mijn prachtige auto met zeven zitplaatsen. Het zal in de krant komen.'

'Reed ze?'

'Nee, dat probeerde ze niet eens. Ze deed alsof, zoals kinderen doen. Je weet wel: dat ze het stuur van de ene naar de andere kant bewegen en "vroem, vroem" zeggen terwijl ze helemaal opgewonden zijn omdat ze een denkbeeldig reisje gaan maken. Vervolgens raakte ze in een alcoholisch coma en viel met haar hoofd op de claxon. Wat kinderen dus níét doen. Vervolgens heeft iedere voyeur in de straat direct de politie gebeld en genoten van alle opwinding.'

'Als mijn moeder nog zou leven, zou ik haar absoluut niet in de buurt van de jongens laten komen,' zeg ik. 'Ik zou nog eerder een straatverbod aanvragen. En ik zou op het eerste het beste vliegtuig naar Singapore stappen.'

'Nee, dat zou je niet doen. Dat kan ik niet. Ze is mijn moeder en ze zou ervoor zorgen dat ze als zwerfster aan haar einde komt als ik niet voor haar zorg. Dan doe ik op een dag de deur open en ligt haar lijk stijf en geel op de stoep voor het huis. Reken maar dat ze ervoor zou zorgen dat ze precies voor mijn huis zou liggen. Als we naar Singapore gaan, komt ze ons gewoon achterna, alleen om mij te pesten, en daar zou het nog veel erger zijn omdat de cultuur daar zo is dat je voor oudere mensen moet zorgen. En trouwens, dat zou jij ook nooit doen. Jij zou net zo goed aan de jouwe vastzitten.'

'Ja. Het is onmogelijk.'

We blijven een poosje zwijgend zitten. Ik doe verwoede pogingen om mijn dronken moeder uit mijn hoofd te zetten.

Dan zegt Sarah: 'Meneer Trelawney is godverdomme een stuk. Vind je ook niet?'

Ik kijk haar strak aan.

'Ja, natuurlijk,' geef ik toe. Ik observeer haar gezicht en probeer te ontdekken of het niet meer dan een onschuldige opmerking was. Ik vraag me af of ze ziet dat alles wat bijeen wordt gehouden door mijn huid opeens in een stomme, dwepende pudding is veranderd. 'Dat weet iedereen.'

'Ik ben dol op zijn krullen. Wat doet hij eigenlijk in Londen? Weet jij dat toevallig? Hij hoort in Cornwall of iets dergelijks te zitten en lekker de surfer uit te hangen. Heeft hij nog een vriendin? Degene met wie Hectors moeder hem in Pizza Express heeft gezien?'

'Geen idee,' zeg ik heel voorzichtig. 'Maar ik geloof dat hij geld verdient om te kunnen reizen en avonturen te beleven. Zo vrij als een vogeltje, en zo.' Ik pak de fles. Ik ga het zeggen. 'Ik mag hem graag omdat hij me aan Max doet denken.'

Sarah trekt haar wenkbrauwen overdreven niet-begrijpend op.

'Nou, afgezien van het feit dat hij totaal niet op Max lijkt, begrijp ik precies wat je bedoelt.'

'Zo was Max vroeger ook. Toen ik hem leerde kennen. Meneer Trelawney is precies zoals ik altijd heb gedacht dat Max zou worden.' Ik bijt op mijn lip. Dat had ik niet moeten zeggen.

De twijfel straalt van Sarahs gezicht.

'Tans,' zegt ze. 'Je herinnert je alles door een filter of zo, is het niet?'

'Dat is nou juist het grappige,' zeg ik, al is het eigenlijk helemaal niet leuk. 'Nee, het is onvoorstelbaar, maar dat doe ik echt niet.' Ik sta op en haast me naar onze slaapkamer, over de kinderen stappend, langs de felle neonkleuren van de kinderuitzending van de BBC. 'Ik zal het je laten zien,' roep ik achterom.

Ik trek de doos onder het bed vandaan en pak een handvol foto's. Die wil ik al jaren in albums plakken. Eigenlijk moet ik een album van Azië maken, en nog eentje met de kortere reizen in Europa, en eentje van Toby en Joe.

Ik blijf even staan met de foto's in mijn hand.

Toby en Joe die opgroeien. Ik stel me ze voor als ze tien en zeven zijn en dan veertien en elf, vervolgens als tieners, groter dan ik. Dan zullen ze zich generen dat er een foto van hen wordt genomen en hun hoofd afwenden van de camera om hun pubergezicht te verbergen. Dan zullen ze volwassen zijn en een baan hebben. Ik zie Toby voor het huis staan (niet dit huis, een grotere woning die we tegen die tijd zullen hebben door ergens langs de Northern Line van de metro te gaan wonen) met zijn eigen rugzak om, zijn gezicht getekend door opwinding en zenuwen, op weg om een avontuur zonder ons te beleven. Ik zie Joe, nog altijd lief en ernstig als een jongeman die de auto inlaadt, klaar om naar de universiteit te gaan. Ik zie mezelf als moeder op de achtergrond, hun stilletjes steun biedend, wachtend tot ze zullen bellen terwijl mijn eigen avonturen allang achter me liggen. Vervolgens probeer ik me een album voor te stellen vol foto's van ons allemaal in een ashram.

'Dit is Max.' Ik geef de foto aan haar en wijs mijn man aan. De foto is negen jaar terug genomen in Laos, op een van de dagen vlak voor onze eerste kus. Er staan vijf mensen op een stoffig weggetje, met fietsen aan de hand. Ik draag een blauw T-shirt en een honkbalpetje waar Amazing Thailand op staat, al was ik op dat moment nog niet in Thailand geweest. Mijn haar hangt los over mijn schouders en ik zie er gelukkig uit, op een ongecompliceerde manier. Max staat recht achter me.

Sarah buigt zich over de foto en knijpt haar ogen tot spleetjes.

'Wie is Max?' vraagt ze. 'Die ene vent die daar staat, naast die andere man met die ruige baard?'

Ik moet zo hard lachen dat de tranen me in de ogen springen.

'Nee, Sarah,' zeg ik. 'Dat is Greg. Max is die kerel met die ruige baard.'

De Max die zij kent werkt in de City en draagt een pak. De man op de foto is een ervaren, zorgeloze en ongelooflijk vreemd uitziende reiziger.

Ik praat door en mijn woorden buitelen over elkaar heen.

'Greg was een Amerikaan,' zeg ik vlug. 'Dat is hij nog steeds, hoor, maar tegenwoordig woont hij in Bangkok met zijn vrouw Juliette. Dat is Anna. Dat is Marguerita. Die waren heel gezond en Nederlands. Ik vermoed dat ze geen spat zijn veranderd. Dat ben ik, dat is tenminste iets wat je kunt geloven. En ja, dat is echt Max. Ik heb geëist dat hij zich schoor en ik heb zijn haar geknipt voor hij me mocht kussen. Een paar dagen nadat deze foto was genomen.' Ik grijp nog een foto. 'En dat is Ellie, zij is degene die wil dat ik naar India ga. Ze woont in Tamil Nadu. Heel vreemd, in die tijd was ze gewoon een "Australische die de wereld wilde zien" en nu doet ze aan yoga en redt ze kinderen. Naast haar staat Eddy, hij was haar vriend, maar kort na deze foto zijn ze uit elkaar gegaan. Hier waren we in Lhasa.'

Sarah luistert nauwelijks, ze houdt nog altijd de eerste foto vast en staart ernaar. 'Goh, dat is Max! Dat is het grappigste wat ik ooit heb gezien.' Ze lacht niet.

Ik schenk ons allebei nog een glas in.

'Zou je echt teruggaan?' vraagt ze een uur later. Ik bak vissticks terwijl Sarah diepvrieserwten aan de kook brengt en een oogje houdt op de magnetron en de aardappels die daarin liggen. 'Naar Azië? Ik bedoel, zou jij naar Singapore gaan als je mij was? Op jouw foto's ziet alles er heel leuk uit, maar... je weet wel.'

'Ja, ik weet het.'

Opeens kijkt ze heel verlegen. 'Ik weet dat je wat problemen hebt gehad toen je er was.'

Ik schraap een visstick van de bodem van de koekenpan. 'Ja, dat klopt. Vroeger.'

'Wil je terug?'

'Eh... Ja. Ik kan Ellies e-mail maar niet vergeten. We kunnen met zijn allen gaan. Max en ik hebben altijd gezegd dat we dat zullen doen als de kinderen groter zijn. We kunnen naar Pondicherry gaan. Zo heet het. Daar hebben we altijd al heen gewild, en Ellie woont er.'

Ik pak mijn glas en drink het in één teug leeg. Sarah schenkt het onmiddellijk weer vol.

'En wat vindt Max van dat plan?'

'Hij zegt dat hij zijn baan niet kan opzeggen, dat we de kinderen niet uit hun vertrouwde omgeving kunnen halen en dat ik dom doe. Ik denk dat ik nog wat op hem moet inpraten. Zodat hij begrijpt dat ik het echt meen.'

Ik draai de vissticks nog een keer om. Ze zijn een beetje aangebrand, maar waarschijnlijk kunnen ze er wel mee door.

Toby en Joe maken ruzie om de ketchup, vol belangstelling gadegeslagen door Lucy en Ruby, wanneer Max thuiskomt.

Sarah grijnst. 'Hé!' roept ze. 'Daar hebben we de baardige backpacker.'

Als Max haar niet-begrijpend aankijkt, trekt Toby Joe's vingers terug en Joe verstevigt zijn greep op de knijpfles. De ketchup vliegt door de lucht en Max springt achteruit als de rode klodders de daling inzetten, maar per ongeluk stapt hij in de baan van de ketchup in plaats van eruit.

We kijken allemaal toe terwijl de ketchup op zijn lichtpaarse overhemd spettert. Zijn gezicht, gladgeschoren, knap en niet te herkennen als de harige reiziger op de foto's, lijkt ineens toegetakeld. Er druipen straaltjes ketchup over zijn wangen. Op zijn rechteroor zit een glanzend rode vlek. De kinderen kijken hem met grote ogen en een verschrikte blik aan. Max bevriest. Ik kijk naar hem, de bankier die werd aangevallen door een saus. Ik zie dat hij zijn woede verbijt. Zijn ogen branden ervan. Hij doet zijn best om niet te schreeuwen.

'Je lijkt net George Clooney,' zeg ik snel, want dat zal hem geheid tot bedaren brengen. 'In een actiefilm, als je net in de val bent gelokt door de slechteriken. Een oppervlakkige wond op de borst, eh... en op je neus en oorlelletje, wat heel zwierig staat, maar je niet hindert in je strijd om gerechtigheid.'

Hij knikt naar mij en dan naar Sarah die giechelt. Ik zie dat hij zijn best doet om mee te spelen.

'Goed,' zegt hij na een poosje instemmend. Hij schopt zijn schoenen uit, springt op een stoel en schiet met een denkbeeldig wapen.

'Dat zal ze leren,' zegt hij.

De kinderen lachen opgelucht. Max klautert weer omlaag, trekt zijn overhemd uit en doet zijn das af. Hij veegt zijn gezicht af met het overhemd en laat ze vervolgens op de wasmachine vallen.

'Hallo, jongens en meisjes,' zegt hij, waarna hij weggaat om zich te verkleden. Ik zie dat Sarah naar zijn naakte borst kijkt, die er zonder meer mag wezen.

'Ga je het hem nog vragen?' fluistert ze heel hard.

'Wat moet ik hem vragen?'

'Nou, of jullie naar Pondi Nogwat kunnen gaan.'

Ik kijk haar aan en sper mijn ogen open. 'Niet nu! Dat komt later wel.'

'Ik zal nog een keer binnenkomen,' kondigt Max aan. Hij loopt naar de tafel in een polo en een spijkerbroek. Zelfs zijn vrijetijdskleding is tegenwoordig zakelijk. Ik kijk naar hem en probeer een plaatje van een backpacker met springerig haar over de zakenman te leggen, en vraag me af of ik iets kan doen om de tijd terug te draaien en de sjofele versie terug te krijgen. 'En wat hebben jullie vandaag allemaal gedaan?'

'Ruby heeft een grote bah gedaan,' zegt Joe tegen zijn vader. Ruby knikt.

'Fijn om het belangrijke nieuws te horen,' zegt Max. 'Goed gedaan, Ruby. Dus jij bent op de hoogte van de geheimen van mijn baardige verleden, Sarah?'

Ik hef mijn gezicht op voor een kus. Ik hou mijn adem in als ik hem zoen, in een schamele poging om de alcohol te verbergen. Onder de melkpakken in de recyclebak liggen twee lege flessen.

'Tansy wil je iets vragen.' Sarah kijkt meesmuilend naar Max. Die wendt zich tot mij.

'Wat dan?'

Onder de tafel geef ik haar een schop. 'Niks.'

'Ik kreeg vandaag een e-mail van een of andere sukkel bij Grahams,' zegt Max als Sarah en de meiden weg zijn en de jongens klaar zijn om naar bed te gaan. Hij trekt zijn groen en zwart gespikkelde sokken uit, wiebelt met zijn tenen, en laat de sokken op de bank vallen. Dat doet hij elke avond. Daar blijven ze liggen tot ik ze in de wasmand gooi of in de wasmachine stop. 'Van Andrew Norton. Maar hij schrijft zijn naam als een en-teken,' Max tekent een &-symbool in de lucht, 'drew. Jezus, wat een lul. Iedereen die zijn eigen naam niet kan spellen zou dood moeten.'

'Schrijft hij zijn volledige naam als "&drew o-on"?' Ik teken een nul – nought – in de lucht.

'Vast wel. Dat is die kerel die maar doorzanikt dat er geen "ik" in samenwerking zit.'

'Heb je hem al eens een van je beroemde snedige reacties toegebeten?'

Max heeft twee vinnige reacties op 'er zit geen ik in samenwerking' bedacht. De eerste is 'maar wel een 8 in achterlijk' en de tweede, als hij echt kwaad is, heeft iets te maken met de letter u in een woord dat met een k begint. Ik krijg zo langzamerhand het idee dat hij zijn energie beter op het grote geheel kan richten in plaats van allerlei mensen te haten die praten op een manier die hem niet bevalt.

'Die begrijpt hij niet, daarom negeert hij me.'

Max overhandigt me een glas wijn. Ik neem het aan alsof het mijn eerste is.

'Dus hij heeft geen idee waarmee hij te maken heeft?'

'Met wie hij te maken heeft. Nee, inderdaad.'

'Nou ben je aan het mierenneuken.'

'Sorry. Maar je hebt het wel over de Onzin-controleur en soms moet ik voor mijn werk mierenneuken. Ik betrapte me bijna op het gebruik van het @-symbool en noemde de man in kwestie een @-ter. Hebben jullie een leuke dag gehad?'

'Ja, hoor,' zeg ik. 'Iedereen heeft zich vermaakt met de foto's.' Ik knik naar de plank.

Max staat op en bladert ze glimlachend door.

'Dat zal best,' zegt hij grinnikend. 'Dat was een heerlijke tijd. Alles leek zo simpel.' Hij legt ze neer en kijkt me opeens heel ernstig aan. 'Wat wilde je vragen?'

Ik kijk naar het raam. Het is te donker om de voeten voorbij te zien lopen. Ik kijk naar de kaart. Er zit een grijze veeg op waar ik een woord zo vaak heb aangeraakt dat het bijna is uitgewist.

'O,' zeg ik. 'Dat heeft geen haast.'

Midden in de nacht lig ik weer wakker. Max heeft zich van me af gedraaid. Ik staar naar zijn rug, luister naar zijn ademhaling en voel de warme tevredenheid die hij uitstraalt. Ik lig zo stil mogelijk naast hem.

'Ga slapen,' mompelt hij, en hij rolt op zijn rug.

'Goed,' zeg ik, maar ik blijf naar hem kijken.

'Kom op. Ga weer slapen.'

'Oké.'

Er gaan twintig minuten voorbij. Dan draait hij zich met een ruk op zijn buik, komt overeind op zijn ellebogen en kijkt me aan. Hij glimlacht, heel behoedzaam, en ik glimlach terug. Als we met zijn tweeën zijn, lijkt alles in orde.

'Tansy?' vraagt hij. 'Waarom slaap je nooit? Wat is er? Wat wilde je me nou eigenlijk vragen?'

Ik slik heftig en schud mijn hoofd.

'Niks,' lieg ik. 'Ik weet het niet.'

'Je moet het toch wel een beetje weten.' Zijn stem klinkt teder, bezorgd. Ik schuif wat dichter naar hem toe, warm onder het dekbed. 'Je moet ergens mee zitten als je klaarwakker schrikt om...' Hij kijkt op de wekker. 'Dertien voor vier 's nachts. Niet echt een tijd om wakker te zijn, als het niet hoeft, vind je wel?'

Ik voel me misselijk worden. 'Nou... Ik weet het niet. Ik ben gewoon een beetje uit mijn doen.'

'Denk je dat jij kunt ophouden met drinken?'

Ik lach zachtjes. 'Dat is het niet. Echt waar, daar heeft het niks mee te maken.'

'Wat dan? Wat het ook is, als jij je er beter door zult gaan voelen, dan moet je het doen.'

Ik slaak een diepe zucht.

'Het is dat mailtje van Ellie. Van een week geleden, weet je nog? Ik kan het maar niet uit mijn hoofd zetten. Ik heb het gevoel dat ik me hier overal voor verschuil. We zijn zo... beschermd. Alles gaat zijn gewone gangetje. En nu moet ik de hele tijd denken aan... Nou, aan mijn moeder. En we hebben altijd gezegd dat we naar Pondicherry zullen gaan, net zoals we zouden hebben gedaan toen... We zouden de kinderen meenemen als ze groot genoeg waren. Joe is bijna vier. Ze zijn groot genoeg. Ellie heeft hulp nodig. Stel nou dat we...' Mijn stem trilt, maar elke vezel in mijn lichaam zegt dat ik dit moet doen. 'Stel dat je een maand vrij neemt? Dat we met zijn allen gaan? Of ga er een jaar tussenuit. Een pauze in je carrière. Dan kunnen we een ander soort leven leiden. Een avontuur beleven. Iets heel anders doen. Jij zou je certificaat om Engelse les aan buitenlanders te geven kunnen afstoffen. Het zou hartstikke leuk zijn.'

Max staart me aan in het donker. Ik doe het licht aan zodat ik zijn reactie kan zien. Hij knijpt zijn ogen dicht en wrijft erin.

'Liefje,' zegt hij. 'Het spijt me heel erg dat dit allemaal weer voor je is opgerakeld. Maar je wilt toch niet echt dat we dat gaan doen? Nee, toch?'

'In India kan het niemand iets schelen dat er geen "ik" in samenwerking zit.'

'Dat is waar,' zegt hij eindelijk. Hij is doodsbleek geworden. 'Maar Tansy, ik kan niet mee. En de jongens ook niet.'

'Lijkt het je niet leuk? Allemaal samen?'

Mijn stem klinkt heel kleintjes. Een bibberig stemmetje dat ik uit mijn keel moet dwingen.

We zeggen allebei niks. We zijn instinctief bij elkaar vandaan geschoven. Ik kijk naar mijn handen, naar mijn korte, praktische nagels en hun enigszins afgebladderde, doorzichtige lak. Ik draai aan mijn verlovingsring en trouwring. Ik voel dat Max oogcontact probeert te maken en ik wend mijn gezicht af.

'Hoor eens,' zegt hij. 'Tansy. Schat van me. We hebben inderdaad gezegd dat we zouden gaan. Maar dat was een oud plan, nog van voor we kinderen hadden. Dit is ons huidige leventje. We verschuilen ons helemaal niet, we hebben een fantastisch bestaan in een geweldige stad. We kunnen niet zomaar alles opgeven.'

'Ja, dat kunnen we wel.'

'Je weet wat je moet doen.'

'O, ja?'

'In je eentje gaan.'

'Nee. Geen sprake van.'

'Weet je dat zeker?'

'We hebben altijd gezegd dat we het zouden doen,' herhaal ik. 'Samen.'

'Denk nou eens even na,' zegt hij. 'Ik kan niet zomaar alles opgeven. Dit is geen goede tijd om in een opwelling ontslag te nemen. We hebben een hypotheek, de jongens zijn gesetteld...'

Ik luister niet meer naar hem, maar richt mijn aandacht op de hoge, wanhopige kreet die uit mijn binnenste komt.

6

Alexia's gedachten
2.10 uur Oostelijke Standaardtijd

Ik ben niet iemand die zegt: 'Heb je mijn blog gelezen?' Ik ben niet van plan om al mijn vrienden en bekenden deze weblink te mailen. Waarschijnlijk zal ik het profiel aan de rechterkant nooit invullen of mijn foto plaatsen, of zelfs maar mijn achternaam noemen.

Dit is mijn speciale plekje en het gaat uitsluitend over mij.

Het zit zo: als je hier toevallig op bent gestuit, hartstikke leuk. Welkom op mijn piepkleine stukje van het World Wide Web. Als niemand het leest, ook goed. Maar voor de mensen die het wel lezen: ik heet Alexia. Ik woon ergens tussen de Oost- en Westkust van de VS, maar behoorlijk ver van beide.

Dit is mijn verhaal.

Ik ben achtendertig. Ik ben getrouwd met Duncan, mijn jeugdvriendje. Toen we dertien waren zaten we bij elkaar in de klas, daarna zijn we elk onze eigen weg gegaan, om vervolgens op ons zesentwintigste weer bij elkaar te komen toen ik besefte dat ik al die tijd gelijk had gehad, dat de jongen op wie ik voor het eerst verliefd was geworden inderdaad mijn grote liefde was.

We zijn getrouwd toen we achtentwintig waren en toen zijn we direct gaan proberen om een baby te krijgen.

Op dit punt zou mijn verhaal eigenlijk als volgt verder moeten gaan: we zijn gezegend met een jongetje en daarna met een meisje. Af en toe word ik gek van ze, maar zonder hen zou mijn leven leeg zijn.

En inderdaad, zonder hen is mijn leven leeg. Ik ben incompleet.

Na een poosje begonnen we het onderwerp te mijden. Duncan slaagde erin het tot op zekere hoogte uit zijn gedachten te zetten. Tenminste, ik heb altijd gedacht dat hem dat lukte. Ik weet het niet, soms heb ik het gevoel dat hij er net zo onder gebukt gaat als ik, maar je kunt niet voortdurend hetzelfde gesprek voeren. In de loop der jaren zijn we tot de ontdekking gekomen dat we gelukkiger zijn als we er niet over praten.

Zelf heb ik, zelfs na tien jaar, elke maand nog een klein beetje hoop. Het slaat nergens op, maar het is wel zo. Elke keer, ook al zijn de kansen niet in ons voordeel, hoop ik dat we de een op een miljoen krijgen. Elke keer dat ik mijn O op bezoek krijg (zo noemen we het in mijn onlinehulpgroep), heb ik het gevoel dat mijn baby me weer is ontnomen.

(O staat voor opoe. Om eerlijk te zijn vind ik dat een prettigere uitdrukking dan de meer directe, en ik zie het graag als een persoon omdat ik dan iemand de schuld kan geven).

Dus elke keer dat O langskomt, treur ik om weer een van mijn arme eitjes dat nooit de kans heeft gekregen om tot bloei te komen. Er kunnen er niet meer veel over zijn. Allemaal verspild. Ik beschouw O als een vrouwelijke hond.

We hebben onderzoeken laten doen. Heel veel onderzoeken. Niks. Geen enkele concrete reden. Duncans aantal zaadcellen is gemiddeld. Mijn cyclus is min of meer regelmatig. Volgens alle bloedonderzoeken lijken mijn hormonen de juiste dingen op de juiste momenten te doen. We doen zo veel BD dat het jaren geleden al stomvervelend is geworden, maar toch doen we het op precies de goede dagen, of we er nou zin in hebben of niet.

(BD is nog een uitdrukking die we gebruiken – baby dansen – ook deze vind ik prettiger dan de grovere termen. Alleen wens ik dat het één keer zijn naam eer zou aandoen).

We hebben drie keer IVF gedaan, zonder resultaat. Toen we eraan begonnen, waren we het erover eens dat drie keer ons maximum was. Ik zou het zo een vierde keer doen, maar Duncan houdt zijn poot stijf. Elke keer dat ik lees over een baby die is verwekt bij de vierde of vijfde poging gaat er een pijnscheut door mijn hart.

Jaren geleden zijn we adoptie gaan overwegen. Dat is een moeizame weg gebleken: als je het niet kunt opbrengen om een gehandicapt kind of een ouder kind groot te brengen, dan kun je in dit land bijna niet adopteren en ga je al snel over de grens kijken. En wij hebben geconstateerd dat we dat echt niet kunnen opbrengen. Eigenlijk denk ik dat ik een gehandicapt kind wel voldoende liefde kan bieden, maar Duncan weigert, wat natuurlijk zijn volste recht is.

Maar laat me je ook over de andere bijzonderheden van ons leven vertellen. We zijn bevoorrecht met twee katten, Milly en Brian. Onze prins en prinses. Milly heeft niet dezelfde problemen als wij: de afgelopen vijf jaar hebben we drie keer een nest met aanbiddelijke katjes gehad die allemaal een goed tehuis hebben gevonden (behalve Brian, die Milly's zoon is; hem hebben we laten helpen, zodat hij nooit vader zal worden. Het leek mij helemaal niks dat hij de vader zou worden van zijn eigen broers en zusjes). Milly is zwart-wit, slank en koninklijk. Ze is mijn meisje, mijn prachtige kleine meid. Volgens Duncan is ze een hooghartige heks, maar zo zijn katten nou eenmaal. Brian is dik en knuffelig. Hij slaapt vaak op ons bed en als Duncan weg is, komt hij opgekruld naast me liggen, tegen mijn buik, precies waar de baby zou zitten als ik er eentje in me droeg.

Ik weet dat mensen me uitlachen. Mijn zus lacht me uit. Ze zegt dat ik de katten behandel alsof ze mijn kinderen zijn. Dat vindt ze een heel slimme observatie van zichzelf. Zelf heb ik iets van: nou, knap hoor. Wat kan ik anders?

Maar goed, Duncan leidt een garage. Hij is een uitstekende monteur, zo is hij ook begonnen, maar tegenwoordig is hij regiomanager. Ik werk in een snoepwinkel. Ik heb rijen verschillend snoepgoed. Zoals je je wel kunt voorstellen zie ik elke dag verdomd veel kinderen. De mensen denken dat ik dat vervelend vind, maar dat is helemaal niet zo. Ik ben gek op kinderen. Ik vind het heerlijk om ze te zien opgroeien terwijl de jaren verstrijken. Om ze dik te maken, ervoor te zorgen dat hun tanden gaan rotten... geintje.

Ik ben 38, Duncan is 38, en we hebben niet veel tijd meer. De 40 nadert en we moeten een kind hebben voor het zover is. En daarmee kom ik bij het doel van dit blog. Op dit moment zit ik zo stil mogelijk te typen (klinkt dat niet idioot?) terwijl Duncan boven ligt te slapen en Milly tegen mijn benen duwt. Ik geloof dat we verder moeten gaan met dat adoptie-gedoe, dat we eens in het buitenland moeten gaan kijken. Dat we het pad moeten volgen dat is gebaand door mensen als Madonna Ciccone, Angelina Jolie en anderen. Om de een of andere reden moet ik steeds aan India denken, hoewel de eerdergenoemde beroemdheden geen kind uit dat land hebben geadopteerd.

Ik leef al veel te lang met het feit dat andere mensen gemakkelijk kinderen krijgen, maar dat ik zal moeten knokken om de mijne. Zolang dat succes heeft, geeft dat niet. Zolang hij of zij bij ons is aan het einde van deze reis zal de strijd er alleen voor zorgen dat ik nog meer van het kind zal houden. En hij of zij zal weten wat we hebben gedaan om zover te komen en ze zal precies weten hoe erg mammie naar haar heeft verlangd.

En weet je? Hoe langer ik erover denk, hoe opgewondener ik word. Ik ga dit stuk nu posten en daarna ga ik alles wat ik moet weten googelen.

7

De stemmen houden geen wijs. We worstelen ons moeizaam naar het vrolijke einde van het liedje:

'Happy birthday dear Roger...

Happy birthday to you!'

Er gaat een gejuich op en mijn vader lijkt slecht op zijn gemak. Hij schuifelt met zijn voeten, kijkt naar de grond en schraapt zijn keel.

'Dank jullie wel,' zegt hij uiteindelijk. 'Ik wil jullie allemaal, eh... graag bedanken voor jullie komst.'

Pap mag er wezen voor zijn leeftijd, en ik vermoed dat hij een soort ingebouwd charisma heeft, iets wat vrouwen aantrekkelijk vinden. Een van die dingen die een dochter ontgaat, maar ik hou wel van hem, ondanks zijn sociale onbeholpenheid en algemene onhandigheid. En het lijkt erop dat ik niet de enige ben. Het huis is vol familie en vrienden die hem komen feliciteren. Zijn haar is wit en zwierig. Hij doet me denken aan iemand als Trevor Howard, ouder wordend op een boosaardige, Britse manier, maar zonder de gladde praatjes. Ik heb echt geen enkele herinnering meer aan hem uit de tijd dat hij nog getrouwd was met mijn moeder. Als ik er niet was als bewijs, zou ik nooit hebben geloofd dat het echt was gebeurd.

Zoals altijd neemt Lola de touwtjes in handen.

'Ja,' zegt ze. 'Fijn dat jullie allemaal gekomen zijn. Roger boft maar dat alle vijf zijn kinderen hier zijn.' Briony en ik juichen; we drinken onze vierde, of vijfde, wodka en tonic. Ik weet dat dat heel slecht is. 'Dus wil ik Jessica graag bedanken dat ze helemaal uit Edinburgh is gekomen voor de surpriseparty, en ik bedank Tansy, Jake, Briony en Archie. En Max natuurlijk, en Rogers oogappeltjes: onze fantastische kleinzoons, Toby en Joe.' Toby juicht ook en Max valt hem bij. Joe kijkt stralend de kamer rond. Lola praat verder en bedankt verschillende mensen voor verscheidene dingen, maar mijn hoorvermogen verdwijnt plotseling.

De misselijkheid overvalt me heel abrupt. Als tiener en twintiger slaagde ik erin te vergeten dat ik mezelf aan het vergiftigen was, tot het ook daadwerkelijk zo ver was. Nu voel ik het terwijl ik bezig ben. Dat is een van de redenen dat ik geen sterkedrank drink. Als ik dat doe, voel ik dat ik dood begin te gaan.

Ik baan me haastig een pad door de menigte die beleefd luistert naar Lola die alle buren met naam en toenaam bedankt, en ren naar de badkamer. Precies op tijd kom ik voor het toilet tot stilstand. Een zure straal heldere vloeistof stroomt in de pot en over de voorkant van mijn rode jurk en ik hoest en verslik me en probeer de deur dicht te duwen met mijn voet. Mijn keel prikt. Mijn ogen tranen. Ik val neer op de vloer.

De zwarte vlekken worden groter en lopen in elkaar over. Ik blijf hier gewoon een poosje liggen tot ik me beter voel.

'Tansy.'

Sterke handen schudden me door elkaar. Ik bied weerstand. Ik moet alleen even rusten.

'Tansy! Tansy, kun je me horen? Jess, bel maar een ambulance.'

Ik open één oog, voor zover me dat lukt. Max en Jessica staren me aan. Jess draait zich om om te gaan bellen.

'Nee,' roep ik. Ze keert zich weer naar mij toe. 'All'sgoed,' geloof ik dat ik zeg. 'Geen ambulance.'

'Het is niet goed met je.' Max is kwaad. Ik kijk hem pruilend aan.

'Niet boos zijn,' brabbel ik.

'Hou je kop. Je zet jezelf te kijk. Ons allemaal. Hoor eens, ik ga met de jongens naar huis voor ze jou zien. Ik vind echt dat we je naar een ziekenhuis moeten brengen.'

'Nee.' Ik heb één keer eerder in een ziekenhuis gelegen in verband met alcohol, op de dag dat mijn moeder werd begraven. 'Alles is goed met me,' zeg ik zo duidelijk mogelijk.

Ik zie ze naar elkaar kijken, mijn bezorgde man en mijn verstandige zusje.

'Het zal wel,' zegt Max na een poosje. 'Maar Jessica zal voor je zorgen en zij brengt je naar huis als jij je daar goed genoeg voor voelt. Wil je dat doen, Jess? De jongens zijn boven bij Jake en Archie. Ik zal ze meenemen. Jezus nog aan toe, Tans, zorg dat je je weer in de hand krijgt.'

Hij gaat weg zonder gedag te zeggen. Ik laat me overeind helpen door Jessica. Ze brengt me naar haar vroegere slaapkamer. Dan ga ik liggen en doe mijn ogen weer dicht.

De volgende keer dat ik mijn ogen open is het huis stil, het feest is voorbij. Ik kijk met samengeknepen ogen naar de Barbie-klok op het nachtkastje. Half elf.

Vervolgens zie ik tot mijn schrik dat mijn vader op de rand van het bed zit.

Ik ga overeind zitten. Alles beweegt en de gal stijgt naar mijn keel.

'Wat is er?' wil ik weten.

'Tansy,' zegt hij terwijl hij boven mijn hoofd naar een plekje op de muur kijkt. Ik lig op een roze dekbed in een benauwend meisjesachtige kamer. Er staat nog altijd een 'Girl's World'-hoofd op de plastic aandoende toilettafel dat opzichtig is opgemaakt. Ik weet dat het tegen me zal gaan praten als ik er te lang naar kijk.

'Pap, alles is goed met me. Ik heb alleen een beetje overdreven. Het gaat alweer veel beter.'

Hij schraapt zijn keel. 'Soms doe je me aan je moeder denken,' zegt hij onbeholpen. 'Dat is alles. Ik vind dat je met iemand moet gaan praten of ergens heen moet gaan waar ze je kunnen helpen.'

'Mijn móéder? Je bedoelt mijn moeder, de agressieve alcoholiste?' Opeens voel ik me weer een tiener, al heb ik deze dingen toen nooit tegen hem gezegd. 'De vrouw die twintig jaar van haar leven heeft verspild door dronken in een hoekje te liggen? De vrouw waar jij mij heel vriendelijk bij hebt achtergelaten toen jij zo verstandig was om ervandoor te gaan?'

Diep beschaamd kijkt hij weg. Hij schraapt zijn keel met een benepen 'Hm'.

'Misschien,' zegt hij tegen het Girl's World-hoofd. 'Misschien had ik je moeten meenemen. Nee, dat had ik zéker moeten doen. Als ik ergens spijt van heb, dan is het dat ik dat niet heb gedaan. Dus ik hou mezelf verantwoordelijk voor jouw problemen, ja. Maar zoals je zelf al zei, was dat een ongeschikt leven voor iemand van zeven. Dus misschien...' Hij hoeft zijn zin niet af te maken, en ik zie dat hij dat ook niet van plan is. Hij impliceert allerlei dingen. Hij heeft het over Toby. Ik haat hem. Echt waar. Ik ga weer liggen, sluit mijn ogen en doe net alsof hij er niet is. Nadat hij nog een paar keer zijn keel heeft geschraapt en wat heeft gekucht, schuifelt hij de kamer uit.

Ik lig de hele nacht op Jessica's oude bed. Mijn hoofd bonkt en klopt en mijn ledematen trillen. Ik haat ze allemaal en mezelf nog het meest van allen. Het is onmogelijk om de schaamte te erkennen. Om vijf uur sta ik heel stilletjes op, maak de achterdeur open en loop de vierenhalve kilometer naar huis, nog altijd in mijn feestjurk. De ijskoude lucht ontnuchtert me. Ik stop even in Swiss Cottage, waar een cafetaria met beslagen ramen vroege vogels van warme drankjes voorziet.

Ik voel me heel opvallend in mijn rode Ghost-jurk, met een roze deken om mijn schouders en mijn hooggehakte schoentjes in mijn hand. De klanten zijn bijna allemaal mensen die zondagochtend vroeg aan het werk moeten, maar er zijn nog een paar feestgangers, en niemand besteedt veel aandacht aan me.

De vloer plakt onder mijn voeten. Ik koop een kop koffie en ga aan een formicatafeltje bij het raam zitten. Ik kijk naar het leven dat langzaam ontwaakt op de straten in de stad. Even doe ik mijn ogen dicht.

'Ha, jij bent nog laat op,' zegt iemand. Ik draai me om en zie een glimlachende vrouw aan het tafeltje achter me zitten. Ze is een paar jaar ouder dan ik, met kort haar dat in strakke krulletjes zit en ze draagt een keurig pakje met een witte bloes. 'En ik ben vroeg op,' zegt ze grinnikend. 'Zo ontmoeten we elkaar halverwege, nietwaar?'

Ik knik. 'Ik voel me vreselijk,' zeg ik. 'Maar nu ik hier zit, wordt het ietsje draaglijker.'

'Dat kan ik me voorstellen. O, had ik tegenwoordig die kans nog maar.'

'Die krijg ik ook niet vaak. Het was maar een familiefeestje. Ik heb me een beetje laten gaan.'

'Nou, daar is niks mis mee.' Ze knikt, staat op en strijkt haar rok recht en loopt haastig weg.

Ik staar naar de lichter wordende straten en bedenk hoe gemakkelijk dit gaat: even uit mijn leven stappen. Ik vraag me af of de jongens inderdaad, zoals mijn vader zo vriendelijk suggereerde, beter af zijn als ik niet in de buurt ben. Tenslotte was mijn moeder de molensteen op mijn hart; en ook nu ze dood is, verkloot ze mijn leven. Ik ben een van de weinige mensen die de band tussen moeder en kind niet als iets heiligs beschouwt.

Ik schrijf mijn naam in de condens op de binnenkant van het raam en staar ernaar terwijl ik daar zit.

8

'Goed, mevrouw Harris,' zegt de man. Hij kijkt naar een vel papier dat voor hem ligt. 'U werkt al zeven jaar voor uzelf?'

'Ja,' beaam ik.

'En nu solliciteert u naar een positie als PA?'

'Ik wil herintreedster worden,' zeg ik, en ik denk eraan dat ik moet glimlachen. Zodra ik hem zag, had ik een hekel aan deze man. Waarschijnlijk uit een soort beschermingsinstinct: hij is helemaal kaal, een beetje groter dan zijn kostuum en hij lijkt minachtend naar me te kijken. De vrouw naast hem staart alleen naar een hoek, en lijkt volledig afwezig. Volgens mij zit ze onder het bureau te sms'en.

'Hebt u een lijst van uw klanten?'

'Natuurlijk.' Ik overhandig hem. Max heeft gezegd dat ik hem mee moet nemen. De man neemt de lijst door en knikt. Hij steekt hem uit naar de vrouw, die veel jonger is dan ik, maar zij schudt haar hoofd.

'Goed,' zegt hij op langgerekte toon. 'Dat is prima. Bent u bekend met Microsoft Office? Windows Excel?'

'O, ja,' zeg ik. 'Uiteraard.'

'En vindt u zichzelf ordelijk?' Hij neemt me scherp op.

'Jazeker,' verzeker ik hem. 'Het lukt me om elke ochtend twee kinderen op tijd op twee verschillende plekken af te leveren, ik doe mijn werk in de tijd die beschikbaar is en ik hou me aan de deadlines. Ik haal de kinderen op, ik leid niet alleen het huishouden, maar ook mijn bedrijf...' Ik klets verder terwijl hij goedkeurend knikt.

Dan besef ik dat ik deze baan best eens zou kunnen krijgen. Ik kan echt geen persoonlijke assistent worden. Ik heb geen zin om iemand de hele dag te herinneren aan vergaderingen en om dingen op spreadsheets te schrijven (waar ik ook helemaal geen verstand van heb). Ik moet snel terugkrabbelen, en wel meteen.

Hij vraagt of ik nog vragen heb, en die heb ik zowaar.

'Gewoon uit nieuwsgierigheid,' zeg ik. 'Controleren jullie ook op drugsgebruik?'

Hij glimlacht met opgetrokken wenkbrauwen. 'Heeft dat iets te maken met voorgeschreven medicijnen?'

'Nee, hoor. Ik vroeg het me gewoon af.'

'Zou u het vervelend vinden als we dat inderdaad zouden doen?'

'Nou, op maandagen misschien wel.' Ik lach. Ik zie de zwijgende jonge vrouw zelfgenoegzaam lachen. De kale man kijkt haar aan.

'Dank u,' zegt hij. 'Ik zal het u laten weten.'

De volgende ochtend vroeg is de duisternis aan de andere kant van het raam tastbaar en opbeurend. Het is niet echt donker, aan de overkant van de straat staat een straatlantaarn en een paar meter verderop nog een. Dit is een duisternis die overloopt van de mogelijkheden: daarbuiten is leven en licht. Ik zou bijvoorbeeld de deur uit kunnen glippen en kunnen verdwijnen in de stad. Dat zou, theoretisch gezien, heel eenvoudig zijn. Ik wil terug naar de cafetaria in Swiss Cottage en daar met een drankje bij het raam zitten terwijl ik iedereen kan zijn die ik wil. Een paar stappen, een deur zacht achter me dichtdoen.

Ellie heeft me weer een mailtje gestuurd.

'Maar heb je er echt over nagedacht?' vraagt ze. 'Echt? Heb je het er met Max over gehad? Ik WEET dat hij een certificaat heeft om Engels te geven en er is hier heel veel voor hem te doen en de jongens zullen het heerlijk vinden. Of je kunt ze allemaal thuis laten en je eens lekker laten gaan. Kom op, durf te leven!'

De voeten van een vrouw lopen gedecideerd klikkend langs het raam. Haar schoenen zijn lelijk, met een lage, ronde hak. Over een half uur zal de wekker in de slaapkamer van het appartement boven ons een beetje gedempt piepen, en een man wakker maken die we niet kennen.

Ik loop op mijn tenen door het keukentje omdat ik weet dat een verkeerde stap de jongens wakker kan maken. Ik zet de koffie zo stil mogelijk en wens dat ik iets kon doen aan het luide, gorgelende geluid van het apparaat, en daarna ga ik aan tafel zitten met de mok in mijn handen geklemd waarop heel ironisch DE BESTE MOEDER VAN DE WERELD staat.

Ik wil erheen.

De koffie bezorgt me een masochistisch genot door mijn hoofdpijn en uitdroging te verergeren. Ik overweeg om ook een glas water te pakken, maar besluit het niet te doen. Ik kijk hoe laat het is. Twintig over zes. Ik heb ongeveer een half uur voor de volgende zal opstaan. De wereldkaart ergert me en moet nodig een toontje lager zingen.

Daar ligt India, in precies de goede vorm, op precies de goede plek. Pondicherry is gemarkeerd met een stipje en een grote grijze veeg die de naam volledig heeft uitgewist.

Toen ik Max leerde kennen was hij op weg daarheen, naar een baan als docent Engels. Dat is de plek waar we hadden moeten eindigen.

Ik ga op een stoel staan en pak de bovenkant van de kaart met twee handen beet en trek het hele ding voorzichtig naar beneden. Hoe hard ik ook mijn best doe, de wereld scheurt als hij van mijn muur af komt, en ik verstijf en luister of ik kinderen hoor wakker worden. Australië is doormidden gescheurd, Brazilië zit niet langer aan Chili vast; een catastrofale aardbeving heeft de planeet verwoest. Voorzichtig scheur ik het Indiase subcontinent uit, leg dat deel apart, en vouw de rest van de kaart zo stil mogelijk op en stop hem in de vuilnisbak. Hij hoort niet in de recyclebak, maar in de echte vuilnisemmer, de slechte, de gene die naar de vuilstortplaats gaat.

Eerst trek ik Ellies olifantenansichtkaart van de muur naast het vierkant waar de planeet Aarde eerst hing. Als ik hem omdraai, beginnen mijn knieën te knikken. Ellie heeft alles wat haar hartje begeert. Ik heb haar negen jaar geleden leren kennen op mijn eerste ochtend in Vietnam. Al die tijd heeft ze Azië niet verlaten en leidt ze het leven dat ze wil, kennelijk zonder te beseffen dat het totaal niet praktisch is voor een gezin om alles achter te laten en in een opwelling op het eerste het beste vliegtuig te stappen om liefdadigheidswerk te gaan doen.

Ik doe mijn ogen dicht en probeer me haar voor te stellen. Ik denk aan de piepkleine blonde Ellie die in een sobere slaapzaal vol andere asceten ligt, gekleed in ruimvallende witte kleding, slapend op een spijkerbed. Ik stel me voor dat ze om vier uur 's nachts yoga doen en vervolgens in de rij staan om seks te hebben met een onbetrouwbare goeroe waarna ze een kom watergruwel drinken. Ik probeer me ons te midden van hen voor te stellen.

Joe is gek op Ellies kaart, dus ik dwing mezelf om hem niet in de vuilnisbak bij de wereldkaart te leggen. Hij hangt al jaren aan de muur en zal er ongetwijfeld ook nog vele jaren blijven hangen. Ik draai hem om.

'Lieve T,' heeft Ellie nog voor Joe's geboorte geschreven. 'Weet je, ik heb besloten om hier te blijven. Hier in India, in de ashram. Het is een verbazingwekkende plek. Hier kan ik ademen, deze plek geeft me de steunpilaren waarvan ik niet wist dat ik ze miste. Ik ben niet van plan om ooit nog ergens anders te gaan wonen.' Zo praatte ze vroeger nooit: Ellie was de vrouw die in elke Europese stad wist waar de Ierse en Australische pubs zaten. Ik vraag me af hoe ze tegenwoordig is, als ik haar echt zou ontmoeten. Ik hang de kaart weer op en probeer mijn emoties de baas te worden.

Misschien heeft mijn verschrikkelijke vader gelijk en moet ik een ontwenningsprogramma gaan doen, voor de jongens. Misschien is alleen de drank het probleem en verder niks.

Ik steek een van de pitten van het gasfornuis aan en hou India voorzichtig in de vlam. Als het in brand vliegt, laat ik het in de gootsteen vallen en kijk tevreden naar de kleine, maar felle brand.

Ik weet dat hij achter me staat, maar ik draai me niet om. Hij legt een zware hand op mijn schouder. Ik kijk hem nog altijd niet aan.

'Aanstellerij?' vraagt Max. 'Grootse gebaren?'

Ik schud zijn hand van me af. 'Er zit koffie in de pot.'

'En er ligt as in de gootsteen.'

'Wil je geroosterd brood?'

'Heb je de hele kaart verbrand?'

'Alleen India.'

'Heb je India verbrand?'

'En een stuk van Pakistan en Bangladesh. Onbedoelde schade. Geroosterd brood? Koffie?'

Hij slaat zijn armen om mijn middel en trekt me met mijn rug tegen zich aan.

Ik weiger om te kijken. Ik hou me stijf en onbuigzaam.

'Schatje,' zegt hij zacht in mijn oor. 'Zo gaat het niet langer.'

Ik slik. 'Dat weet ik eigenlijk ook wel.'

'Hoor eens, als...'

Ons gesprek wordt onderbroken door een klaaglijk: 'Mammie, waar is de kaart?' Ik draai me om en zie Joe staan, nog rozig van de slaap. Omdat zijn luier vol is, hangt zijn pyjamabroek op zijn knieën. Hij staart ontstemd naar de lege ruimte op de muur. Hij heeft zijn duim in zijn mond gestoken. 'Goedemorgen, liefje,' zeg ik, heel voorzichtig. Ik kijk naar de muur. We staren er alle drie naar. De rest van de muren is bedekt met kindertekeningen, de foto's van Max en mij op onze trouwdag, van de jongens toen ze klein waren en de kinderen met Max' ouders en met mijn vader en zijn gezin.

Mijn hoofd bonkt. Ik steek mijn armen uit en Joe slentert naar me toe.

'Vannacht heeft een gemene trol ingebroken en hem gestolen,' zeg ik tegen hem als hij bijna bij me is. Hij hapt naar adem en deinst terug.

'Mammie maakt maar een grapje,' zegt Max gedecideerd. 'Mammie wilde wat meer ruimte maken voor jouw prachtige tekeningen.'

Joe fronst even zijn wenkbrauwen, maar knikt dan. Hij loopt in mijn armen en ik trek hem dicht tegen me aan. De duim komt uit zijn mond.

'Niet echt een gemene trol?' vraagt hij.

'Nee,' geef ik toe. 'Ruimte voor tekeningen.'

'Mag ik warme melk?'

Max is druk bezig, hij pakt dozen cornflakes uit de kast, zet meer koffie en lengt sap aan. Toby loopt de keuken in, zijn ogen helder na een lange nacht slaap.

'Wist je dat baby's zonder knieschijven worden geboren?' vraagt hij.

'Nee,' zeg ik. 'Is dat echt waar of heb je het gedroomd?'

'Het is waar. Het stond in mijn tijdschrift.'

Ik vul mijn koffiebeker nog een keer en loop het eetgedeelte uit om op het puntje van de bank te gaan zitten. Ik stel me voor dat ik in een grote open ruimte zit, op een stenig strand en naar de zee kijk. Ik adem de frisse zilte lucht in. Heel even ben ik daar.

Dan ben ik terug in het appartement met airconditioning en laat de geur van geroosterd brood en koffie me kokhalzen. Max zorgt nu voor de jongens, maar om tien over acht mag hij zijn jas aandoen en de deur achter zich dichttrekken. Hij mag in de metro zitten en een half uur de krant lezen. Op kantoor mag hij met mensen praten, zo veel koffie drinken als hij wil, een beetje aanrommelen op internet en zijn geestelijke energie richten op zijn ergernis als mensen dingen zeggen als: 'Ik heb het ahed nodig,' terwijl ze bedoelen: 'Aan het einde van de dag', of z.s.m. zeggen in plaats van zo spoedig mogelijk.

Ik zeg niks omdat ik veel te bang ben voor wat ik zal zeggen, of doen. Ik kijk naar de muur: India is weg. Ik zie Toby's gedetailleerde tekeningen van superhelden die door de lucht vliegen, raketten, Tardissen, onherkenbare vormen, en ik schaam me omdat ik geen flauw idee heb wat er in zijn hoofd omgaat, behalve dan het eindeloze *Doctor Who*. Ik vraag hem er heel vaak naar, maar hij vindt me alleen maar irritant en klikt met zijn tong.

Ik vind het eigenlijk ook niet zo fijn dat ik zijn leraar heb gekust. Opnieuw zet ik de gedachte daaraan van me af. Joe's klodderige mensen zijn min of meer rondjes met streepjes als armen en benen, twee ogen, geen neus, en af en toe een mond. Die zijn gemakkelijker te begrijpen.

Er stromen tranen over mijn wangen.

Ik sta op en strijk met mijn hand over het familieportret dat Toby heeft gemaakt. Ik ben getekend met roze viltstift, en ik heb roze haar dat om mijn hele gezicht piekt. Onder me staat 'Mami' geschreven. Ik zie dat Toby zichzelf, in blauw, naast Max heeft getekend. Die is groen en onder zijn voeten staat goedkeurend 'Pap' geschreven. Roze Mami staat aan de rand van het papier. Wat doe ik ons allemaal aan?

Als Max mijn schouder beetpakt, kom ik met een schok terug in de realiteit, en ik slaak een kreet van schrik. Die is te hard: ik ben tegenwoordig zo gewend om alles binnen te houden dat het geluid me verbaast. 'Sst,' zegt hij.

'Wat is er, mammie?' vraagt Joe angstig. Toby kijkt me alleen aan, en hij lijkt precies op Max.

Ik wend me tot Max. 'Waarom deed je dat?' vraag ik.

'Nergens om,' zegt hij zacht. Hij dempt zijn stem nog meer. 'Hé. Kunnen we vanmiddag samen lunchen?'

Ik draai me om en staar hem diep in de ogen. Vroeger waren Max en ik het allerbeste wat iemand ooit was overkomen. Nu ben ik bang dat hij bij me weg zal gaan.

9

Lola moet lachen als ze me ziet. 'O, Tansy,' zegt ze. 'Je stond onder de douche.'

'Ik nam een bad,' zeg ik, luisterend naar het water dat gorgelend wegloopt. Dan glimlach ik. 'Kom binnen.'

Ik heb Lola niet uitgenodigd, maar na mijn optreden op het feest, wist ik dat ze deze week een keertje langs zou komen. Mijn badjas zit strak om mijn middel geknoopt en ik heb een handdoek om mijn hoofd, maar toch vind ik het fijn om haar te zien.

'Je had een sollicitatiegesprek,' zegt ze. 'Ben je erheen gegaan?'

'Jazeker,' verzeker ik haar.

'En?'

Ik haal mijn schouders op. 'Je hoeft ons niet te bellen, wij nemen contact op met jou, je kent het wel.'

'Ze zijn hartstikke stom als ze je niet nemen.'

Ze meesmuilt als ze het zegt, en ik meesmuil ook.

'Het spijt me van het feest,' zeg ik zacht.

'Dat is al vergeten,' zegt ze ferm, en ze omhelst me zo hard dat de handdoek van mijn hoofd valt. Ik heb mijn stiefmoeder jarenlang gehaat. Zij verfoeide mijn bestaan. We ontweken elkaar, hadden alleen contact via mijn vader (die volledig ongeschikt is als communicatiekanaal) en wendden allebei ons hoofd af als de ander aan het woord was. Lola kwam nooit naar een gelegenheid waar ik ook was, al heeft ze dat nooit toegegeven, en louter om haar te ergeren, ging ik onverwacht bij hen op bezoek om de kinderen op te zoeken.

Daar is verandering in gekomen toen ik zwanger was. We waren getrouwd en Max vond een kind de logische volgende stap. Ik vond het idee alleen al doodeng en heb me er zo lang mogelijk tegen verzet, terwijl hij me alles vertelde wat ik wilde horen. We zouden samen ouders zijn, ik zou er niet in mijn eentje voor staan. We zouden elkaar helpen. We hoefden niet zo te worden als de andere ouders die we in de parken en cafés zagen en die, in mijn ogen dan, in een afschuwelijk alledaags, gekrompen wereldje leefden. Zeven jaar geleden, toen we op de boulevard in Brighton zaten, wist Max me eindelijk over te halen.

'Als we ze nu nemen,' zei hij terwijl de wind mijn haar rond mijn gezicht blies, 'voor we dertig zijn, dan houden we alle toekomstmogelijkheden open. Dan hebben we de energie om avonturen met ze te beleven. En we kunnen ze naar mijn ouders brengen. Of ze gaan logeren bij jouw vader en Lola. We kunnen samen een week of twee weggaan, terug naar Thailand, naar China, waar je maar heen wilt.'

Nu weet ik dat hij van alles heeft bedacht om mij over te halen. Want we zijn niet naar Thailand of China geweest en evenmin naar Italië of zelfs maar naar Frankrijk. We hebben wel bezoekjes gebracht aan Cornwall, Schotland en Brighton. Toen de jongens klein waren, leek het me niks om op een hotelkamer op mijn tenen om hen heen te lopen of om in een aftandse *gîte* zonder vaatwasser te logeren. Max' kostbare vakantie is tijd voor het gezin, niet voor ons samen.

De rest van Max' beloften betrof de zaken die echt belangrijk waren.

'Het feit dat we kinderen hebben, hoeft geen beletsel te zijn,' bezwoer hij me. Als ik terugdenk aan zijn woorden, roep ik zo de geur weer op van gefrituurde etenswaren en zeewater. 'Ik kan altijd gebruikmaken van mijn certificaat om Engelse les te geven. We kunnen nog altijd naar Pondicherry gaan. Of we gaan met zijn drieën naar Hongkong. Of Singapore. We kunnen naar Thailand verhuizen om daar te gaan wonen. We kunnen in Peking gaan wonen en de kinderen naar de Internationale School sturen. Als we kinderen krijgen, zal dat er alleen voor zorgen dat we onze plannen scherp stellen, Tans. Dat wil nog niet zeggen dat we net als alle andere mensen zullen worden.'

Ik weet nog dat hij zijn handen op mijn schouders legde en diep in mijn ogen keek. Ik herinner me dat ik op dat moment wist dat hij gelijk had, dat ik zou toegeven, dat we ons gingen voortplanten.

'Zijn wij net als alle anderen?' vroeg hij. 'Nou?'

Ik wilde een jongen en ik kreeg precies degene op wie ik had gehoopt. Toby was lang en mager, vanaf het eerste moment was hij een exacte kopie van Max. Net als Max had hij grote, donkere ogen. Hij was kalm en trok zich niets van mijn dwaasheden aan. Soms staarde ik vol verwondering naar zijn gezichtje, zijn oren, zijn wangen. Dan telde ik zijn teentjes en streelde het kuiltje in zijn nek dat precies zo breed was als mijn vinger. Tenslotte was hij voortgekomen uit onze verbintenis. Dat waren de goede momenten.

Toby was volmaakt, ik was het probleem. Toby was kennelijk een 'goede slaper', maar ik kon het niet verdragen om elke paar uur uit de zalige diepten te worden gesleept door zijn gejengel. Ik slaagde erin borstvoeding te geven, en ik was onder de indruk van het gemak ervan, maar ik had twintig uur per etmaal het gevoel dat alles me te veel werd. Hij was voor alles afhankelijk van mij: ik maakte zijn eten en voerde het hem, ik zorgde ervoor dat hij warm en veilig en schoon was. Ik hield hem in leven; zonder mij zou hij doodgaan.

Veertien dagen na Toby's geboorte ging Max weer aan het werk. Dat vooruitzicht was zo ondenkbaar dat ik ook mijn laatste restjes waardigheid liet varen. Ik lag op de drempel van onze flat met allebei mijn handen om zijn enkel geklemd en smeekte hem om niet weg te gaan. Ik snikte en hyperventileerde en deed net alsof ik mastitis had zodat hij thuis zou blijven.

'Liefje,' zei hij terwijl hij neerhurkte en zijn handen om mijn vlekkerige gezicht legde. 'Ik moet weer aan het werk. Ik heb al veertien dagen vrij genomen. Jij moet voor Toby zorgen. En dat kun je. Kijk, hij slaapt.'

'Maar hij zal weer wakker worden!'

'Om zes uur ben ik weer thuis.'

'Dat duurt nog tien uur! Laat me niet in de steek!' Ik keek naar Max, die er wazig uitzag door mijn tranen. 'Ik kan niet in mijn eentje voor hem zorgen,' zei ik, en dat was waar. Het was zelfs zo waar dat ik mijn blik moest afwenden.

Hij kwam weer naar binnen en zette me neer op de bank. Ik wachtte tot hij zou zeggen dat ik aan het werk kon gaan en dat hij thuis zou blijven om voor de baby te zorgen.

'Ik bel Lola wel,' zei hij in plaats daarvan.

Dat was de dag dat alles tussen ons is veranderd. Gedurende mijn zwangerschap had Lola me helemaal gek gemaakt met haar zelfvoldane adviezen en alwetende blikken. Elke keer dat we haar zagen, speelden we een rondje 'Je zult niet weten wat je overkomt'-bingo. Nadat ze dat zinnetje had gezegd, moest een van ons het woord 'bingo' in het gesprek verwerken, maar wel zodanig dat niemand het gek zou vinden. Daar hebben we ons maandenlang mee geamuseerd.

Lola was een beeldschone Zuid-Amerikaanse van zevenentwintig toen ze mijn vader weglokte bij zijn alcoholische vrouw en irritante dochter. Hij had mij kunnen meenemen, maar besloot om dat niet te doen, en vanaf de dag dat hij vertrok wist ik dat Lola hem had overgehaald mij achter te laten.

Ze hebben vier kinderen in de leeftijd van negen tot negentien. Jessica is twintig keer verstandiger dan ik en stevent af op een loopbaan in de rechten. Briony is op en top een goth, en wat sterkedrank betreft, heeft ze een slechte invloed op me, zoals eerder deze week te zien was (maar nu vraag ik je: hoe zielig moet iemand van zesendertig zijn om zich door een meisje van zestien op het slechte pad te laten brengen?). Jake is geobsedeerd door klimmen en Archie is een negenjarige computerexpert en een fanatieke fan van Doctor Who, dus Toby aanbidt hem. Lola is niet langer de zwoele verleidster; ze is in de vijftig en ze is ronder en vriendelijker geworden en ze verfoeit me niet meer.

Ze kwam zodra Max had gebeld, dolblij dat we haar nodig hadden, en ze zorgde voor Toby en mij terwijl Archie, die toen drie of vier was, ronde poppetjes op de muren tekende en onzinmailtjes stuurde naar iedereen die in mijn adresboek stond. Twee maanden lang is ze elke weekdag gekomen. Het is onmogelijk om een hekel te blijven houden aan iemand die je door de ergste weken van je leven heen helpt zonder ook maar één keer 'Kom op, stel je niet zo aan' te zeggen.

Ze is met me meegegaan naar Toby's controle toen hij zes weken oud was en ze zat naast me tegenover de dokter en zei tegen onze verveelde huisarts dat hij me wat antidepressiva moest voorschrijven. Toen ik tegen de dokter zei dat mijn stiefmoeder rare dingen vertelde en dat er niks met me aan de hand was, pakte Lola mijn hand en streelde die tot ik begon te huilen.

Ik slikte de pillen. Het werd beter. Alles werd zelfs zo veel beter dat ik een afspraak met mezelf maakte. Ik zou het volhouden. Ik hield van Toby. Ik vond het prettig om met flinke passen achter de kinderwagen te lopen en oude mensen te dwingen om van de stoep op de straat te stappen. Ik vond het heerlijk om naar hem te kijken als hij sliep en om de borstvoedingen zo lang mogelijk te laten duren, zodat ik elke dag urenlang naar de middagprogramma's op tv kon kijken zonder me schuldig te hoeven voelen.

Tot Lola me op een dag meenam naar een borstvoedingsgroep.

'Je hebt een vriendin nodig,' zei ze.

'Niet waar,' zei ik. 'Ik heb jou. En Max. En al mijn andere vrienden.'

'Nee,' zei ze. 'Je andere vrienden hebben geen baby. Die weten niet hoe het is. Bovendien wonen je meeste vrienden in het buitenland, nietwaar? En Max en ik, wij zijn familie, geen vrienden. Je hebt een mammie-vriendin nodig, Tansy. Dat zal een wereld van verschil maken.'

Ze bracht me tot aan de deur van het kerkgebouw. Ik zag een paar goed verzorgde vrouwen naar binnen gaan, de meesten met een baby in een draagzak. Geïntimideerd deed ik een paar passen achteruit. Een vrouw wierp me een flauw glimlachje toe, maar de rest negeerde me en ging naar binnen, in de wetenschap dat ze beter gekleed waren dan ik en dat ze lippenstift op hadden. Ik werd al doodmoe bij het idee wat je allemaal wel niet geregeld moest hebben voor je aan lippenstift kon denken.

'Moet ik met je mee naar binnen gaan?' vroeg Lola dreigend. 'Naast je gaan zitten? De baby vasthouden?'

'Nee!' zei ik.

'Nou, ga dan.'

'Ik wil niet.'

'Je moet.'

'Ik vind ze niet aardig.'

'Wat kun jij soms toch stom doen!'

Ik liet de wandelwagen in het portaal staan, zette me schrap en ging naar binnen. Ik hield Toby zo stijf vast dat ik na een poosje moest controleren of hij nog wel ademhaalde. Er stonden plastic stoelen in een kring en de meeste waren bezet door vrouwen die zich waarschijnlijk net zo wanhopig onzeker voelden als ik. Ik durfde niet naar hen te kijken. De kamer was een beetje stoffig en heel aftands.

'Hallo,' zei de vrouw die de leiding had. 'Kom verder en neem plaats. Ik ben Margaret.'

Ik ging zitten en hield mijn zoontje beschermend voor me. Ik zat er een uur en deed nauwelijks mijn mond open. Ik vermeed de blikken van de andere vrouwen. Ik overtuigde mezelf ervan dat ze tegen elkaar over mij mompelden. Toen Margaret vroeg hoe de borstvoeding ging, piepte ik: 'Prima', en keek toen weer omlaag naar mijn kind. Ik vond het vreselijk dat ik zo timide deed, en zodra de groep opbrak en iedereen een koekje kreeg aangeboden, ben ik weggerend en ik ben nooit meer teruggegaan.

De vrouw die zwakjes naar me glimlachte, bleek Sarah te zijn, met baby Lucy, en zij voelde zich net zoals ik, alleen heeft zij het wel volgehouden.

Ik zet meer koffie en drink een groot glas sinaasappelsap, gevolgd door een groot glas water. Lola zit aan de keukentafel chocoladebiscuitjes te eten terwijl ze me onderzoekend aankijkt.

'Goed, wil je soms naar de Priory-afkickkliniek?' vraagt ze. 'Als je dat wilt, zal je vader betalen.'

Ik begin te lachen. Dat kan ik alleen omdat Lola het zegt.

'Nee!' zeg ik. 'Echt niet. Hoor eens, alles is goed met me. Ik ben gewassen en schoon en ik ga met Max lunchen. Ik slaag er zowaar in om de dagen door te komen. Het spijt me echt van mijn gedrag. Ik weet niet precies wat...'

'Wil je dan weer naar de dokter? Meer pillen?' vraagt ze met kruimels om haar mond. Haar haar zit in een chignon, maar er zijn een paar lokken losgeraakt, wat haar heel goed staat. Ze draagt een roze Monsoon-blouse en een blauw Monsoon-vest. Dat weet ik, want alles wat Lola draagt is van Monsoon.

'Nee,' zeg ik. 'Op dit moment niet. Maar bedankt.' Ik pak een biscuitje. Dat blijkt precies te zijn wat ik nodig heb.

'Nou, vertel eens wat er aan de hand is. Die lunch met Max. Een speciale gelegenheid?'

'Ik weet het niet. Ik ben een beetje... nou, zenuwachtig. Hij heeft me gevraagd om hem te ontmoeten, maar hij heeft niet gezegd waarom.'

Ze haalt haar schouders op. 'Max en jij, is het zeven jaar?'

'Tien.'

'Nou, zeven jaar getrouwd. Het is heel normaal om problemen te hebben. Je moet een beetje je best doen, weet je. Je moet begrijpen dat je niet nog eens iemand zult ontmoeten en halsoverkop verliefd zult worden. Je moet werken met wat je hebt, niet op zoek gaan naar iets nieuws of iemand anders. Het is een mooi moment voor nog een kind. Deze keer misschien een meisje.'

'Lola!' Ik kom in de verleiding om op te merken dat pap er na zeven jaar vaderschap vandoor is gegaan met iemand anders, maar ik prent me net op tijd in dat ik niet gemeen moet zijn.

'Nou?'

'Je weet heel goed dat nog een kind onmogelijk is! Joe is mijn kleintje. En ik wil zeker geen meisje.'

Tijdens mijn beide zwangerschappen was ik doodsbenauwd dat ik een dochter zou krijgen. Zelfs tegenwoordig laat dat idee me huiveren. De moeder-dochterrelatie is een duister en gecompliceerd iets.

'Wat is er dan echt aan de hand?'

Ik kijk naar de tafel. 'Niks. Met de jongens gaat het prima, en met Max ook, al staat hij misschien op het punt om bij me weg te gaan, en ik ben... nou, het is precies wat je zei. Ik probeer eraan te wennen dat mijn leven nu zo is.' Ik zeg het zo ferm mogelijk. 'En ik moet me echt gaan aankleden, Lola. Anders kom ik te laat voor de lunch.' Ik kijk haar aan en laat me vermurwen. 'Of misschien kun jij me helpen uitzoeken wat ik aan moet trekken.'

Max heeft een chic restaurantje gekozen, licht en luchtig, zelfs op een druilerige dag. Het is een komen en gaan van mensen in zakenkostuums die hard in hun telefoon praten en overtuigd zijn van hun eigen gewichtigheid. Ik kijk naar mezelf, in een veel te zomers jurkje waarin ik er (volgens Lola) zorgeloos en begeerlijk uitzie, met een misplaatste zwarte panty en een witte regenjas. Ik trek de regenjas strak om me heen en knoop de ceintuur vast.

De milde kater is nog niet weg, maar hangt niet langer als een onweerswolk boven mijn hoofd: het lijkt nu meer een vlaag lichtelijk alcoholische, regenboogkleurige mist die achter me aan sleept; het is goed uit te houden en maakt me alleen duizelig als ik een hoek omsla.

Na mijn wandeling is mijn haar nat, ook al heb ik het thuis op Lola's aanwijzingen zorgvuldig geföhnd, en daarom doe ik het haastig in een paardenstaart. Mijn paraplu is kapot omdat de kinderen hem vorige week hebben gebruikt om het Winnie de Poeh-verhaal waarin hij wegdrijft tijdens de overstroming na te spelen. Ik moest bijna huilen toen ik hen in hun 'bootje' zag zitten en heen en weer wiegden terwijl de baleinen onder hen knapten. Ik wilde tegen ze schreeuwen, maar slaagde erin me te beheersen. Het was bijna, maar net niet helemaal, even erg als de keer dat ze elke rol toiletpapier in huis hadden uitgerold en er talloze tassen mee hadden gevuld. Achteraf zeiden ze: 'Dat gaan we spinnen zodat het goud wordt.' Die keer lukte het me om mijn woede te verbijten en niets ergers te zeggen dan: 'Nou, als dat eens kon.'

In elk geval heb ik me dankzij Lola's bemoeienis 'leuk en bescheiden' opgemaakt, zoals zij het noemt. Ze stond naast me en dwong me mascara, eyeliner, een beetje bruine oogschaduw en dieprode lippenstift op te doen. Toen pas besefte ik hoe erg ik dat soort dingen de laatste tijd heb laten versloffen. Ik vraag me af of de oogmake-up is uitgelopen door de regen en ik nu panda-ogen heb.

Er zijn witte, linnen tafelkleden en verschillende messen en vorken. Ik vermoed dat Max bijna elke dag in zulke restaurants luncht, al beweert hij dat hij heel hard werkt.

Hij zit tegenover me en past precies tussen de andere gasten in zijn witte overhemd en paarse das; zijn donkere haar precies goed, zijn jasje over de rugleuning van zijn stoel. Hij glimlacht als hij me ziet en ik zie zijn ogen even over mijn gezicht glijden. Een beetje verlegen strijk ik over mijn rechterwang.

Ik bestel een glas wijn en drink het in twee minuten leeg. Dat maakt me nerveus en schichtig en lichtelijk misselijk. Max kijkt geamuseerd, op een manier waaraan ik zie dat hij dat helemaal niet is.

Ik kijk naar hem. Hij kijkt naar mij.

'Nou?' vraag ik, en ik hoor mijn stem, hoog en gespannen in de lawaaiige ruimte.

'Hmmm,' zegt Max. 'Het spijt me om meteen met een cliché op de proppen te komen, maar we moeten echt eens praten, liefje.'

Ik kijk naar hem, en hij is een vreemde, uit wiens mond de zinnen van een ander komen.

'Waarover dan?' vraag ik. Over zijn schouder zie ik drie mannen en een vrouw aan het volgende tafeltje zitten, ze hebben allemaal hun jasje uitgetrokken en zien er heel zakelijk uit. De mannen eten biefstuk met patat, de vrouw een salade. Hij gaat bij me weg. Al mijn angsten zullen bewaarheid worden. Ik zie mezelf in een zit/slaapkamer aan de rand van de stad, waar de jongens in het weekend bij me op bezoek komen terwijl ik de rest van de week drink. Ik zal maandenlang dezelfde kleding dragen, mijn tanden zullen ongepoetst zijn, mijn haar vol klitten en stinkend. Max zou zonder meer de voogdij over de jongens krijgen.

'Over jou,' zegt Max. 'We moeten het over jou hebben.'

'Over mij?'

'Er is iets mis, is het niet? Jij hebt dingen die je moet doen.'

‘Met mij is alles goed,’ zeg ik, mijn blik iets boven zijn schouder gericht. ‘Echt waar.’

Max buigt zich voorover zodat hij binnen mijn blikveld komt. ‘Tansy, je moet me aankijken,’ zegt hij. ‘Jij wilde met het hele gezin naar India.’

‘Dat weet ik,’ verzucht ik. ‘Daar hebben we het al over gehad.’

‘Het is voor ons allemaal onpraktisch.’

‘Dat schijnt zo.’

We glimlachen naar elkaar, maar het is niet gemeend.

‘Maar... Kijk, ik heb iets voor je.’

Hij schuift zijn cadeau over de tafel heen. Ik staar ernaar. Ik weet precies wat erin zit, en mijn maag valt omlaag, mijn knieën knikken en het geruis begint in mijn oren. Ik weet niet of ik moet lachen, hem moet zoenen of moet gaan huilen. Dus ik lach, en dan huil ik tot mijn ogen rood zijn en ik mijn neus met een servet moet afvegen. Iedereen kijkt naar ons, maar daar trekken we ons niks van aan.

10

Het is een kille ochtend. Op de buitenkant van het raam staan patronen en de voeten lopen snel voorbij. Terwijl ik kijk, glijden de laarzen van een vrouw uit op een stuk ijs. Ze verliest haar evenwicht en valt voorover. Opeens wordt haar hele lichaam omlijst door het raam. Ze heeft kort blond haar en een vermoeid gezicht. Ik doe vlug een stap naar achteren, maar ze heeft al gezien dat ik naar haar kijk.

Ik doe het gordijn dicht en draai me naar de ontbijttafel.

Het is hier warm, knus op een manier die alleen centrale verwarming voor elkaar krijgt. De kinderen zitten met verwarde haren en in hun pyjama te ontbijten en genoeg brandstof tot zich te nemen om de kou aan te kunnen. Toby leest een *Doctor Who*-tijdschrift en slaat de bladzijden om met zijn linkerhand terwijl hij Rice Krispies naar binnen werkt met zijn rechterhand. Joe zwaait met zijn benen en laat zijn blik langzaam door de kamer dwalen.

En opeens zie ik mijn gezin, allemaal bij elkaar, allemaal waar ze thuishoren; de kinderen gelukkig, ondanks alles.

'Waarom zijn er ramen?' vraagt Joe aan Max.

'Zodat het licht naar binnen kan komen,' antwoordt Max, zonder op te kijken van zijn krant.

'Waarom is er een lamp als er ramen zijn?'

'Omdat het buiten soms donker is.'

Daar denkt Joe even over na en dan knikt hij tevreden. Hij ziet mij terugkomen naar de tafel en mijn koffie pakken in de DE BESTE MOEDER VAN DE WERELD-beker. Ik krijg niks door mijn keel. Joe pakt zijn lepel en begint gezichten te trekken naar zijn omgekeerde spiegelbeeld. Ik staar naar hem; mijn stevige, ernstige knulletje.

Ik heb mijn ticket gekocht, ik ben erin geslaagd om onder het laatste beetje werk dat ik nog had uit te komen en ik heb mijn visum aangevraagd. Ik kan het volgende deel echt niet langer voor me uit schuiven.

'Jongens,' zeg ik, en Joe kijkt me aan met heldere, groene ogen. Toby houdt zijn hoofd gebogen, druk bezig met lezen en eten.

'Tobe?'

Hij kijkt op. 'Wat is er?'

Ik voel Max' blik op me rusten. Als ik naar hem kijk, knikt hij als kordate aanmoediging. Hij heeft zijn kamerjas aan. Vreemd genoeg krijg ik een brok in mijn keel als ik hem zie zitten, met een deel van zijn borst ontbloot en een vouw in zijn wang van het kussen.

'Toby,' zeg ik. 'Joe. We moeten ergens met zijn allen over praten. Eh...' Ik heb dit toespraakje tot op het laatste woord geoefend. Maar het lukt me niet. Het is vreselijk om te doen, heel egoïstisch. Ik kan niet gaan. Maar, om de een of andere reden, moet ik gewoon. Ik aarzel, vergeet alles wat ik had willen zeggen en zeg onverhoeds: 'Ik ga naar India, in mijn eentje.'

Toby fronst zijn wenkbrauwen en richt zijn aandacht weer op zijn kom met Krispies. 'Goed. Mag ik geroosterd brood met honing?'

'Strakjes. Papa en jullie kunnen niet mee vanwege jullie werk en school.' Ik zwijg even om mezelf de kans te geven in gedachten mijn ogen ten hemel te slaan. Max weet dat ik dat doe. Mijn echte ogen bewegen niet, alleen mijn innerlijke. 'Maar ík kan wel, omdat dat gemakkelijker voor me is. Daarom is papa hier de baas als ik weg ben.'

Ik pak mijn beker en drink de koffie op. Daarna sta ik op en loop energiek naar de broodrooster. Ik ga druk aan de slag met brood, boter, honing en borden.

'Voor hoe lang?' Toby is opgehouden met razendsnel eten en heeft zich in zijn stoel omgedraaid, naar mij toe. Zijn wangen zijn nog roze van de slaap.

Ik stel mezelf voor in India, weer gekleed als backpacker, met een rugzak op, bij Ellie zijn, de hele dag boeken lezen. Ik heb het recht niet om me te verheugen op dat vooruitzicht.

'Een maand misschien?'

Ik richt mijn aandacht op Joe. Zijn blik is strak op mijn gezicht gericht.

'En ik ga ook mee, met jou,' zegt hij zorgvuldig. 'Naar Inieja.'

Ik zucht. 'Als je ouder bent, zullen we met zijn allen ergens heen gaan,' zeg ik zo vrolijk mogelijk. 'Joe, jij en papa zullen het heel erg leuk hebben. Ik zal heel veel cadeautjes voor jullie meebrengen.'

Dat is niet genoeg, dat zie ik aan zijn gezicht. Ik had net zo goed met een markeerstift 'afgewezen door mammie' op zijn voorhoofd kunnen schrijven. Zijn gezicht wordt donker, letterlijk, tot hij dieppaars is aangelopen. Zijn onderlip steekt naar voren en trilt. Ik probeer mijn blik af te wenden, maar dat lukt me niet, en in plaats daarvan loop ik naar hem toe en til hem op. Eindelijk komt de climax: zijn gezicht vertrekt, hij doet zijn mond open, waar klodders speeksel uit bungelen, en begint te jammeren.

Ik doe mijn ogen dicht om voldoende kracht te verzamelen. Ik druk mijn gezicht in zijn nek en hou mezelf voor dat ik een volmaakte, zorgzame moeder ben. Ik ben het type vrouw dat altijd het juiste zegt, dat haar kind opvrolijkt en hem laat weten dat hij het allerbelangrijkste in haar leven is, ook al impliceert datgene wat ik hem net heb verteld precies het tegenovergestelde. Ik knipper mijn eigen tranen weg.

Ik ga zitten en zet hem goed op mijn schoot. Ik streel zijn

haar. Hij begraaft zijn gezicht in mijn hals. Ik voel me bezoedeld en schuldig.

'Het komt wel goed,' zeg ik, heel verraderlijk, tegen hem. 'Je moet volwassen zijn om India in te mogen. Het komt wel goed. Ik blijf niet lang weg. Het komt wel goed.'

Mijn gemeenplaatsen hebben geen enkel effect. Ik werp Max over de tafel een vernietigende blik toe. Ik schiet hem overhoop met een gigantisch machinegeweer. Dit is zijn schuld, want als ik mijn zin zou hebben gekregen, zouden we met zijn vieren gaan, en zou het voor altijd zijn.

'Het staat nog niet vast,' zeg ik heel pathetisch.

Alles dreigt ineen te storten door Joe's tranen. Ik kan niet zonder hem, zoals hij niet zonder mij kan. Ik zal hier blijven. Ik zal mezelf nog wat langer opofferen, mijn kinderen wat meer vertroetelen en een of andere waardevolle, banale les leren. Tegelijkertijd zal ik ophouden met drinken en in plaats daarvan mijn heil zoeken in antidepressiva of wellicht in religie.

'Ja, dat staat het wel,' zegt Max scherp. 'Tans, je gaat. Een paar weken maar, als je wilt. We zullen je missen. Jij gaat een avontuur beleven, je zult Ellie terugzien. Je bent hard aan wat rust toe, dan kun je alles eens op een rijtje zetten. Je bent niet de eerste moeder die er even tussenuit moet. Als je weg bent, zullen de jongens en ik elke ochtend warme chocolademelk drinken en pannenkoeken eten. En elke avond pudding van Marks en Spencer. We zullen naar het park gaan, en naar de bioscoop en we gaan naar Bakewell om bij opa en oma te logeren. Misschien gaan we zelfs een keertje naar Legoland. Een avontuur voor jongens.'

Joe houdt op met huilen en kijkt Max met samengeknepen ogen aan.

'Kunnen we naar Toys-R-Us gaan? Met zestien pond?' Joe's besef van bedragen is volledig willekeurig. Op dit moment is zestien het hoogste voor hem.

'Reken maar.'

'Mam?' vraagt Toby achteloos. 'Betekent dat dat papa en jij gaan scheiden?'

Ik vind mijn oude rugzak, in een doos die in een kast is gepropt.

Met trillende vingers haal ik hem eruit. Hij is gekreukt en stoffig, en helderblauw.

'Ga in je eentje,' zei Max tegen me.

Mijn eerste opwelling was om te weigeren. Ik wilde met zijn allen en ik wilde dat het een echte verandering voor ons zou zijn. Vervolgens zag ik me in gedachten het appartement uit lopen en de deur achter me dichttrekken.

'Ja?' vroeg ik, en ik probeerde zijn blik te vangen.

'Het is wel een risico,' zei hij vlug, omlaag kijkend naar zijn bord. Het geroezemoes en gerinkel om ons heen leek te verdwijnen. Wij waren de enigen in dat restaurant. 'Jij moet echt even weg, zowel voor je eigen bestwil als voor dat van mij en de jongens. Ik heb Ellie een e-mail gestuurd. Sorry. Ze zegt dat je bij haar kunt logeren. Het lijkt erop dat het leven in haar gemeenschap redelijk ordelijk is en ik geloof dat je je best zult redden. Nee, je zult je prima weten te redden. Ik denk dat het je ongelooflijk veel goed zal doen en op dit moment kan ik echt niets anders bedenken wat het gezinsleven voor de jongens niet al te zeer zal verstoren.'

Ik deed mijn best om mijn aandacht op het grotere geheel te richten en ik slaagde erin me niet beledigd te voelen, omdat ik wist dat hij gelijk had.

Ik spons de rugzak af en hang hem in de douche om te drogen. Daar haal ik hem weer weg en leg hem op de trap voor de deur. Ik wil dat hij buiten ligt, de zon ziet, zich voorbereidt op zijn avontuur. Ik maak een afspraak om een paar vaccinaties te halen, al heb ik er tot mijn blijdschap niet veel nodig. Ik mail Ellie nog een keer en vertel haar dat ik eerst vijf dagen in Chennai blijf en dan naar de ashram ga om bij haar te logeren.

'Er is me opgedragen,' schrijf ik gedwongen nonchalant, 'in de ashram te logeren tot ik "beter" ben. Het spijt me dat het plan niet wat vastomlijnder is. Ik zal vanzelf wel merken wanneer ik "beter" ben. Is dat goed?'

Haar antwoord is er vijf minuten later.

'Tuurlijk,' schrijft ze. 'Kom wanneer je zin hebt en blijf zo lang als je wilt. Ik ben hier altijd, meestal heb ik het heel druk, en je kunt hier heel veel doen als je dat wilt.'

Ik kijk uit het raam als het begint te hagelen. Dat is zonder meer een goed teken. Het geeft aan dat het een gunstig tijdstip is om over een maand het land te verlaten. Ik kleed mezelf warm aan met een trui, jas, sjaal en muts, en ik stop extra mutsen en wanten in mijn schoudertas voor de jongens. Om klokslag half vier ga ik met een paraplu naar buiten om de jongens op te halen.

Ik ben natuurlijk vergeten dat er vlak voor de deur een rugzak ligt te drogen in het herfstzonnetje. Die ligt onder een berg ijs.

11

Alexia's gedachten

4.14 uur
Ik heb weken niet geschreven, al heb ik al die tijd met de gedachte rondgelopen een kind uit een ander land te adopteren. Ik heb verdraaid veel tijd online doorgebracht, op zoek naar informatie. Hoe langer ik naar India kijk, nou, zelfs al lijkt het moeilijk, ik kan nergens anders meer aan denken.

Elke dag stel ik me voor dat ik mijn activiteit van dat moment – werken in de winkel, boodschappen doen, de tuin bijwerken – doe met mijn Indiase dochtertje naast me (ik denk dat het een meisje wordt, want op dat soort plekken lijken meestal meer meisjes beschikbaar te zijn, maar ik zou even blij zijn met een jongetje. Na een half jaar proberen heb je echt geen voorkeur meer voor geslacht!). Ik hou natuurlijk op met werken als we haar hebben, maar ik zie zo voor me hoe ik haar meeneem naar de winkel om haar te laten zien waar mammie vroeger werkte en een zak snoep voor haar koop als traktatie.

Als ik aan India denk, zie ik gevaar en opwinding. Bedelaars en armoede en mensen met lepra en vreselijke ziektes. Er zijn slangen en tijgers in India. Er zijn slangenbezweerders en heilige goeroes en mysterieuze tempels. Er zijn olifanten. Het is een enge plek, maar het heeft ook iets magisch.

In gedachten zie ik Duncan en mezelf daar, wat een heel vreemd visioen is (we vallen nogal op) en we vinden er ons dochtertje en nemen haar mee terug, naar een veilige plaats, een leven waarin we haar alles kunnen geven, alles om haar gelukkig te maken.

Een paar dagen geleden heb ik het aan Duncan verteld.

'Ik heb eens zitten denken,' zei ik zo nonchalant mogelijk, alsof het iets heel onbelangrijks was. 'Over India. Daar wil ik graag proberen te adopteren.'

Hij snoof. 'Ja, dat weet ik,' zei hij.

'Hoe kun jij dat nou weten?'

'Alexia,' zei hij. 'Je zit elke nacht uren achter die stomme computer! En je zegt nooit waarom. Ik moest wel controleren of je niet met kerels zat te chatten.'

'Dat zou ik nooit doen!'

Hij sloeg zijn arm om mijn schouder. 'Dat weet ik,' zei hij. 'Maar soms ben je te goed van vertrouwen, liefje. Je kunt best een kerel ontmoeten die net doet alsof hij een vrouw is. Dat gebeurt wel vaker. Daarom ben ik de webgeschiedenis nagegaan. En ik was er al snel achter dat we een kindje uit India gaan adopteren.'

Toen gaf ik hem een kus. Hij vindt het best dat ik het initiatief neem, en als ik 'India' zeg, zal hij heus niet de kont tegen de krib gooien en 'China' roepen. 'Jij bent de mama,' zei hij, en ik kuste hem harder.

Het lijkt erop dat India een hele klus zal worden. Er worden daar niet veel kinderen internationaal geadopteerd, en de meesten die het land verlaten komen bij mensen van Indiase afkomst. Maar het schijnt steeds eenvoudiger te worden.

5.23 uur
Ik kan nog steeds niet slapen, vandaar dat ik weer zachtjes zit te typen.

Kijk het zit zo: als ik aan India denk, dan denk ik aan Duncan en mij en hoe exotisch het lijkt, en die vergelijking maakt me een beetje verdrietig. En dan denk ik: neem mij nou. Ik ben niet ontzettend dik, niet zoals sommige mensen hier in de buurt, al zou ik best een paar pondjes mogen kwijtraken. Mijn haar heeft een onbestemde kleur, het zit ergens tussen lichtbruin en vaalblond. Ik verzorg het niet zoals vrouwen af en toe doen, daarom doe ik het elke dag in een staart en ik maak me alleen op bij bijzondere gelegenheden als ik me knap wil voelen. Eigenlijk mis ik het zelfvertrouwen om me op te maken, in tegenstelling tot mijn zus Dee.

In de winter draag ik spijkerbroeken en in de zomer korte broeken, met truien of T-shirts, afhankelijk van welk seizoen het is. Mijn schoenen zitten lekker.

Kortom: als ik mezelf bekijk door Indiase ogen, zie ik er ontzettend slonzig uit. Als we erin slagen om te adopteren, zullen we moeten reizen (een eng, maar opwindend vooruitzicht) en als ik naar India ga, wil ik interessanter zijn.

Als het licht wordt, ga ik een afspraak maken bij de kapper. Dan heeft iedereen iets om over te kletsen. Misschien zal ik zelfs met mijn dikke kont naar de sportschool gaan.

Reacties: 2

Hoi Alexia, ik liep tegen je blog aan toen ik googelde op adopties uit India. Jij stond op pagina 12 van Google! Ik ben dit grondig aan het onderzoeken! Ik wens je heel veel geluk bij je zoektocht naar een kind. Mijn man en ik hebben besloten om ons op Rusland te richten. Ik put troost uit de verhalen van mensen die dezelfde weg afleggen. Ik hoop dat dat ook voor jou geldt. De beste wensen, Jennifer.

Je kent me niet, maar ik geloof dat ik je kan helpen. Stuur een e-mail naar KC@gemail.com. Dat is een weeshuis in India dat vaak mensen in jouw situatie helpt. Probeer het eens. Wij zijn van Indiase afkomst, maar zelfs voor ons is de officiële weg bijzonder lastig en KC regelt een groot deel van het papier-

12

Alles op het vliegveld is hyperreëel. Ik heb het gevoel dat ik zo'n schilderij uit de jaren zeventig ben ingestapt waar blokken van kleur scherpe schaduwen veroorzaken. Ik drink de ene kop koffie na de andere en word bang van het beveiligingspersoneel. Iemand zegt dat ik mijn schoenen moet uittrekken om door de bewaking te gaan. Ik knipper niet eens met mijn ogen, maar gehoorzaam klakkeloos. Overal zijn mensen, maar wat mij betreft zijn het bewegende etalagepoppen.

Opeens blijf ik staan en pak mijn portemonnee. Daar zitten de foto's van Toby en Joe in. Ik staar ernaar alsof ik niet nog altijd, nog net, in dezelfde stad ben. Elke stap voert me verder bij hen vandaan. Dan sta ik in het vliegtuig. Er ontstaat wat gedrang en ik ben weer helder. Ik schuifel langzaam door het gangpad naar mijn plaats, langs mensen die grote stukken handbagage in te kleine ruimtes proberen te proppen. Met mijn ellebogen baan ik me een weg naar een stoel helemaal achter in het vliegtuig. Ik heb gevraagd om een plaats bij de nooduitgang, maar de vrouw bij de incheckbalie lachte en zei: 'Dan had je hier vier uur eerder moeten zijn. Iedereen wil die plek.'

'Raam?' vroeg ik.

Ze typte wat op haar toetsenbord.

'Sorry. Eigenlijk ben je nogal laat. Ik heb alleen nog een plaats in het midden. Je hebt geluk dat je alleen bent.'

Ik heb afscheid genomen van de jongens, waarbij ik mijn dapperste Vrolijke Gezicht opzette. Ik heb Toby aangemeld bij de Mountviewcrèche voor 'voor- en naschooltijdse opvang', wat inhoudt dat iemand als Lauren hem naar school brengt en hem 's middags weer ophaalt bij meneer Trelawney.

Ik heb afscheid genomen van Jim en ik weet absoluut zeker dat ik steeds opnieuw naar hem terug zou zijn getrokken als ik was gebleven. Het was heel moeilijk om weg te lopen, maar toen ik het eenmaal had gedaan, toen ik de enorme puinhoop die had kunnen ontstaan de rug had toegekeerd, was ik zo tevreden met mezelf dat ik zowaar begon te huppelen.

Het was verbazend eenvoudig geweest om me los te maken uit mijn leven.

Ik zit opgepropt in het midden van een rij stoelen met nauwelijks genoeg beenruimte voor een kind van zes. Links van me zit een klein vrouwtje, dat verrukt uit het raampje kijkt, kennelijk gefascineerd door de winterse schemering en al het beton. Ik kijk langs haar heen en probeer mezelf te dwingen om te genieten van de laatste momenten die ik in hetzelfde land doorbreng als mijn familie, op hetzelfde werelddeel. Ik voel me gevaarlijk misselijk. Ik moet mijn uiterste best doen om niet mijn riem los te maken terwijl we nog op de grond staan. Ik blijf alleen in het vliegtuig zitten omdat ik niet stom wil lijken.

De man aan mijn rechterkant is het toonbeeld van het moderne India waarover je voortdurend in de krant leest: hij is jong, beleefd en goed gekleed en hij ziet eruit alsof hij best eens een technologiegenie kan zijn. Ik slaag erin snel 'hallo' tegen hem te zeggen voor ik mijn hoofd afwend.

Ik wil niet weg. Ik verlang er wanhopig naar om niet te gaan. Maar toch voel ik een kleine, verraderlijke opwinding ontstaan. Ik ben pas echt weg als de deuren dicht zijn. Als we in de lucht zijn. Als ik een drankje heb gehad. Als ik ben geland. Ik heb geen flauw idee wat er dan zal gebeuren.

Het vliegtuig begint te taxiën en ik kijk naar een blond, zwaar opgemaakt lid van het cabinepersoneel dat de demonstraties doet terwijl ze met een half oog naar een steward kijkt die haar aan het lachen maakt. Het lawaai van de motoren begint de cabine te vullen. We maken vaart, gaan vervolgens onmogelijk hard en stijgen overal bovenuit. Londen, Engeland, Europa verdwijnen onder me.

Het is zo plotseling gebeurd. Alles ging schuddend en schokkend zijn gewone gangetje en nu is het veranderd.

Gisteravond zat ik met Max in de woonkamer, mijn hoofd vol slechte dingen die zijn gebeurd, vol angst. Ik heb niet veel tegen hem gezegd, want ik durfde mijn mond niet open te doen. In plaats daarvan keken we naar een spelprogramma. Ik beet voortdurend op mijn lip, tot ik de metalige smaak van bloed proefde. Zijn moeder, Delia, belde heel angstig op.

'Je moet goed op jezelf passen,' bleef ze maar zeggen. 'Niet met vreemde mannen praten. Niet het water daar drinken. Ga naar plaatsen waar veel mensen zijn. Pas op dat je geen Delhi-diarree krijgt.'

Ik zei precies de juiste dingen en keek naar Max die mij in de gaten hield. Ik dacht dat hij blij leek omdat ik weg zou gaan, maar hij zei dat hij opgewonden was voor mij.

Om drie uur trok ik in het donker snel de reiskleren aan die ik had klaargelegd – een katoenen broek, een gebloemd shirt van Monsoon (een cadeautje van Lola) en een vest – en daarna sloop ik de kamer van de jongens in. Ik bleef even op de drempel staan, mijn hoofd tollend, terwijl ik luisterde naar hun ongehinderde ademhaling.

Eerst gaf ik Toby een kus, mijn arme kleine Toby, die me heeft verzekerd dat hij me niet zal missen. Hij streek met zijn hand over zijn wang en veegde de aanraking van mijn lippen weg. Ik raakte zijn springerige haar aan en rook zijn kleinejongensgeur, de geur die hij altijd heeft gehad.

Daarna ging ik naast Joe liggen, op het onderste bed, en nam hem in mijn armen. Ik drukte mijn gezicht in zijn haar, knuffelde en kuste hem. Hij sliep gewoon door, maar ging wel braaf liggen waar ik hem wilde hebben en accepteerde onbewust mijn afscheid. Ik deed mijn uiterste best en slaagde erin mijn zelfbeheersing te bewaren.

Ik leunde tegen Max aan die me dicht tegen zich aan trok en met zijn gezicht over mijn haar wreef. Dat was een vreemd gevoel; de laatste tijd waren we niet zo liefdevol naar elkaar geweest, niet op die vriendelijke, automatische manier. Dat hadden we wel moeten zijn.

'Ik heb het gevoel dat je me wegstuurt,' zei ik.

'Je stuurt jezelf weg,' zei hij kalm. 'En je zult een ongelooflijk mooie tijd beleven.' Hij stapte bij me vandaan en nam mijn gezicht in zijn handen. 'Zorg dat je gelukkig terugkomt,' zei hij.

'Laat me niet gaan,' smeekte ik hem.

'Tans, je moet.'

'Waarom?'

'Omdat je het verdient. Omdat je het nodig hebt. Maak je geen zorgen over ons. Je weet dat we je zullen missen, maar ook dat we ons prima zullen redden. Jij moet de zaken voor jezelf op een rijtje krijgen. Ik vind het een heerlijk idee dat je daar zult zijn, bij Ellie. Je zult een fantastische tijd beleven. Doe het voor ons, en doe het goed. Dit is een vakantie, Tansy. Je mag ervan genieten.'

Het is half acht 's ochtends in Engeland, maar onder de omstandigheden en gezien het feit dat ik, ondanks mijn vaders waarschuwingen, niet in een afkickcentrum zit, besluit ik dat ik mag overstappen op Indiase tijd, en ik bestel een wodka met tonic.

'Proost,' fluister ik. Ik praat tegen mezelf, maar de jonge man naast me reageert.

'Proost,' zegt hij, en hij houdt een plastic bekertje limonade naar me op. Ik toost met hem, een doffe tik van plastic. Mijn bekertje wiebelt en trilt in mijn hand, waardoor de drank bijna over de rand klotst.

Het kan me niet schelen dat de stoel ongemakkelijk zit en dat mijn benen opgepropt zitten en elk moment trombose kunnen oplopen. Ik verschuif een beetje en pervers genoeg geniet ik ervan dat ik op het krapste plekje zit dat een luchtvaartmaatschappij iemand kan geven zonder daar problemen mee te krijgen.

Op een gegeven moment komt er een blad met lunch: Indiaas en vegetarisch, en ik begin te eten omdat het er nou eenmaal is, maar ik eet alles op omdat het verdraaid lekker is voor een vliegtuigmaaltijd. Ik kijk naar de *Simpsons*-film en drink twee kleine flesjes wijn. Dan merk ik dat ik hoognodig naar de wc moet. De Technologie Goeroe naast me lijkt diep in slaap te zijn, zijn hoofd is in een ongemakkelijke hoek naar het gangpad gezakt en hij heeft de deken angstvallig om zich heen gewikkeld.

Ik maak mijn gordel los en draai me op mijn stoel. Ik kan het niet over mijn hart verkrijgen om deze man wakker te maken om hem te vragen om op te staan, zodat ik me langs hem heen kan wurmen. Ik ben blij met mijn lange benen, waardoor ik over hem heen kan stappen, al sta ik daardoor wel weinig eerbiedwaardig schrijlings boven zijn benen. Ik sta met een been op mijn eigen stoel en de andere onhandig op de rand van het gangpad en mijn handen rusten op de hoofdsteun van de stoel van mijn buurman, boven zijn slap hangende hoofd. Ik moet wel een beetje dronken zijn, anders zou ik dit zelfs niet proberen.

Uiteraard doet hij precies op dat moment zijn ogen open. Hij kijkt me slaperig aan en is dan opeens, heel begrijpelijk, klaarwakker.

'Eh... sorry,' zeg ik snel. Eerst heb ik hem een paar uur genegeerd en nu lijk ik seks te simuleren terwijl hij slaapt. Ik hijs mijn been over hem heen. 'Ik wil alleen. Sorry. Toilet...' Ik kan geen normale zinnen meer formuleren. Ik ben meer dan beschaamd. Met een soort draaiend sprongetje kom ik op het gangpad terecht, en ik ben dolblij dat ik een broek draag.

'O, je had me wakker moeten maken,' zegt hij terwijl hij met een onberispelijke beleefdheid weer tot zichzelf komt. Hij springt op. 'Doe dat de volgende keer gerust,' voegt hij eraan toe. 'Aarzel niet.'

Ik bel telkens om de stewardessen en vraag om meer wijn, tot degene met de opzichtige make-up weigert om me nog meer te schenken.

'Volgens mij hebt u genoeg gehad,' zegt ze luchtig. 'Waarom probeert u niet wat te slapen?'

Alle andere mensen slapen. Ze heeft gelijk: ik heb te veel gedronken. Ik wieg heen en weer, kan mijn blik niet meer scherp richten en ik ben heel bang. Mijn hele lichaam is gespannen, strak, klaar om weg te rennen, zonder dat het ergens naartoe kan.

'Ach, toe nou,' zeg ik zo deftig mogelijk, en ik glimlach naar haar. 'Ik ben voor het allereerst op vakantie zonder mijn kinderen. Ik beloof dat ik niet lawaaiig zal worden.'

Ze geeft toe. 'Nou, goed dan. Nog eentje.'

Ik doe er lang mee. Het drankje helpt me over de rand en ik val in een rare, hallucinerende versie van vergetelheid.

In mijn dromen rent Ellie rond. Er is een goeroe die op Jezus lijkt. Toby en Joe zijn er. Max is er. We zijn met zijn allen in het paradijs dat Pondicherry heet.

Met een schok word ik wakker en mijn hart bonst, hoewel het daar geen enkele reden toe heeft. Mijn handpalmen tintelen en mijn haar is statisch van verwachting. Het kleine vrouwtje heeft allemaal rimpels in haar gezicht gekregen doordat ze met haar kussen tegen het raam leunt. Ik strek mijn hals om voor haar langs te kunnen kijken.

Het is donker. Het is midden in de nacht. India ligt onder ons. Chennai is niet hel verlicht als een westerse stad; er zijn plekken licht en stukken duisternis. Ik kijk rond in het vliegtuig en er valt me nu pas iets op: bijna alle passagiers zijn op de een of andere manier van Indiase origine en ik ben nu al zichtbaar buitenlands.

Ik ben verlamd van schrik. Ik heb geen flauw idee wat ik hier doe.

'Dat is Chennai,' hoor ik een moeder achter me tegen haar kind zeggen. 'Zeg eens Chennai. Mammie is geboren in Chennai.'

'Chennai,' zegt een klein stemmetje. Ik werp een blik door de spleet tussen de stoelen. Het meisje lijkt een jaar of drie en ze is gekleed in magenta, met gouden oorringen. Ik glimlach en ze wendt haar blik af.

Alleen al de lucht in India doet me versteld staan. Die is zo buitenlands. Ik sta als aan de grond genageld boven aan de trap, met één voet nog in het vliegtuig. Ik ben duizelig van wijn en misselijk van angst. Ik heb een Londense winter verruild voor dit; en de warmte van de nacht in Chennai verwart me.

Ik merk dat ik iedereen ophoud en heel langzaam slaag ik erin de trap af te lopen, me vastklampend aan de leuning, en stap ik op Indiase bodem.

Het terminalgebouw is van beton en de lucht binnen is vochtig. Ik sta in een rij voor de paspoortcontrole en kijk wantrouwig naar de andere passagiers. Ze zijn bijna allemaal Indiaas of Brits van Indiase komaf, en er heerst een uitgelaten stemming. Ik sta in mijn eentje en vermijd oogcontact en conversatie.

Er zijn nog een paar westerlingen: twee goed uitziende

vrouwen van in de vijftig of zestig en een lange, bebaarde man in een wit pak. De man kijkt naar mij en ik draai mijn hoofd om. Ik sta daar met gebalde vuisten en voel mijn hart in mijn keel kloppen.

Plichtmatig doe ik wat er van me verlangd wordt; ik slaag erin te glimlachen als ik mijn paspoort overhandig en er wordt een vlekkerige stempel in gezet. Bij een filiaal van Thomas Cook wissel ik al mijn ponden sterling om voor duizenden en duizenden roepies. Mijn slappe rugzak verschijnt op de bagageband, half vol, half leeg. Ik ben nog nooit in dit land geweest, maar iedereen kent de problemen. Het is algemeen bekend dat Indiase steden wemelen van de bedelaars en overal armoede is en dat je gewicht begint te verliezen zodra je er iets eet of drinkt. Ik ben wel elders in Azië geweest, maar India is een geval apart.

Ik ben bleek en val erg op. Achter een hek, buiten het vliegveld, staat een menigte mensen te wachten. Veel van hen houden borden omhoog, springen op en neer, duwen elkaar weg en nemen de passagiers nauwkeurig op. Ik heb verhalen gehoord over mensen die worden meegetroond door taxichauffeurs en een officieel aandoende gelamineerde prijslijst te zien krijgen en vervolgens gedwongen worden om tien keer zo veel als gebruikelijk te betalen om van het vliegveld naar de stad te worden gebracht. Ik kan mezelf niet laten belazeren, dat zou te ontmoedigend zijn.

De stand voor taxi's die van tevoren al zijn betaald is recht voor me. Ik negeer de kreten van 'taxi?' en been erheen terwijl ik een paar honderd roepie tevoorschijn haal. Ik betaal, krijg een voucher en een man pakt mijn rugzak en neemt me mee door de warme nacht naar een oude, glimmende auto. Ik duw het kleinste biljet dat ik kan vinden in de hand van de man die mijn rugzak heeft gedragen, en die niet de chauffeur blijkt te zijn, maar alleen uit is op *baksheesh.*

Het interieur van de auto bestaat uit gebarsten leer. Ik ga zitten en staar naar het raampje. De chauffeur vertrekt op topsnelheid en rijdt om obstakels heen. Dit doet me allemaal heel vreemd aan.

'Hotel Shiva?' vraagt hij glimlachend. 'Dag, *Madam.* Is dit uw eerste keer in India?'

'Dag,' zeg ik, uit het raampje kijkend omdat ik dolgraag Chennai wil zien, zelfs al is er in de duisternis bijna niets te onderscheiden. Een paar reclamezuilen zijn verlicht en daarachter ontwaar ik de vorm van gebouwen. Als ik naar de weg voor ons kijk, zie ik dat wij, net als alle andere voertuigen, een zeer vreemde vooruitgang boeken. We lijken willekeurig van de ene kant van de weg naar de andere te zwenken. De chauffeur draait zich nogmaals om, grijnst en doet zijn mond open om iets te zeggen.

'Hou je ogen op de weg!' gil ik, al wijzend.

Met een glimlach slaat hij zijn ogen ten hemel, en hij zegt heel neerbuigend: 'Ja, ja, mevrouw.' Hij richt zijn aandacht langzaam weer op de vierbaansweg voor hem, die eigenlijk helemaal geen vierbaansweg is, zie ik nu. Hij doet alleen alsof. Hij zwenkt van de ene naar de andere kant, ofwel voor de lol ofwel om donkere, vermomde obstakels te vermijden.

'Aha,' zegt hij terwijl hij om een slapende koe heen rijdt, waarna hij weer omkijkt. 'Voor het eerst in India.'

Uit de stereo klinkt zachtjes jammerende hindi-muziek. Het is uitheems, dissonant en volledig vreemd voor westerse oren.

'Ja,' zeg ik tegen hem. Ik gaap. Het is drie uur 's nachts. Ik kijk naar de man die per slot van rekening een professionele taxichauffeur is en die het tot nu toe heeft overleefd. 'Voor het eerst in India.'

Een week geleden betrapte ik Max online toen hij voor mijn eerste paar nachten een kamer in het Sheraton voor me boekte. Ik heb hem weten te overtuigen dat niet te doen. Als ik er de energie voor had gehad, zouden we er knallende ruzie over hebben gekregen. 'Als ik naar het Sheraton wilde,' zei ik in plaats daarvan op mijn zielige, slappe manier tegen hem, 'dan ga ik liever gewoon naar Knightsbridge of zo. Het was jouw idee dat ik naar India zou gaan. Laat me dan tenminste ergens logeren dat aanvoelt als India.'

Hij probeerde ruzie uit te lokken. 'Je hebt verantwoordelijkheden,' zei hij. 'Je bent moeder. En als vrouw alleen ben je kwetsbaar. Je kunt niet in willekeurige krotten gaan slapen, alleen omdat je daar toevallig zin in hebt. Ditmaal kunnen we ons permitteren dat je een mooi hotel neemt.'

'Ik ben maar een paar dagen in Chennai, daarna ga ik naar Ellie. Je kunt me er niet in watten gewikkeld heen sturen. Als je niet wilt dat ik ga, had je dat kloteticket niet voor me moeten kopen. Laat me het goed doen. Ik vraag toch niet om een krot!'

Uiteindelijk is hij heel lang online geweest en heeft hij ingestemd met het Shiva. Het ergste wat hij erover kon vinden was dat het personeel niet altijd vriendelijk was en dat sommige kamers een beetje aftands waren.

'Controleer of er geen gaten in de muren zitten,' waarschuwde hij dreigend. 'Vooral in de badkamer.'

'Toevallig heb ik mezelf heel goed kunnen redden voor ik jou kende,' zei ik rustig. 'Ik ben er zelfs in geslaagd om zonder jou door verschillende Aziatische landen te reizen. En als ik het vroeger zonder jou kon rooien, dan zal me dat nu ook wel lukken.' We keken elkaar aan, allebei geschrokken van mijn woorden. Het was geen ruzie; het was iets veel ergers.

De foyer van het hotel is van kaal steen en het echoot er. Ik loop naar de receptiebalie alsof ik over een podium loop. De dienstdoende man heeft een snor en een pas gesteven mauve overhemd en is bezig met wat papierwerk, kennelijk niet onder de indruk dat het vier uur 's nachts is. Hij laat me drie verschillende formulieren invullen die hij op aparte stapels legt.

Een andere man pakt mijn rugzak en voert me langs verschillende gebouwen naar mijn kamer. Als we over een binnenplaats lopen komt er een vliegtuig over ons heen. De man kijkt op.

'We zien het vliegtuig,' zegt hij. 'Twee uur later komen de mensen.'

Alles is ongelooflijk surrealistisch. Ik kan niet meer in een rechte lijn lopen. Zodra de kruier de kamer uit is, ren ik naar de badkamer en kots alle wodka en wijn die ik tijdens de vlucht heb gedronken in het toilet. Daarna kruip ik tussen de strak ingestopte lakens en huil mezelf in slaap.

Ik ben helemaal alleen. Dat is het vreemdste gevoel dat er is.

13

Ik word wakker van een rinkelende telefoon en schiet rechtovereind, onmiddellijk klaarwakker.

Ik ben in India. Mijn rugzak is hier, in de hoek. Gisteren is echt gebeurd. De kamer baadt in het daglicht, dat door een dun wit gordijn stroomt. Er komen allerlei geluiden van buiten, waaronder een aanhoudend metalig geklingel dat van vlak voor het raam lijkt te komen. Ik besef dat ik daar al uren naar heb liggen luisteren.

Het is mijn telefoon die rinkelt.

Twee avonden geleden is Max druk bezig geweest met het uitzoeken van internationale beltarieven en nagaan of mijn mobieltje ook hier zou werken. Hij is alle nummers in mijn adresboek nagelopen om overal heel zorgvuldig '0044' voor te zetten en de eerste nul te verwijderen.

'Wie is Olivia?' vroeg hij zonder op te kijken.

Ik was van de wijs gebracht.

'O, je weet wel. Olivia zit bij Toby in de klas. Klein gestrest meisje.'

'Je kunt haar moeder niet uitstaan.'

'Nee, maar ik moest wel haar nummer hebben,' improviseerde ik. 'Voor het kerstspel. Ze was op zoek naar schapenpakken.'

'Sms je haar van tijd tot tijd venijnige berichten?'

'Dat zou ik wel moeten doen,' zei ik. Ik bad dat hij niet de berichten in mijn inbox zou lezen en zou ontdekken wat ik 'Olivia's moeder' precies schreef.

Mijn hoofd doet pijn en ik kan niet goed zien, maar ik slaag er slaperig in de telefoon te lokaliseren onder in mijn handtas. Het woord 'thuis' staat verwijtend op het schermpje.

'Mmm,' zeg ik ter begroeting.

'Dus je bent aangekomen,' zegt Max. Ik gaap en probeer mijn stem te vinden, om de juiste woorden in de goede volgorde te zeggen. 'Heb ik je wakker gemaakt?' vraagt hij.

'Mmm.'

'O. Op internet zag ik dat het half twaalf is in Chennai, dus ik dacht dat het wel kon.'

'Half twaalf?'

'Volgens het wereldwijde web wel. Maar jij bent in Chennai, dus zeg jij het maar.'

Knipperend kijk ik om me heen, op zoek naar een klok. Er is niks in de kamer, alleen een bed, tafel en een exemplaar van de gouden gids. Ik hijs mezelf van het bed en doe de plafondventilator aan. De bladen beginnen langzaam te draaien en dan sneller en sneller. Ik slaag er niet in mijn blik ervan af te wenden. 'Ik geloof je op je woord.'

'Tans, je zou toch sms'en als je was aangekomen?'

Ik knijp mijn ogen dicht. 'Het was midden in de nacht en ik voelde me... heel vreemd... en ik kon nauwelijks lopen, laat staan sms'en. Sorry.'

'Het geeft niet. Wat maakt het uit dat ik urenlang heb liggen draaien en woelen en telkens als een bezetene op mijn telefoon heb gekeken. Op een gegeven moment heb ik zelfs News 24 aangezet om te kijken of er ook een vliegtuig was neergestort. Het is hier half acht 's ochtends. Het is heel stil als jij niet zo vroeg koffiedrinkt. Ik wist niet goed wat ik met mezelf aan moest toen niemand me wakker maakte door om half vier in de nacht naar me te liggen staren.'

'Sorry. Echt, ik heb er niet bij stilgestaan.'

Zijn stem klinkt licht. 'Dat zal best. Nou, hoe is het tot nu toe?'

Ik werp mezelf weer op bed en kijk naar de stoffige bladen die boven mijn hoofd ronddraaien. Het plafond is geel en de voorste rand van elk blad is pluizig van het stof. Ik probeer te bedenken wat ik moet zeggen. Het enige wat ik kan doen is me aan de feiten houden.

'Ik heb een taxi genomen vanaf het vliegveld,' zeg ik. 'Die rit was heel eng. Het hotel is prima. Iemand tinkelt ergens mee vlak voor het raam. Meer valt er niet te vertellen. Ik heb nog niks gedaan en met niemand gepraat.'

'Ga je vandaag nog op verkenning?'

'Ik denk het wel.'

'Wees voorzichtig.'

'Ja, ja.'

'Tans,' zegt hij. 'Je bent nog nooit in India geweest. De trammelant die je in de steden kunt tegenkomen zijn nergens mee te vergelijken. Doe je geldriem om. Reis alleen per riksja of taxi. Ding af op de ritprijs per riksja. Geef geen geld aan iedereen die erom vraagt, want daardoor geef je mensen alleen een reden om te bedelen in plaats van iets anders te gaan doen en dat is geen gezonde economie.'

'Dat heb je al gezegd.'

'Eigenlijk moet je linea recta naar Ellie gaan.'

'Ja, ja. Maar ik ben nu hier, dus ik moet de stad wel gaan verkennen. Hoe gaat het met de jongens?'

'Die slapen nog. Prima. We hebben een leuke dag gehad. We zijn naar Sarah en Gav gegaan en iedereen heeft gespeeld. Sarah vindt het vreselijk dat je weg bent. Ze probeerde me om tien uur 's ochtends over te halen om een drankje met haar te drinken. Gav ging de kamer uit toen ze dat deed. Ik heb haar verteld dat ze de verkeerde persoon voor zich had. Joe vroeg of India in de buurt van de supermarkt lag.'

Ik knijp mijn ogen stijf dicht.

'Hoor eens,' zeg ik. 'Dit kost een kapitaal. Ik bel later nog wel op een vast toestel om met Joe en Toby te praten. Zeg, Max?'

'Hmm?'

'Mis je. Hou van je.'

Waarom kan ik dat wel zeggen terwijl ik veel meer moeite zou hebben met 'ik mis je' en 'ik hou van je'? Als ik mezelf niet bij de vergelijking betrek, wordt het makkelijker.

'Wij missen jou ook,' zegt Max. 'En het spreekt vanzelf dat we allemaal van je houden.'

Ik merk onmiddellijk dat hij hetzelfde doet: *Het spreekt vanzelf dat we allemaal van je houden* is een stuk gemakkelijker om te zeggen dan 'ik hou van je'. Vroeger vertelden we elkaar voortdurend, elke dag opnieuw, dat we van elkaar hielden. Waarschijnlijk zoek ik hier te veel achter.

Ik wil de kamer niet verlaten. Ik besluit om alles zo langzaam mogelijk te doen. De kamer is saai en een beetje bedompt en wekt een verontrustende buitenlandse indruk. Ik sta in tweestrijd en kan het niet verdragen om mezelf daaruit te halen.

Ik word geholpen door het feit dat de douche niet werkt. Ik sta aan de ene kant, draai de kranen open en kijk hoopvol naar de douchekop die aan de muur is bevestigd. Ik slaag er alleen in om koud water uit een kraan ter hoogte van mijn middel te laten stromen.

Als ik de emmer in de hoek zie, weet ik het weer, en ondanks mezelf glimlach ik door de plotselinge stroom aan herinneringen. De douche hoorde nooit te werken. Ik sta daar in mijn nakie en kijk naar het water dat gorgelend door het putje verdwijnt terwijl ik word meegevoerd naar de goede oude tijd toen ik nog jong en vol zelfvertrouwen was en de vrijheid had om rond te dwalen in een wereld die, zo komt het me nu althans voor, duizend keer zo onschuldig was.

Ik vul de grote emmer met lauwwarm water en weet opeens weer hoe elegant ik me vroeger voelde als ik, naakt op een halsketting na, in een betegeld vertrek met een emmer water stond. Ik deed altijd alsof ik een vrouw was op een schilderij van Ingres. Ik haal diep adem en giet het water over me heen met een plastic kom die aan de muur hangt. Ik huiver en krijg overal kippenvel.

Mijn lichaam nadert de veertig en ik heb niet langer het gevoel dat ik een aantrekkelijk schildersmodel ben, maar op het moment dat ik koud water over mijn hoofd giet, slaag ik erin een klein, nostalgisch glimlachje op mijn gezicht te toveren.

Er werken twee mannen op een vrachtwagen die buiten op het plaatsje geparkeerd staat. Allebei hebben ze een grote telefoon aan hun riem hangen. Ze stoppen even met werken om mij vriendelijk gedag te zeggen.

Ik loop over het grind. Er gebeurt niks. Ik kijk om me heen: het hotelcomplex is groter dan ik dacht en ik bevind me nog altijd in een soort veiligheidszone. Overal om me heen staan gebouwen, met paden ertussen en handgeschreven bordjes waarop de weg naar het restaurant, de snackbar en het zwembad staat. Hier zal geen bedelaar me te pakken krijgen.

De warmte van de windloze lucht is vreemd, en herinnert me eraan hoe ver ik bij mijn eigen veilige wereldje vandaan ben. Ik blijf staan en haal diep adem. Ik voel de warmte ervan in mijn binnenste. Ik ruik Indiaas eten, kerosine en rottende bladeren. De hemel is donkerblauw en vol kleine, sliertige wolken.

De geur van het restaurant, met aromatische kruiden, laat mijn maag knorren. Het zou heel simpel zijn om het bordje te volgen, in het restaurant te gaan zitten, het reisboek te lezen en mijn eerste ervaring met India uit te stellen, om me nog een poosje veilig te voelen. Het is halverwege de dag, een heel geschikt moment om te gaan eten, vooral als je door het ontbijt heen hebt geslapen.

Jaren geleden, op mijn eerste dag in Azië, zat ik in de ontbijtzaal van mijn hotel in Ho Chi Minhstad waar ik zo lang mogelijk deed over een gebakken ei en net als nu mijn best deed om het moment dat ik naar buiten moest gaan zo lang mogelijk uit te stellen. Er zaten nog twee mensen in die zaal: Ellie en Eddy. Uiteindelijk zouden zij maandenlang, met tussenpozen, mijn metgezellen worden, en tien jaar later ben ik hier en voel ik me nog altijd zo verbonden met Ellie dat ik mijn leven voor haar op de kop heb gezet.

Daarom besluit ik dat ik het opnieuw zal proberen. Het is me al eerder gelukt. Ik kan wel iemand gebruiken om mee te praten. Ik kijk om het hoekje van de eetkamer. Het is een grote kamer met weinig licht. Er is verder bijna niemand en ik loop achteruit. De mensen die wilden ontbijten zijn al vertrokken en ik heb geen zin om in een lege zaal te zitten.

Een goed geklede ober komt glimlachend op me af.

'Alleen u, mevrouw?' vraag hij, me naar voren dwingend.

Ik doe een pas achteruit. 'Ik kom straks wel terug,' zeg ik snel tegen hem. 'Ik geloof dat ik een beetje vroeg ben.'

Hij schudt zijn hoofd. 'Nee,' zegt hij. 'Keuken is altijd open.'

Het vooruitzicht om alleen in een sombere, donkere zaal te moeten zitten is nog minder aantrekkelijk dan dat van de straten van Chennai.

'Nee, sorry,' zeg ik. 'Ik kom straks wel weer.'

Ik loop achterwaarts bij hem vandaan en draai me naar het bordje met UITGANG erop.

Als we met zijn allen naar India waren gegaan zou ik nu niet door het hotelcomplex lopen terwijl ik net doe alsof ik me interesseer voor de snackbar en het zwembad, alleen om nog even de stad niet in te hoeven. Dan zou ik niet zo ver uit mijn veilige, vertrouwde omgeving zijn en me zo verlammend bang voelen. Ook zou ik niet terugdeinzen voor de aanstaande aanval van bedelaars en spoken uit mijn verleden.

Max zou naast me staan en we zouden onze dag doorbrengen binnen de redelijke grenzen van de behoeften van de kinderen. We zouden alles heel veilig aanpakken en regelmatig even gaan zitten in een restaurantje met airconditioning. We zouden korte, gecontroleerde uitstapjes maken en dan weer terugkeren naar de veiligheid van het hotel om daar het grootste deel van de dag door te brengen.

Maar zoals de zaken er nu voor staan, kan ik doen en laten wat ik wil.

Opeens vraag ik me af of ik ooit iets bijzonders of zelfs maar iets leuks met Toby heb gedaan. Zes jaar lang heb ik hem in toom gehouden en me met hem beziggehouden, ervoor gezorgd dat hij te eten kreeg, op tijd naar bed ging, warm en veilig was. Ik heb hem pennen en papier gegeven en ruimte voor hem gemaakt op tafel, om daarna zijn meesterwerken aan de muur te hangen. Sinds hij kan lopen heb ik hem een aantal keer per week laten rondrennen in parken en velden. Ik heb hem meegesleurd langs wandelpaden en ervoor gezorgd dat hij niet te veel tv keek. Ik heb voedzame maaltijden voor hem bereid of, als dat er niet van kwam, pizza's ontdooid. Ik heb de schijn opgehouden en heel zorgvuldig mijn plichten vervuld.

Maar als Toby het uitgilde van plezier, was het omdat Max hem achternazat. Als hij naar adem snakte van opwinding en zijn verstopplek verraadde, kwam dat omdat Max zei: 'Waar zou Toby toch zitten?' Hij is bij Max op schoot gekropen om Harry Potter te lezen en ze voerden ingewikkelde gesprekken die soms wel dagen konden duren over Sneep en Voldemort en huis-elven. Ondertussen schonk ik dan mijn tweede drankje van de avond in en keek ik op de klok of het al tijd was om de kinderen naar bed te brengen.

Toby en ik hebben het nooit echt leuk gevonden om samen te zijn. Ik had erop aan moeten dringen dat hij in elk geval met me mee zou gaan.

'Dag, mevrouw,' zeggen de riksjabestuurders allemaal tegelijk, hun stemmen boven elkaar uit. Minstens tien mannen verdringen zich op de stoep voor het hotel en ze willen allemaal mijn klandizie. Ik zie dat ze achter een onzichtbare streep blijven terwijl een geüniformeerde bewaker oplettend toekijkt. Achter hen raast het verkeer over de weg.

'Dag, mevrouw,' zeggen ze. 'Riksja, mevrouw?'

Als ik over de streep stap, rennen ze naar voren en drommen om me heen, allemaal wanhopig om mij te strikken. Ik zie hun riksja's, vierkant, geel en zonder deuren, die in groten getale om de hoek geparkeerd staan.

'Nee, bedankt,' zeg ik, en ik doe mijn best om er niet geïntimideerd uit te zien. Met opgeheven hoofd loop ik dwars door de groep heen. Ik heb twee keer een kind gebaard, ik kan echt wel een stel riksja-*wallahs* aan. 'Ik ga lopen,' verklaar ik.

Ik sla links af en wandel met ferme pas langs de kant van de angstaanjagende weg. Ze volgen me en masse. Een gezette man blokkeert mijn pad en ik stap van de stoep af om langs hem heen te lopen. Er rijdt een busje voorbij, heel dicht langs me, dat toetert. De toon ervan verandert als het uit het zicht verdwijnt. De man, die zijn wenkbrauwen fronst, houdt zijn blik strak op mijn gezicht gericht.

'Riksja,' zegt hij, met een gezicht alsof ik hem persoonlijk heb beledigd.

'Ik wil lopen,' zeg ik gedecideerd. 'Ik ga naar het strand wandelen.'

'Maar het strand is tien kilometer,' zegt hij. 'Heel slecht idee.'

'Het is geen tien kilometer,' zeg ik tegen hem, en ik probeer hem aan te kijken als iemand die echt geen loopje met zich zal laten nemen.

'Heel ver,' zegt hij. 'En de stoep is heel slecht. En dan wilt u een riksja op het strand, maar de mannen op het strand zijn hele slechte mannen. Dat zijn oplichters.'

'Echt waar?'

'Hebt u een pen?'

'Laat me raden, je wilt "één pen"?' Dat is wat iedereen, vooral de kinderen, vraagt in Vietnam, Laos en Thailand. Een pen, munt uit uw land, snoepjes, geef me een hand.

Maar hij kijkt me aan alsof ik gek ben. 'Ik wil mijn telefoonnummer opschrijven,' zegt hij, wijzend op de grote telefoon die aan zijn riem hangt. 'Dan belt u mij. Als u een riksja nodig hebt.'

'O,' zeg ik. 'O, oké.'

Ik vind een pen in mijn tas en geef hem ook een stukje papier. Hij schrijft zijn naam op – Ganesh – en een nummer. Hij glimlacht.

'U helemaal alleen? Hebt u echtgenoot?'

'Ja,' zeg ik. 'Een twee kinderen. Jongens.'

'Jongens! Heel gelukkig. Waar is uw echtgenoot en twee jongens?'

Ik loop al door. 'In Londen,' roep ik achterom. Londen: een stad die ver weg is, een plaats waar iedereen van heeft gehoord, waar mijn jongens wonen.

De stoep is oneffen en het verkeer is vreemd, buitenlands. Ik hoop dat ik de weg nooit hoef over te steken. Er rijden bussen die met email zijn beschilderd en waarin massa's mensen zijn gepropt, die uit de deuren puilen. In elk geval kan ik het me permitteren om niet met de bus te gaan. Er zijn verbazingwekkend veel auto's, fietsen en motoren, en iedereen is druk bezig een leven te leiden waar ik me geen voorstelling van kan maken.

Als ik eenmaal begin te lopen, valt het ergste randje van de angst van me af. Ik zet mijn ene voet voor mijn andere, telkens opnieuw, zonder dat er iets schokkends gebeurt.

Dit is duidelijk geen gebied waar veel bedelaars komen. Ik bereik de eerste hoek zonder dat iemand me om geld heeft gevraagd. Er heeft zelfs niemand naar me gekeken. Ik heb geen oneerbare voorstellen gekregen van mannen die ervan uitgaan dat een westerse vrouw die alleen is wel zin heeft in wat pornografische avontuurtjes (of misschien ben ik te oud voor dergelijke aandacht). Zonder enige moeite steek ik de weg over, die een zijstraat is.

Bij de tweede hoek hadden er eigenlijk kindjes aan mijn kleren moeten hangen. Ik loop door lucht die minder dik, vochtig en stinkend is dan ik had verwacht. Hij is warmer, anders dan de lucht in Londen, een tikkeltje vervuild, maar frisser dan de lucht thuis door de prikkelende geuren van de oceaan. Als ik goed kijk, blijkt zelfs het verkeer zich aan een systeem te houden. Elk voertuig ontwijkt heel bedreven alle andere, en op de riksjachauffeurs na besteedt niemand aandacht aan me.

Er komen twee mannen op me af. Ze zijn allebei in de twintig en dragen beiden een poloshirt van Aertex en een lange broek. De ene heeft een snorretje en de ander een baard en een tulband. Mijn hart gaat sneller kloppen en mijn handpalmen tintelen. Ik wacht tot ze iets zeggen, iets doen. Ik meen dat de ene zijdelings naar me kijkt, waarna hij zijn ogen snel weer afwendt.

Ik wacht tot ze me benaderen, commentaar leveren, me lastigvallen. Maar ze lopen me voorbij alsof ik lucht ben. Het komt niet door mijn trouwring, ze hebben niet eens gekeken of ik die droeg. Ik struikel bijna over de rand van een stoeptegel als ik me omdraai om er zeker van te zijn dat ze niet over mij praten. Het is verbijsterend.

De weg gaat helemaal naar het strand. Ik steek de zijstraten zonder enig probleem over. Ik loop langs een paar oude mannen die op houten stoelen zitten en naar het verkeer kijken, maar die hebben geen belangstelling voor me. Af en toe moet ik hoesten door de stank van oude urine, maar meestal ruikt de zeelucht verbazend fris. Ik leer hoe ik de stoep af en op moet stappen, de weg op en er weer af, hoe ik kapotte stoeptegels en plotselinge gaten moet ontwijken.

De gebouwen die ik passeer lopen uiteen van afbrokkelende bouwvallen van beton tot splinternieuwe gepleisterde kantoorgebouwen. Auto's, taxi's en bussen denderen langs en hun zwarte uitlaatgassen worden vaak in mijn gezicht uitgebraakt, en er rijden voortdurend riksja's achter me aan, hopend op een rit. Er beweegt een wolk, en de zon schijn recht op mijn hoofd.

De enigen die aandacht aan me besteden, maar dan wel onophoudelijk, zijn de riksjabestuurders. Ik loop daar met een vreemd, onbehaaglijk gevoel terwijl de chauffeurs naast me rijden, wachtend tot ik van gedachten zal veranderen. Als de een daar genoeg van krijgt en weggaat, wordt zijn plek binnen enkele seconden ingenomen door een ander.

Ik loop onder een bulderend viaduct door en opeens is er een weg die ik moet oversteken, maar dit is een hoofdweg en ik heb geen flauw idee hoe ik aan de overkant moet komen.

Aan de kant van de weg liggen twee magere koeien. Die trekken zich helemaal niks aan van de veel te volle blauwe bus die uitlaatgassen uitblaast op slechts enkele centimeters van hun uitstekende ribben. Na een paar minuten komen er twee zelfverzekerde jonge vrouwen in een strakke spijkerbroek en een T-shirt bij me staan. Ze kijken naar hun telefoon en wiegen giechelend met hun heupen. Ze zijn begin twintig en hebben een gladde huid en ze zijn gezond, glanzend en beeldschoon. Ze dragen designerkleding en duur uitziende sieraden. De ene heeft jongensachtige stekels en de andere lange glanzende lagen. Als zij de weg op stappen, doe ik hetzelfde. Ik volg hun op de, in Ferragamo gestoken, hielen wanneer ze achteloos tussen de auto's door bewegen. Als we alle drie op de stoep aan de overkant staan, draait degene met het jongenskapsel zich om om naar mij te kijken. Ik zie haar sprankelende, jonge ogen over mijn slappe rok en verwarde haar glijden. Zonder een woord te zeggen keert ze zich weer om.

'Ik zag gisteren een klein westers meisje,' zegt ze tegen haar vriendin, als ze weglopen. 'Ik kon haar wel opvreten. Ik ben gek op westerse baby's. Die zijn zóóó schattig.'

Tegen de tijd dat ik bij het strand ben, wil ik het liefst mijn armen in de lucht gooien en het uitschreeuwen, alleen om ervoor te zorgen dat Chennai mij opmerkt. Het is ontzettend vreemd om rond te lopen op Aziatische grond in de verwachting dat je zult worden omzwermd door horden mensen om in plaats daarvan compleet genegeerd te worden.

Het strand is breed en lang; de zee is een zilveren streep bij de horizon. Aan de rand van het zand lopen gezinnen of ze zitten op kleden, mannen verkopen ijs uit karretjes terwijl er om me heen ontelbare goedaardige cricketwedstrijden plaatsvinden.

'De Golf van Bengalen,' zeg ik tegen mezelf. De klank van die naam bevalt me.

Ik sta aan de rand van het zand en zeg het nogmaals, wat harder. Naast onzichtbaar ben ik ook onhoorbaar. Ik koop een romig vanilleijsje en ga op het zand zitten. Dat voelt warm aan door mijn rok. Ik leun achterover op mijn ellebogen en kijk naar een gezin van vier personen, de moeder in een prachtige paarse sari, dat voorbij slentert. Ik ben de slechtst geklede vrouw op het strand. Misschien heeft daarom niemand zin om me lastig te vallen.

Ik sms Max: 'word absoluut niet lastiggevallen. alles in orde. zal bellen. xxx'

Vervolgens sms ik ook naar Jim, tegen beter weten in.

'hoi, ik ben aangekomen,' schrijf ik. 'niemand heeft het gemerkt. zorg goed voor mijn zoon. t x'

Ik verwijder de kus en verstuur het.

'Riksja, mevrouw?' vraagt een man als ik tussen de cricketwedstrijdjes door naar de weg slenter.

'Goed,' stem ik in. Hij kijkt heel verbaasd en neemt me snel mee naar zijn voertuig dat aan de kant van de drukke weg staat.

'Hoeveel kost een rit naar het restaurant Saravana Bhavan?' vraag ik, de naam oplezend uit mijn reisboek.

'Stap in, mevrouw,' zegt de chauffeur. 'Dan bespreken we hoeveel.'

'Nee. Noem eerst je prijs.'

'Oké! Oké, geen probleem. Naar het restaurant is gratis. Daarna betaalt u veertig roepie voor een uur. Ik breng u overal heen, museums, toeristische plekken.'

'Ik geloof je niet,' zeg ik. 'Hoeveel ga je echt vragen?'

'Veertig roepie is de prijs!' zegt hij heftig. 'Andere riksja's? Veel duurder! Ik mag u. Mooie prijs voor mooie dame.'

De motor slaat aan bij de derde poging en het hele gevaarte begint onder me te trillen. We maken een scherpe bocht naar links, door de rijen verkeer heen, en het strand verdwijnt uit het zicht. We worden opgeslokt door de enorme stad, en we bewegen snel. Ik hou me met twee handen vast aan de rand van de stoel en voel voor de eerste keer mijn vrijheid. Ik laat me door de stad in het gezicht slaan.

Aan weerskanten worden we ingesloten door auto's. De riksja baant zich dapper een weg tussen een stinkende vrachtwagen vol krijsende, onzichtbare dieren en een bus, en ik trek mijn ellebogen dicht tegen me aan, en probeer onwillekeurig me zo smal mogelijk te maken.

Overal zijn reclamezuilen en veel ervan prijzen mobiele telefoons aan. Voor een Vodafone-winkel hurkt een man in een lendendoek bij een kleine oliebrander en kookt iets in een pan. Een vrouw met een baby op haar rug verkoopt slingers van felgekleurde kunstbloemen. Twee mannen in pak, met aktetassen bij zich, lopen voorzichtig om een rustende koe heen waarvan de botten pijnlijk door zijn vel steken.

We zigzaggen tussen auto's en motoren door en komen plotseling piepend tot stilstand. Ik kieper voorover en strek mijn armen uit om mezelf te redden.

'Spijt me heel erg, mevrouw,' zegt de bestuurder die glimlachend omkijkt. Het lijkt erop dat een koe de weg op is gestapt. Al het verkeer wijkt plotseling uit om haar niet te raken of het maakt een noodstop.

De ober neemt me mee door het drukke restaurant, naar een tafeltje bij de muur en als ik het eten zie en ruik, merk ik dat ik verga van de honger. De enige andere herkenbare buitenlanders zijn een stelletje in de hoek. Ik vang slechts een glimp van ze op; zij heeft rood haar en hij een donkere huid, maar toch zijn ze onmiskenbaar westers. Mensen kijken op, maar als ze mij zien, slaan ze hun blik ongeïnteresseerd weer neer. Sommigen zeggen 'hallo' als ik langs hen heen loop en ik let er goed op dat ik het terugzeg, omdat ik zelfs met deze kleine interactie al blij ben.

Ik kan de rest van het restaurant goed zien en heb de volmaakte positie om mensen te observeren.

Ik lees de menukaart. Mijn maag rommelt luid en de ober grinnikt.

'Honger, mevrouw?' vraagt hij.

Ik kijk naar de kaart. 'Een zakenlunch, alstublieft,' zeg ik.

Een zakenlunch blijkt te worden geserveerd op een rond aluminium bord met veel vakjes. Er zijn verschillende soorten groentecurry en verder rijst, chapatti's, yoghurt en kruidige chutney. Ook zijn er een paar dingen die ik niet herken, maar die ik desondanks opeet. Ik geniet van elke hap. Er is een ding dat dit helemaal af zou maken.

Ik vang de blik van de ober.

'Ik wil graag een biertje.' Glimlachend schudt hij zijn hoofd.

'Nee, sorry, mevrouw,' zegt hij beleefd (al zie ik in zijn ogen dat vrouwen die in hun eentje in dit restaurant zitten niet vaak om een biertje vragen).

'Schenken jullie geen alcohol?'

'Nee, mevrouw. Tamil Nadu is min of meer drooggelegd,' vertelt hij me. Dat had ik wel in het reisboek gelezen, maar aangezien dat direct werd gevolgd door een lijst van cocktailbars, had ik aangenomen dat de moderne, alcoholische wereld zijn intrede had gedaan in Tamil Nadu. Vaagjes herinner ik me iets over een hoge belasting op alcohol in deze staat.

'Ik vind het niet erg om extra belasting te betalen,' zeg ik.

'Spijt me heel erg,' zegt hij. 'We hebben geen bier op voorraad.'

Ik doe mijn best om niet teleurgesteld te kijken.

'Goed,' zeg ik. 'Dan graag nog een fles water.'

Als ik mijn lunch op heb, komt er een man langs met een paar potten die nog iets in alle vakjes schept. Dat eet ik met kleine hapjes, want ik zit vol maar zo kan ik nog wat langer blijven zitten. Ik vind nog een gaatje voor de vegetarische curry en drink elke druppel van mijn liter water.

Ik kijk naar het backpackerige stel in de hoek. Ze lijken ruzie te maken, maar al neem ik ze nauwkeurig op en spits ik mijn oren, ik kan niet horen wat ze zeggen.

Mijn volgende stop is het Fort Museum, wat een verlaten en bewaard gebleven vesting blijkt te zijn, gebouwd door de Britten in de zeventiende eeuw. Je gaat er naar binnen door een bruggetje over te steken en door een metaaldetector heen te lopen. Dat is een frame waar zware metalen draden uitkomen, en dat ziet er heel onwerkelijk uit op een Indiase brug op een zonnige dag.

Hij wordt bemand door twee mannen en een vrouw in blauwe uniformen. Ze zitten er ontspannen bij, roken en kauwen kauwgom. Een van de mannen kijkt kort op van zijn gesprek en wuift dat ik door kan lopen.

Ik probeer niet aan koud bier te denken. Vooral niet aan de manier waarop de buitenkant van het flesje nat is van condensatie en dat de belletjes bijna tot de bovenkant van het glas zullen komen als ik het inschenk. Ik zorg ervoor dat ik daar vooral niet aan denk.

Het complex is net een speelgoedstad. De koloniale structuur is bewaard gebleven. Na de drukke straten is het saai, eentonig en voor een Brit onvermijdelijk gênant. Er lopen nog een paar toeristen rond. Ik kijk verlangend om me heen naar nieuwe vrienden, maar alle buitenlanders zijn ouder, bezadigder en duidelijk op vakantie in plaats van dat ze zomaar wat rondtrekken. Alle Indiase mensen dragen een bewakersuniform of werken als gids voor de westerlingen.

Mijn energie wordt minder zodra ik het eigenlijke museum binnenstap. Plichtsgetrouw bekijk ik de vitrines met soldatenuniformen en voel de juiste mate van koloniaal schuldgevoel.

Mijn energie stroomt weg als ik naar een uitstalling kijk met handgeschreven brieven van Britse koloniale machthebbers, waarin hun onderhandelingen met plaatselijke leiders gedetailleerd uiteen worden gezet, compleet met aanbiedingen van olifanten en sieraden. Ik sta er en denk aan de details van de koloniale machtsstrijd. Ik zie dat de bewaker met een stalen gezicht naar me kijkt. Als ik naar hem glimlach, wendt hij zijn hoofd af.

En de aantrekkingskracht van thuis is te groot. Ik wankel op mijn benen terwijl ik probeer te bedenken wat ik hier eigenlijk doe. Waarom hang ik in mijn eentje in een willekeurig museum de brave toerist uit terwijl ik een leven en een gezin in Londen heb? Ik vind een rustige kamer, boven in het gebouw, waar sombere portretten van Britse koloniale officieren toekijken als ik de foto's van mijn jongens uit mijn handtas haal en er met mijn vingertoppen overheen streel.

Toby staat met een trotse glimlach in zijn schooluniform

voor onze voordeur. Joe springt in het park in een stapel herfstbladeren. Max heeft ze allebei op schoot, in de flat. Ik ga op een harde bank zitten en spreid de drie foto's uit en raak ze aan met mijn vingertoppen. Ik laat de tranen komen, aangezien er toch niemand is die het kan zien.

Mensen komen het vertrek binnen, maar doen net alsof ze mij niet zien, of ze gaan heel snel weer weg. Het kan me niet schelen. Twee uur dwaal ik door dit gekke betonnen gebouwtje. Ik wens dat ik naar een café kon gaan om iets te drinken.

Uiteindelijk moet ik wel weggaan. Op weg naar buiten passeer ik de twee backpackers die ik in het restaurant heb gezien. De vrouw heeft lang, rood haar en draagt geschikte reiskleding waar ik jaloers op ben. Ze heeft een losse Thaise vissersbroek aan en een geborduurd hesje en ze heeft een stevige rugzak om, van een type waarbij ik nog elke keer huiver als ik hoor dat het een 'dagzak' wordt genoemd. De man heeft een Aziatisch uiterlijk, maar door zijn manier van doen weet ik zeker dat hij een westerling is. Als we elkaar passeren, kijk ik ze met een grijnslachje aan waarvan ik hoop dat het vriendelijk is, maar dat waarschijnlijk eerder radeloos overkomt. Dit heb ik echt nodig. Als ik maar een gesprek kan voeren, zal ik de rest van de dag wel overleven.

'Sam!' roept de vrouw. Ze klinkt Schots. 'Sam, heb jij tweehonderd roepie? Kun jij voor ons allebei betalen?'

'O, ja hoor,' zegt hij. 'Tuurlijk.' Hij kijkt me aan. 'Dag,' zegt hij.

'Dag.' Ik blijf staan, maar omdat ik verder niks weet te zeggen, loop ik weer door.

Ik wilde terug naar het hotel, maar de riksja gaat naar rechts en stopt op een parkeerplaats. De bestuurder draait zich om op zijn stoel en kijkt me smekend aan. Voor hij iets zegt, kijk ik naar de gevel van het gebouw waar we voor staan.

'Nee,' zeg ik. 'Vergeet het verdomme maar mooi. Ik zei dat ik naar mijn hotel wilde, en dat meende ik.'

'Laat het me uitleggen,' zegt de chauffeur. 'Een heel erg goed nijverheidscentrum. U koopt niets. Geeft niet. Ga gewoon naar binnen en kijk rond. Heel mooie stof, sieraden, souvenirs. Dan geven zij me T-shirts voor mijn kinderen.' Zonder met zijn ogen te knipperen kijkt hij me aan. 'Voor mijn kínderen.'

'Hoeveel kinderen heb je?' vraag ik tegen beter weten in.

'Ik? Twee. Een jongen, een meisje. Negen en zeven.'

'Ik zal je meer betalen voor de ritten dan we hebben afgesproken als je me niet dwingt om hier naar binnen te gaan,' zeg ik. Een 'centrum' met te dure spullen waar iedereen je zal aanklampen is wel het laatste waar ik naar binnen wil. Ik wil mezelf eerst een poosje opsluiten op mijn kamer en later naar buiten gaan en ergens internet vinden.

'Voor mijn kinderen,' mompelt hij, meedogenloos het oogcontact vasthoudend.

'Vergeet het maar,' zeg ik, en ik doe mijn best om hem langer aan te staren dan hij mij.

'Hebt u kinderen, mevrouw?'

Ik slaak een zucht. Dat weet hij best, want dat heb ik hem al verteld.

'Hoe lang moet ik er blijven?'

'Vijftien minuten maar, dan geven ze mij geld.'

'Godsamme,' mompel ik, en ik loop de trap op en stap een koude vlaag van harde airconditioning in.

Het centrum is nog slechter voor de ziel dan ik had durven denken. Het is ongelooflijk saai. Voor me is een stoffenkraam. De rollen stof in verschillende kleuren liggen hoog opgestapeld op de toonbank, maar ze liggen er even keurig geplooid en kunstig gedrapeerd bij als in een winkel in Knightsbridge. Aan de andere kant van de winkel is een andere toonbank waar een man met een ongelooflijk gemaakte glimlach achter staat. Er liggen stenen en sieraden uitgestald onder glazen vitrines. Ik wil nergens naar kijken. Het leven en de blijdschap vloeien uit me weg, en glibberen de deur uit en de straat op. Ik haat dit soort plekken.

'Dag, mevrouw,' zegt de man bij de stoffenstand.

'Dag,' zeg ik snel, zonder hem aan te kijken.

Ik werp een vluchtige blik op de stoffen, al is er niets wat me minder interesseert, en dwaal dan een andere kamer in. Hier staat een grote en steriele uitstalling metalige olifanten. Ik kan het niet langer verdragen. Ik draai me om en loop terug naar de deur.

De winkeleigenaren zijn onverstoorbaar als ik vertrek. 'Tot ziens, mevrouw,' zegt degene die het dichtste bij de deur staat als ik langs hem loop. Mijn Birkenstocks klikken op de vloer van namaakmarmer; de haartjes op mijn armen staan rechtovereind. Dankbaar stap ik de hitte, het leven en de chaos weer in.

De bestuurder is niet blij.

'Naar Hotel Shiva, alsjeblieft,' zeg ik. Ik probeer doortastend te klinken, iemand die geen tegenspraak duldt.

'U bent niet lang gebleven,' moppert hij.

'Je zei dat ik niks hoefde te kopen. Je zei dat ik er alleen even hoefde rond te kijken. Dat heb ik gedaan.'

'Vijf minuten! Te kort!'

'Het was er vreselijk. Dat weet je best. Het is een afschuwelijke plek en ze zouden nooit iets verkopen als ze mensen als jij niet zouden omkopen om ze klanten te brengen. Breng me terug naar het hotel.'

'Duizendveertig roepie,' zegt hij, als we bij het hotel zijn.

'Ja, vast,' zeg ik. Ik ben helemaal klaar om ruzie te maken, ik verlang er zelfs naar. 'Leg eens uit hoe je van veertig bij duizend bent gekomen? Geloof me, je probeert de verkeerde op te lichten.'

Opeens zie ik mezelf voor me in Vietnam, een moment dat me nog steeds ineen doet krimpen. In die tijd was ik veel agressiever. Toen had ik nog pit. Ik weet nog dat ik zo kwaad was toen de bestuurder van de fietsriksja beweerde dat de prijs vanwege een of andere verzonnen reden omhoog was gegaan naar vijf dollar dat ik een biljet van vijf dollar pakte, het in vieren scheurde en voor zijn voeten op de grond gooide. Heel tevreden keek ik toe toen hij van zijn fiets sprong en de stukken op de stoep van Saigon bij elkaar graaide en daarna liep ik het hotel in zonder nog om te kijken.

Op dit moment ben ik net zo kwaad, en ik heb veel zin om dezelfde stunt uit te halen. Maar deze keer beheers ik me omdat ik tegenwoordig allerlei dingen weet die ik destijds niet wist: de man probeert zijn brood te verdienen. Hij doet wat hij moet doen om voor zijn kinderen te zorgen. De wereld zit ongelooflijk oneerlijk in elkaar, maar wel in mijn voordeel, niet in het zijne.

'Veertig was voor naar het Fort Museum,' zegt hij haastig. 'Tweehonderd roepie voor het wachten met de lunch, heel lang. Om naar de San Thome-kathedraal te gaan, tweehonderd roepie. Wachten honderd. Om naar de Dolende Monnik te gaan, tweehonderd. Wachten honderd. Terug naar hotel tweehonderd roepie. Ik geef u geen speciaal tarief nadat u niet naar de prachtige nijverheidswinkel ging.'

'Maar ik ben niet naar de San Thome-kathedraal of de Dolende Monnik geweest,' zeg ik, lachend om de dwaasheid van dit alles.

'Ja, maar het zit inbegrepen in het riksjatarief.'

Ik besluit om daar niet verder op in te gaan, want onwillekeurig heb ik grote bewondering voor zijn lef.

'Honderd,' zeg ik in plaats daarvan.

'Nee, nee, nee. Het was honderd als u naar prachtige nijverheidswinkel zou gaan. Goed, goed, achthonderdvijftig.'

'Honderdvijftig.'

'Niet goed.'

In gedachten maak ik een rekensommetje. Achthonderdvijftig roepie is minder dan tien pond. Honderdvijftig is minder dan twee pond. Thuis geef ik achthonderdvijftig roepie uit zonder erbij na te denken. Ik geef zelfs tien keer zo veel uit zonder erbij na te denken. Ik bewonder de methode van iemand die entreegelden rekent voor dingen waar je niet bent geweest, met als reden dat hij je erheen zou hebben gebracht als je het had gevraagd.

Toch weerhoudt mijn trots me ervan om het hele bedrag te betalen. Ik graai in mijn portemonnee.

'Pak aan,' zeg ik. 'Vierhonderdvijftig. Al weet ik dat dat te veel is. Wat maakt het ook uit?'

'Wat maaktet ook uit,' beaamt hij, en stopt het geld glimlachend in zijn zak. 'Ik kom morgen weer voor u.'

'Als je het maar uit je hoofd laat.'

Ik lig op het bed en kijk naar de plafondventilator. De laag stof is deze middag, wellicht, ietsje dikker. Er is iets heel bevredigends aan het feit dat de bladen het stof uit de lucht vangen als ze bewegen.

Jaren geleden heb ik me met hand en tand verzet om mezelf te bestempelen als backpacker. Ik haatte dat woord en alles wat het impliceerde: ik nam mijn designerkleding mee naar Vietnam en het ergerde me dat ik nooit de gelegenheid kreeg om te flaneren en me als Franse aristocraat voor te doen. Ik vond het helemaal niet romantisch om herkend te worden aan het soort bagage dat ik droeg. Ik wilde niet tot dezelfde categorie behoren als hordes lompe Australiërs of net afgezwaaide Israëliërs. Ik wilde een reizigster zijn: ik wilde iemand zijn die toevallig in Azië was.

Nu is dat precies wat ik ben. Ik ben totaal niet bijzonder.

Chennai is vol mensen die beter gekleed zijn dan ik, die betere telefoons hebben en die overduidelijk niet uit welk soort bagage dan ook leefden. India hoort te stinken, het hoort arm, hard en verwarrend te zijn. Sommige delen van de stad die ik vandaag heb bezocht zijn dat ook, maar de stad is ook rijk en statig en goed gekleed en speels. Hij past zich aan iedereen aan, net als Londen.

14

Ik zit en denk nergens aan. Op die manier verzamel ik een paar uur kracht om me daarna weer naar buiten te wagen. Het is bijna donker als ik te voet vertrek en ik ben uitgerust en klaar voor een avontuur. Ik weet dat er aan de overkant van de weg een internetcafé is. Ik weet ook dat het de moeite niet loont om daar met een riksja naartoe te gaan. Ik verman mezelf en stap de drukte in, waar ik ditmaal bijna van geniet.

Ganesh is bij de groep die uit de duisternis tevoorschijn komt.

'Riksja, mevrouw?' vraagt hij, en zijn stem klinkt boven de andere uit.

'Ik ga alleen maar naar de overkant,' zeg ik snel, en ik kijk hem aan over de hoofden van de anderen. 'Naar iWay.'

Nadat hij even in mijn ogen heeft gekeken, doet hij een stap opzij. 'Morgen.'

'Morgen,' beloof ik.

De groep verdwijnt, mompelend van verontwaardiging.

Het verkeer dendert langs, op vier banen. Ik sta er een poosje, wachtend tot er nog iemand komt die tegelijk met mij oversteekt. Het wordt met de seconde donkerder.

'Als ik je tien roepie geef,' zeg ik tegen Ganesh die ineens bij mijn schouder opduikt, 'wil je me dan naar de overkant brengen?'

Hij grijnst waarbij een rij glanzende witte tanden zichtbaar wordt waarop elke Hollywood- (of Bollywood-)ster trots zou zijn.

'Voor tien roepie breng ik u naar iWay. Morgen breng ik u overal heen.' Hij grijnst naar me. 'Ik zag u vandaag terugkomen. Vierhonderdvijftig roepie! Heel dure riksja!'

iWay is net als elk ander internetcafé ter wereld. Het ruikt naar goedkoop tapijt, papier en inkt. Ik kijk naar de computer en vraag me af wat ik moet zeggen. Moet ik eerlijk zijn of moet ik iedereen wijsmaken dat ik ongelooflijk gelukkig ben?

Als eerste schrijf ik Ellie, een kort, dringend bericht.

Lieve Ellie,
Ik kan het nauwelijks geloven, maar ik schijn in Chennai te zijn... ik weet nog altijd niet precies hoe jij erin bent geslaagd om me hier te krijgen.
Ik popel om je te zien. Kan ik eerder komen? Kan ik, laten we zeggen, morgen, een taxi nemen?
Ik zal 's morgens mijn mail controleren. Ik hoop iets van je te horen en je heel, heel binnenkort te zien.
Heel veel liefs
T xxx

Dan schrijf ik naar Max. Ik stel me voor hoe hij thuis zit, zich zorgen maakt om mij, kijkt of hij mail heeft en ik weet wat ik moet doen. Ik hou het kort.

Lieverd x 3,
Ik ben hier en het is geweldig. Alsof je in je gezicht wordt geblazen door een kruidige föhn die op heet staat. Ik word bijna niet lastiggevallen, behalve door riksjabestuurders, maar ik kan het allemaal prima aan. Het is gek om weg te zijn, maar ik heb mijn gedachten wat meer op een rijtje. Ik mis jullie meer dan ik kan zeggen en ik heb jullie foto's aan willekeurige voorbijgangers laten zien.
Hou heel veel van jullie, denk voortdurend aan jullie.

M, maak je geen zorgen over mij. Alles is goed en ik schijn hier bovendien zo goed als onzichtbaar te zijn.
met heel veel liefde
mammie xxxx

Ergens is het heel ongezond om een e-mail aan mijn man te ondertekenen met 'mammie', maar desondanks verstuur ik hem. Vervolgens schrijf ik soortgelijke opgewekte berichten aan Lola, Jessica, Briony en Sarah. Ik lees een mail van Jim, maar slaag erin die nog even niet te beantwoorden.

'Jezus,' heeft hij geschreven, 'was ik maar waar jij nu bent. Ik hoop dat je een ontzettend gave tijd hebt. Je hebt me helemaal enthousiast gemaakt om zelf naar India te gaan. Je weet dat ik je zal missen. Hou me op de hoogte. J.'

Naast me zit een jongeman die herhaaldelijk hard op de spatiebalk drukt met een uitdrukking van gepijnigde concentratie op zijn gezicht. Dat doet Toby ook als hij er de kans voor krijgt. Ik heb hem moeten verbieden om op welke link van zijn goedgekeurde spelletjessites dan ook te klikken toen ik hem op een chatsite een keer verbijsterd naar volwassen avatars zag staren die heel verontrustende dingen deden.

Dan herinner ik me dat ik Max' ouders heb beloofd om iets van me te laten horen.

'Even om jullie te laten weten,' schrijf ik, 'dat ik veilig ben aangekomen en nog niet ten prooi ben gevallen aan dysenterie, malaria of "Delhi-diarree". Over een paar dagen ga ik naar mijn vriendin en in de tussentijd verblijf ik in een mooi, schoon hotel en bezoek ik musea.'

Ik cc het naar Max om er zeker van te zijn dat hij dit uitzonderlijke bewijs van uitstekend schoondochterschap zal zien en stuur het naar het Peak District. Ik vraag me af waarom het me zo veel moeite kost om attent te zijn voor mijn schoonouders. Soms geef ik als reden dat het komt omdat ik nooit een normaal gezinsleven heb gekend en dat daardoor de gewoonheid, de wezenlijke vriendelijkheid van Max' familie me van mijn stuk brengt. Max heeft wel eens gesuggereerd dat het komt doordat ik mezelf er niet toe kan zetten om moeite te doen bij mensen die me zakelijk gezien niet van nut kunnen zijn, en die totaal geen glamour hebben.

Ik vermoed dat het een beetje van allebei is.

Alhoewel, nu ik erover nadenk: Delia, Max' moeder is gedwee en bescheiden en toen we elkaar voor het eerst ontmoetten, bracht ik haar van haar stuk en maakte ik haar nerveus. Vandaag de dag lijk ik waarschijnlijk meer op haar dan ik wil toegeven.

15

Als ik iWay verlaat, is het zo donker geworden dat het net zo goed middernacht had kunnen zijn. De stoep is slechter begaanbaar in het donker. Niemand keurt me een blik waardig, zelfs niet als ik struikelend en strompelend over het oneffen, verraderlijke trottoir loop.

De geuren lijken intenser. Aangezien ik niks kan zien, stel ik me Geur voor als een beweeglijk monster dat mij overal volgt. Het bestaat uit flarden rottend eten, druppels oude urine, lichamen en uitlaatgassen. Elke keer als het ondraaglijk lijkt, voegt zich een zweempje kruiden bij de mengeling of een vleugje gefrituurde samosa's dat zo allesomvattend, zo overheerlijk is, dat ik alles wil kopen wat er bij het kraampje langs de weg wordt aangeboden, en het snel en gretig wil opeten, met mijn vingers, zo uit het krantenpapier. Ik koop een zak vol uienpakora's en loop langs de weg terwijl ik ze verslind, genietend van het vet en de smaak.

Mensen doemen voor me op als donkere gedaanten omdat de wegen niet verlicht zijn. Ook hebben veel voertuigen geen koplampen – de meeste kunnen ook helemaal geen koplampen hebben – maar er is wel overal leven en onafgebroken activiteit. Ik hoor het, maar ik zie het niet.

Ik ben gedesoriënteerd en wens dat ik Ganesh voor iWay had laten wachten om me naar de tempel te brengen. Zelfs de riksjachauffeurs negeren me, nu ik niet langer in de toeristische wijk ben, en ik er in de duisternis niet overduidelijk buitenlands uitzie. Een groep jongemannen loopt ernstig babbelend voorbij zonder ook maar enige acht op me te slaan. Een man staat hard tegen een muur te pissen en de stroom vloeistof kruipt naar mijn voeten, buiten het halflicht. Ik probeer het zo haastig te vermijden dat ik over de rand van mijn eigen schoen struikel waardoor er een warme golf over mijn linkervoet stroomt door de verstandige sandaal heen. Ik gil en kokhals en knijp mijn ogen dicht van afkeer, maar ik kan er niks aan doen en daarom loop ik verder terwijl de urine van die man langzaam op mijn voet opdroogt. Ik moet zelf ook plassen, en ik weet dat ik hier gewoon mijn rok kan optillen om het te doen, zonder dat iemand het zal merken.

Als ik bij een brede, drukke winkelstraat kom, vol schoenen en kleding en textiel die ook 's avonds voor de winkels op de stoepen staan, in een uitstalling die in niets lijkt op die uit het nijverheidscentrum, weet ik dat ik hem heb gemist.

'Godver,' zeg ik, en een vrouw die langs me loopt, werpt me een scherpe blik toe. In elk geval heeft zij me gezien. Als ik glimlach, deinst ze terug.

Ik loop al bijna een uur op straat en begin me roekeloos te voelen. Ik ben verdwaald, maar dat doet er niet toe. Ik ben verder gegaan dan mijn bedoeling was, al heb ik geen flauw idee hoe dat is gebeurd, aangezien ik volgens de kaart een gigantische, drukke tempel met een watertank ervoor moet zijn gepasseerd. Ik staar naar het winkelgebouw aan de overkant, alsof dat me kan helpen om mijn positie te bepalen.

'Ik ben verdwaald,' fluister ik. Ik neem de omgeving op. Nergens is zoiets alledaags als een verkeersbord te zien.

Ik ben verdwaald in Chennai, en ik ben moe en gedesoriënteerd. De wereld doet even heel willekeurig aan. Jarenlang heb ik gemopperd op Londen, zonder me te realiseren hoe weinig er nodig is om je te verliezen in een Indiase stad, alleen in het donker. Gisteren werd ik wakker in Londen. Nu ben ik de weg kwijtgeraakt terwijl ik een hindoetempel zocht. Niet te geloven.

Als ik zenuwachtig een jonge vrouw met een baby in haar armen aanklamp, draait haar man zich om en lacht bulderend. Hij wijst op de kale muur achter me.

'Maar dit is de Kapaleeshwarar-tempel!' zegt hij lachend. De vrouw valt hem bij. Ze grinniken langer dan mij nodig lijkt. 'Daar is het. Je staat er recht voor!'

'Daar?' Ik kijk ernaar. 'Maar daar is niks...' Ik zie relingen op de muur, vervolgens een lege plek, en verder naar achteren staat een gebouw dat inderdaad wel iets van een tempel weg heeft. 'Oké,' zeg ik. 'Bedankt.'

Een man bij een bloemenstalletje wenkt me met zijn hoofd en knikt naar een stapel schoenen aan zijn voeten. Hij richt zijn aandacht direct op zijn weeïg ruikende bloemen. Ik bekijk de schoenen die hij bewaakt: het zijn dure kwaliteitsschoenen, een mengeling van designer en Bollywood, glimmend en met lovertjes; hij dingt duidelijk alleen naar schoenen voor rijke mensen. Mijn Birkenstocks zijn verreweg de saaiste die erbij liggen. Ik kijk om me heen in de hoop dat het een goed gebruik is om je voeten te wassen voor je de tempel binnengaat, zodat ik de urine van de onbekende van me af kan wassen. 'Is er een kraan?' vraag ik, maar hij fronst niet-begrijpend zijn wenkbrauwen en bovendien zie ik zelf dat dat niet het geval is.

Hij geeft me een oranje bloem die mijn handen onmiddellijk met een dikke laag felgekleurd poeder bedekt. Mijn voeten raken de grond nauwelijks. Ik loop mee met de menigte, naar de tempel en eromheen. Er rinkelen kleine belletjes en het ruikt naar wierook. Ik volg de mensen, opgaand in hun energie, en staar naar de goden en de altaren en de bloemen die overal liggen. Ik loop voorbij de rijen die voor de altaren staan en maak al snel deel uit van de lawaaiige menigte. De bedwelmende geur van stuifmeel en wierook maken me licht in mijn hoofd. Ik draai de bloem rond en rond.

'Hindoes hebben meer lol,' zeg ik tegen mezelf.

'Inderdaad, dat klopt,' zegt een man van middelbare leeftijd met een stralende glimlach tegen me. Hij draagt een *kurta*-pyjama en heeft zijn armen vol bloemen. Ik volg hem op discrete afstand en leg mijn bloem naast de zijne.

Ellie had hindoe moeten worden. Ik vermoed dat het prima zou passen bij haar aangeboren hedonisme, net als bij het mijne. Wie heeft er bier en wijn als afleiding nodig als je in plaats daarvan naar de tempel kunt gaan? Toch hoor je nooit dat iemand zich bekeert tot het hindoeïsme en ik heb geen idee hoe dat precies in zijn werk gaat. In plaats daarvan wordt iedereen boeddhist. Het zou in elk geval een manier zijn om Max versteld te laten staan.

'Hoe kan ik hindoe worden?' vraag ik aan de *kurta*-man als onze paden zich opnieuw kruisen.

Hij grijnst en zijn ronde gezicht licht op.

'O, hindoes worden niet gemaakt,' zegt hij heel joviaal. 'Die worden geboren. Gelooft u mij, mevrouw, een hindoe zult u nooit worden!'

De donkere straat buiten is nog altijd vol mensen en ik kijk rond, op zoek naar iemand als ik. De straat wordt verlicht door lantaarns die aan de tempelmuur zijn gehangen en het is lastig om gezichten te onderscheiden, maar toch kijk ik om me heen. Al vind ik het vreselijk, ik weet dat gezelschap een echt vangnet zou zijn. Ik wil iemand zien in de menigte en een glimlach van herkenning delen, omdat we weten dat we allebei ver van huis zijn en dezelfde dingen meemaken. Ik verlang er ontzettend naar om deze belevenis met iemand te delen, ik wil de kijk van iemand anders horen zodat de mijne wordt bevestigd. Bovendien wil ik graag weer eens praten.

Sommige vrouwen lijken een backpackerige vriendschap met elkaar te sluiten als ze een baby hebben. Dat heb ik zien gebeuren: ze kijken naar elkaar vanaf aangrenzende tafeltjes in een restaurant, kijken naar elkaars kind en zeggen vervolgens heel achteloos: 'En hoe oud is zij?' Even later lijken ze vriendinnen voor het leven te zijn. Af en toe heb ik me zo radeloos gevoeld dat ik hetzelfde heb geprobeerd, maar, zoals met alles wat met ouderschap te maken heeft, is het op een grote mislukking uitgedraaid.

De eerste keer probeerde ik het in een cafetaria in Noord-Londen. Max was aan het werk, Lola had me gezegd dat ik 'op mijn eigen benen moest staan', en ik snakte naar menselijk contact. Ik zat aan een tafeltje in Matt's Café waar ik mijn best deed om een kop hete koffie te drinken zonder hete melk met cafeïne op Toby te morsen die tegen mijn borst in een draagzak lag. Ik staarde naar een donkerharige vrouw een paar tafeltjes verderop. Zij had een oudere baby op schoot en voerde hem met een theelepeltje het schuim op haar koffie. Ze praatte opgewekt tegen hem en zong: 'Zo slurpen wij onze belletjes,' terwijl hij tegen haar giechelde.

Na een paar minuten besloot ik om het te doen.

'Hallo,' zei ik op een opgewekt dom toontje. 'En hoe oud is hij?'

Ze keek me aan alsof ik naar haar behamaat had geïnformeerd.

'Tien maanden,' zei ze, uit haar mondhoek. 'En ze is een meisje. Kom mee, Mathilda, we moeten pappie niet laten wachten.'

Voor ik kon reageren was ze verdwenen. Ze liet de helft van haar koffie staan. Ik liet de mijne ook voor wat hij was, en nam Toby mee voor zijn eerste, dringende bezoekje aan de pub.

Ik krimp ineen bij de herinnering als ik opeens op de grond lig. Uitgestrekt op de stoep, zo geschrokken dat ik me niet kan bewegen. Mensen lopen om me heen en gaan gewoon verder met hun reis. Ik heb het gevoel dat allebei mijn knieën flink zijn geschaafd. Ze prikken ontzettend. Mijn handen tintelen van pijn.

Ik draai me om en ga rechtop zitten. Ik knipper verwoed met mijn ogen. Het trottoir voelt ruw en smerig en ik ben blij dat ik het niet kan zien. Ik vraag me af of ik moet proberen om wat ontsmettingsmiddel te krijgen, want ik weet zeker dat mijn benen bloeden.

Dit is de druppel. De tranen rollen over mijn wangen. Ik snak naar adem en snuif en verlang naar huis. Ik wil het uitschreeuwen, jammeren, een woedeaanval krijgen. Ik wil hier niet in mijn eentje zijn.

'Het spijt me,' zegt een stem. Het is een krakende, holle stem. Ik meen dat hij een Engels accent heeft.

Ik beweeg niet en blijf midden op de stoep zitten.

'Wat?' vraag ik, zonder op te kijken. Er volgt geen antwoord. Ik wil overeind komen, aangezien dat overduidelijk het enige is wat ik kan doen.

'Misschien heb ik je laten struikelen. Dat was niet mijn bedoeling.'

Er is een donkere gestalte, dichter bij me dan ik had gemerkt. Als hij zijn hand uitsteekt, kan hij me aanraken. Ik ga wat opzij en sta op. Ik moet een riksja aanhouden om terug te gaan naar het hotel.

'Nee, ga niet weg,' zegt hij. 'Je zag er aardig uit. Wilde met je praten.'

'Dus het was wel je bedoeling,' weet ik op te merken, langzaam bij hem vandaan lopend. Dan blijf ik staan en probeer ik zijn gezicht te onderscheiden. Ik kan net zijn contouren zien. De lantaarns staan hoog boven op de muur. Zonder nadenken doe ik een stapje dichterbij.

Een stel ogen staart me aan uit een gezicht dat zo ingevallen is, zo vuil en zo gerimpeld dat ik direct weet dat hij niets anders dan een drugsslachtoffer kan zijn. Zijn haar is dik en vervilt en zijn kleren hangen in flarden om hem heen. Zijn armen zijn zowel broodmager als gespierd. Als ik hem in Londen was tegengekomen, zou ik zo snel mogelijk zijn weggelopen. De spieren in zijn gezicht trillen en af en toe schiet zijn hoofd van de ene naar de andere kant.

'Maar goed,' zeg ik. 'Dag.' Mijn stem klinkt net als die van Lauren van de crèche, aanmatigend en eentonig. Ik deins achteruit nu ik hem heb gezien. 'En tot ziens.'

'Heb je een paar roepie?' vraagt de man.

'Ja, uiteraard.'

'Lach je?'

'Nee,' werp ik tegen. 'Ik glimlach.'

'Je lacht.'

'Niet waar.'

'O nee?'

'Nee, maar weet je, iedereen heeft me verteld dat het in India wemelt van de mensen die me om geld zouden vragen. Maar jij bent de eerste. En je bent een westerling. Dat had ik niet verwacht. Dat is alles. Ik glimlach om de ironie.'

Hij knikt, en lijkt na te denken over mijn woorden. Zijn hoofd schokt. Hij lacht; althans, ik denk dat het een lach was. 'De eerste?' vraagt hij schor. 'Hoe lang ben je hier al?'

Ik schaam me bijna om het te zeggen. 'Ik ben om drie uur vannacht aangekomen.'

Hij gromt zonder naar me te kijken. 'Ik geloof dat ik naar je vliegtuig heb gezwaaid.'

In gedachten zie ik deze man, waar hij zijn nachten dan ook maar doorbrengt, zwaaien naar overvliegende toestellen.

'Dat meen je toch niet?'

'Nee.'

'Neem je me in de zeik?'

Hij haalt zijn schouders op.

'Ben je Engels?' probeer ik dan.

'Ben jij een eekhoorn?' geeft hij terug.

'Eh. Nee.'

'Hou je van taart?'

'Hou jij daarvan?'

'Alle vrouwen houden van taart.'

Om ons heen krioelt het van de mensen. Sommige kijken nieuwsgierig naar ons, maar alleen als ze heel dicht bij ons in de buurt komen. Ik vermoed dat we een merkwaardige aanblik vormen. Ik geef de man vierhonderdvijftig roepie, met opzet hetzelfde als ik de riksjachauffeur heb betaald.

'Jezus nog aan toe,' zegt hij, en vervolgens verstopt hij het snel ergens op zijn lichaam.

'Geen probleem,' zeg ik, alsof hij me heeft bedankt.

Hij houdt zijn hoofd schuin. 'Neem plaats.' Hij knikt bemoedigend en zijn ogen trillen.

Max zou het vreselijk vinden dat ik bij deze man ging zitten. Ik weet nog dat hij vertelde over de westerse armoedzaaiers die hij af en toe zag toen hij in India was.

'Vooral wanneer ze je om geld vragen,' tierde hij op een dag dat we samen in China waren. 'Dan wil ik ze het liefst een schop verkopen.'

Ik moest lachen, omdat dat helemaal niks voor hem was.

'Iemand is de weg kwijt en woont op straat in India en dan wil jij hem een schop geven? Echt waar?'

Hij haalde zijn schouders op. 'Nou, ik zou ze nooit echt een schop geven, maar ja. In Mumbai heb ik door de sloppenwijken gelopen en roepies uitgedeeld, zelfs al wist ik dat ik het geld beter aan goede doelen kon schenken. Maar het is bijna onmogelijk om dat niet te doen, vooral als iemand een klein mager baby'tje voor je neus houdt. En ik wilde de sloppenwijken zien, en het uitdelen van geld is de prijs die je daarvoor moet betalen. En er waren kinderen met elefantiasis, wat betekende dat ze enorm opgezwollen ledematen hadden, wat ongeneeslijk is, en overal waren vliegen en muggen en ziekten. En toen ik weer op weg was naar mijn mooie, comfortabele pension, werd ik op de schouder getikt door een blanke kerel met dreadlocks die tweehonderd roepie vroeg.'

'Maar misschien zat hij zelf ook in een crisis.'

'Nee, hoor. Niet zoals dat kind met elefantiasis een crisis had, of de vrouw met de stervende baby. Ik zeg dit niet snel, vooral niet als het om geestelijke gezondheid gaat, maar hij moest echt eens om zich heen kijken, alles in het juiste perspectief plaatsen en zich vermannen. Geloof me, er is op de hele wereld geen betere plaats dan Mumbai om je eigen problemen onbelangrijk te doen lijken.'

'Dus je hebt hem die tweehonderd roepie niet gegeven?'

'Ik heb hem er tien gegeven en tegen hem gezegd dat hij collect naar huis moest bellen en iemand geld moest laten sturen voor een ticket naar huis. Hij zei dat ik moest opflikkeren.'

Nu kijk ik omlaag. 'Het beviel me niet zo goed op de stoep,' zeg ik tegen de man. 'Als je het niet erg vindt, doe ik dat liever niet.'

Er hangt een smerige geur om hem heen. Max zou erop staan dat ik snel wegloop, nu ik hem wat geld heb gegeven. Terug naar mijn veilige hotelkamer. Als ik niet zo graag wilde praten, zou ik er allang vandoor zijn gegaan.

Ik kan doen wat ik wil. Ik verander van gedachten en ga zitten. Prompt voel ik mijn rok aan de grond plakken.

'Wil je mijn kinderen zien?' vraag ik aan hem, want ik wil zelf hun gezichten zien. Als hij geen antwoord geeft, kijk ik naar mijn foto's en hou ze voor hem op. Hij gromt. Ik streel hun gezichten met mijn pink, erop lettend dat ik ze niet vies maak.

'Hoe heet je?' vraag ik.

Zijdelings kijk ik naar zijn gezicht. Hij is bizar, hij huivert en hij maakt telkens beweginkjes.

'Bush,' zegt hij met een manische glimlach. 'George W.'

'Hoe heet je echt?'

'Dat heeft niemand me gevraagd.'

'Ik vroeg het net.'

Hij zwijgt even en plukt een antwoord uit de lucht. Het verbaast me dat, als hij iets zegt, het überhaupt een naam is.

'Ethan.'

'Ik ben Tansy.'

'Het spijt me dat ik je heb laten struikelen. Het was zo... verleidelijk. Daar liep je voorbij.' Hij zwijgt en laat zijn vreemde holle lach horen.

'Hoor eens, kan ik wat te eten voor je halen? Of water?'

Hij schudt zijn hoofd. 'Dat heb je al gedaan,' zegt hij, kloppend op de plek waar hij het geld heeft verborgen. 'Maar als je meer hebt, bijvoorbeeld reserveroepies die je kwijt wilt... kun je me hier vinden. In de buurt van een tempel, karma...' Zijn stem sterft weg en hij staart recht voor zich uit, de duisternis in.

'Maar wat heb je... Hoe ben je...'

Hij haalt zijn schouders op. 'Dat is een lang verhaal.'

'Slaap je hier?'

'Mensen lopen in een wijde boog om me heen,' zegt hij met zijn krakende stem. 'Niemand valt me lastig. Alleen de politie en als die komt, ren ik weg.' Met twee vingers doet hij net alsof hij wegrent. 'Op de een of andere manier krijg ik eten. Doe mijn best om er niet al te blank uit te zien, maar dat valt niet mee.'

Ik kijk hem aan. In het donker is het slecht te zien, maar ik geloof dat zijn haar en baard heel lichtbruin zijn en zijn huid, al is die zo hard dat hij bijna schubbig lijkt, is licht.

Ik kom overeind. 'Goed,' zeg ik tegen hem. 'Ik ga weer. Ik kom nog wel een keertje bij je kijken. Hou jíj soms van taart? Ik kan wel wat voor je meenemen.'

Hij reageert niet; hij kijkt alsof hij slaapt, maar wanneer ik omkijk, zie ik het wit van zijn samengeknepen ogen als hij me nakijkt.

16

Alexia's gedachten

Eindelijk gaat er iets gebeuren. Sneller dan ik voor mogelijk had gehouden. Al deze jaren heb ik me ons voorgesteld met een kind. De afgelopen paar jaar wist ik dat ons kind geadopteerd zou zijn. Maar een deel van me heeft dat altijd als een droom beschouwd, en elke keer dat we iets leken te bereiken, kwam er een kink in de kabel en konden we weer van voren af aan beginnen. Maar nu heb ik een foto van onze aanstaande dochter!

Ja, dit is het grote nieuws: Duncan en ik hebben een meisje in India toegewezen gekregen!

Ze heet Sasika en ze is pas twee. Ze is wees en woont ergens in India. Ik zal de dame die 'H' heet en die heeft gereageerd op mijn laatste blogbericht nooit kunnen bedanken. H, wie je ook bent, we hebben alles aan jou te danken.

Ze mag dan Sasika heten, dat gaan we veranderen in Saskia. Dat ligt het meest voor de hand. Ook al heb ik altijd gedroomd van een meisje dat Dolly heet (omdat het geschenk van God betekent), door slechts twee letters van haar echte naam om te draaien, krijg je een leuke, aparte Amerikaanse naam en behouden we iets van haar achtergrond. Dus dat is degene die bij ons komt wonen: mejuffrouw Saskia Smith. (Al is onze achternaam niet echt Smith, het scheelt wel niet zo veel, maar ik wil onze privacy beschermen.)

De foto kwam per e-mail. Bijna de hele adoptie is per e-mail geregeld. Ik ben dolblij met het bestaan van e-mail, want het zou maanden hebben gekost om dit allemaal per post te regelen. Ik heb hem bewaard als mijn desktopfoto.

'Dat moet je niet doen,' zei Duncan. 'Zo roep je het ongeluk af.' Maar dat doe ik helemaal niet. Pas nu weet ik dat dit allemaal zo heeft moeten zijn. Zodra ik haar gezichtje zag, wist ik dat ze mijn kleine meisje was, dat dit de reden was dat ik jarenlang had gehuild elke keer dat ik bezoek kreeg van O, van alle frustratie met adoptie in eigen land. Dat was allemaal bedoeld om Saskia en mij bij elkaar te brengen, al wonen we op verschillende continenten.

We gaan naar India om haar te halen. Zo simpel is het. We hebben ons door een berg papieren heen geworsteld en het bureau regelt alles in India. De vergoeding die ze vragen is hoog, maar ik zou met liefde het tienvoudige hebben betaald.

Ik heb vandaag de hele dag gewerkt. Iedereen vroeg waarom ik zo veel glimlachte. Ik was blij dat ze dat deden. Ik pakte steeds de foto erbij.

'Kijk,' zei ik. 'Dit is Saskia. We gaan naar India om haar te adopteren.'

Dat gaf me in elk geval een voorproefje van de reacties die we zullen krijgen als ze hier is.

'Uit India?' vroeg mevrouw O'Brien. 'Arm wurm. Waarom heb je geen Amerikaanse baby genomen?'

'Ze zal hier behoorlijk opvallen,' zei Chloe Johnson.

'Laat je wel op díngen onderzoeken?' vroeg de oude Marianne Myers. 'Voor je haar meeneemt naar deze stad?'

Ik wist wat ze met dingen bedoelde: hiv. Eigenlijk was ik ontzettend boos, maar omdat ik haar net een zak aardbeiensnoepjes verkocht, hield ik me in.

'Ze blaakt van gezondheid,' zei ik. 'En ik heb de medische verklaring om dat te bewijzen.'

'Ja,' zei ze. 'Uit India!'

Maar we zullen ons niets van hen aantrekken. Duncan is

even opgewonden als ik. Ze is een prachtig meisje. We zijn nu al verliefd op haar. Na mijn werk ben ik naar de winkel gegaan en heb ik wat spullen voor haar slaapkamer gekocht. Die ga ik inrichten in roze en paars. Duncan zei dat ik dat niet moest doen, maar aan het einde van de avond waren we samen bezig, en veranderden we onze logeerkamer, de kamer die altijd om een baby heeft gesmeekt, in Saskia's kamer. Hij is schattig, prachtig. Ik heb het gevoel dat ik een dezer dagen uit de droom zal ontwaken.

Duncan slaapt nog niet. Hij maakt een naambordje voor op haar deur. Daar staat SASKIA'S KAMER op in roze glitterverf.

Zodra ik weer wat van het bureau heb gehoord, ga ik onze tickets bestellen.

Reacties: 0

17

Ik bestel aan de bar en geniet van de bekende woorden. Ik ben behoorlijk trots dat ik tot mijn tweede avond hier gelegenheden heb vermeden waar ze alcohol schenken.

'Een bier, alstublieft,' zeg ik vergenoegd. Ik doe verstandig. Het zou heel eenvoudig zijn om een cocktail van de lange lijst te bestellen en hier in mijn eentje dronken te worden, maar ik weet dat ik daarvoor te ver uit mijn vertrouwde omgeving ben.

Het café zou net zo goed in Londen kunnen zijn. De airconditioning staat te hard en ik krijg kippenvel op mijn armen. Er liggen gelakte vloerplanken en aan de muren hangt abstracte kunst. Hier en daar staan tafeltjes, sommige leeg, andere bezet door mensen in kostuums of passende designerkleding. De vrouwen dragen hoge hakken, geen vieze Birkenstocks, en in hun schoeisel steken geen vuile voeten. Geen enkele vrouw drinkt zonder man aan haar tafeltje en de meeste hebben frisdrank voor zich staan.

Ik heb vandaag de hele dag hindi-muziek gehoord, maar hier klinkt Dido.

Keurig gekapte hoofden draaien zich om om mijn gang door de zaak te volgen. Ik tover een glimlach op mijn gezicht en wens dat ik me een beetje had opgemaakt of iets met mijn haar had gedaan. Ik kan niet geloven dat ik hier alleen ben.

Ik wilde gezelschap. Ik had geoefend om heel nonchalant te zeggen: 'Weet je, hier staat een lijst met cafés in. Zullen we een biertje gaan drinken?' Er was echter niemand om het tegen te zeggen. Ik liep door het hotel en glimlachte naar mensen, maar ik kwam alleen zelfvoldane stelletjes en grote Indiase gezinnen tegen.

Een gezin had zijn intrek genomen in de snackbar. Ik stond naar ze te kijken. De kinderen speelden in het midden van de zaak terwijl de anderen praatten en lachten. Ik zag een grote vrouw in een groene sari en ik wist dat er iets moest zijn wat ik kon zeggen, een magische formule waardoor ze me zou uitnodigen, me zou opnemen in de groep.

Ik pak het grote glas Kingfisher en loop naar een leeg tafeltje in de hoek. Daar ga ik zitten en bereid me voor op het genot van de eerste slok. Als ik het glas aan mijn lippen zet, besef ik dat ik een beetje boos ben op Max, ook al is dat totaal onterecht. Hij heeft me weggestuurd uit mijn eigen leven omdat hij gelooft dat hij het beter weet dan ik.

Max is veranderd, ik niet. Ik vraag me af of dat echt zo is. Tien jaar geleden zou ik niet lusteloos door Chennai hebben gelopen, dus ik moet zijn veranderd.

Ik drink de helft van het bier met een slok op en daarna haal ik mijn telefoon uit mijn tas en leg hem op tafel. Hij kijkt naar mij, en ik kijk terug.

Ik kan het beter niet doen. In plaats daarvan drink ik mijn glas leeg en bestel nog een biertje.

Halverwege mijn korte sms'je naar mijn echtgenoot komt de eerste man naar me toe. Hij is lang en knap, en dat weet hij. Hij heeft een crickettrui om zijn schouders geslagen. Op mijn zestiende vond ik niets aantrekkelijker dan een man met een crickettrui om zijn schouders. Twintig jaar later kan het me nog altijd bekoren.

'Pardon, maar wacht u misschien op iemand?' vraagt hij.

Moet ik liegen? 'Nee,' zeg ik.

Daarop verschijnt er een grijns op zijn gezicht. 'Zou u het

dan heel erg vinden als ik bij u kom zitten?'

Ik voel dat zijn vrienden, een paar tafeltjes verderop, toekijken en lachen.

'Het spijt me,' zeg ik tegen hem. 'Als je het echt wilt, mag het best, maar ik ben getrouwd. Ik ben alleen hier omdat ik rustig iets wilde drinken.'

'In een aangename omgeving,' beaamde hij.

'Nee, dat is het niet.' Ik vertel hem niet dat ik de alcohol nodig heb, en niet de westerse ambiance. 'Nou, ja. Min of meer.'

'Het spijt me dat ik u heb gestoord. De trouwring was niet zichtbaar.' Hij vertrekt.

Ik bestel nog een biertje en doe net alsof ik ze niet over me hoor gniffelen.

Een half uur later gebeurt hetzelfde. Deze man draagt een zakenkostuum en heeft zijn aktetas meegenomen.

'Ik wacht op een vriend,' zeg ik. 'Mijn vriend Ethan,' voeg ik er willekeurig aan toe.

'Je zit hier anders al een behoorlijke tijd,' merkt hij op. 'Je vriend Ethan gedraagt zich niet als een heer.'

Ik denk aan hem, zittend voor de tempelmuur, giechelend en trillend.

'Dat is waar,' stem ik in.

Ik blijf nog een uur in de bar. Ik vind het vreselijk.

18

In een krappe, hete telefooncel met muren van B-2-blokken bel ik naar huis.

'Met mij,' zeg ik. 'Alweer.'

'Nee maar, hallo,' zegt Max. 'Hier is Toby.'

Ik bijt gefrustreerd op mijn lip. Ik wilde met Max praten, maar nu voer ik een dom, gekunsteld gesprek met Toby. Ik kan hem niks vertellen. Ik vraag naar zijn leesboek en hij vertelt over de tv van gisteravond. Als ik vraag wat hij heeft gedaan, zegt hij 'niks'. Als ik vraag waar hij op school mee bezig is, zegt hij 'niks'. Als ik geen vragen meer weet, vraag ik of ik papa weer mag spreken.

In plaats daarvan krijg ik Joe. Ik kan hem bijna zien wanneer hij zwaar ademt aan de andere kant van de lijn.

'Hallo, Joe,' zeg ik.

'Dag, mammie.' Hij klinkt veel kinderlijker aan de telefoon.

'Zorgt pappie goed voor je?'

Er volgt een stilte. Op de achtergrond hoor ik Max roepen: 'Hij knikt.'

'Ik mis je,' zeg ik tegen hem.

'Mammie,' zegt hij. Het snijdt door mijn ziel.

'Ik hou heel veel van je, schatje,' zeg ik snel. 'En van Toby. Ik laat mensen jullie foto's zien.'

Max is bruusk, omdat hij ergens mee bezig is. Er is zo veel wat ik hem wil vertellen, maar ik zeg niks. Hij vertelt mij niks. We zijn allebei net als Toby: ontoeschietelijk en slecht op ons gemak.

Ik leun tegen de muur en kijk naar een vrouw die voorbijloopt. Op haar hoofd draagt ze een groot pak en op haar rug een baby. Ik zuig de bedompte lucht in mijn longen en sluit mijn ogen.

Ethan ziet er bij daglicht nog erger uit. Ik zie zijn haar op en neer gaan, vergeven van de beestjes. Op sommige plekken hangt zijn huid los. Zijn lichaam is uitgehold. De dag is meedogenloos heet.

Ik blijf een poosje op een afstand staan, en kijk. Om hem heen gaat het leven in de Indiase stad zijn gang in de ovenachtige hitte. Af en toe werpen mensen hem een nieuwsgierige blik toe, maar dat is alles. Ze haasten zich langs hem en verdwijnen uit het zicht, allemaal op weg naar hun werk of de tempel, of om eten of water te halen. Hij zit met zijn rug tegen de muur en kijkt nergens naar, trillend en heen en weer schuivend.

'Ik zag je kijken,' zegt hij als ik naar hem toe loop.

'Ik had belangstelling.'

'Heb je nog nieuwe informatie vergaard?'

'Neem je me in de zeik? Ben jij er niet veel te slecht aan toe om mij in de zeik te nemen?'

Hij tikt tegen de zijkant van zijn hoofd. 'Ik heb mijn verstand nog. Hierboven ontgaat me niks.'

'Ik heb wat voor je.' Ik geef hem een krant vol pakora, een zak samosa's, een kleverig cakeje, een T-shirt en een paar sokken.

Hij grijpt het eten en snuift minachtend. 'Denk je soms dat je moeder Teresa bent?' Ik wend mijn blik af als hij het in zijn mond propt. Die handeling lijkt te intiem om te aanschouwen.

'Die is dood.'

Hij laat zijn vreemde lachje weer horen. 'Ja, dat weet ik. Kom op, vertel me iets.'

Dat besluit ik te doen. 'Soms drink ik te veel,' zeg ik. 'Dat is de enige manier waarop ik me kan ontspannen. Soms drink ik wijn uit een theekopje.'

Het zal hem een zorg zijn.

'Maak je niet druk. Nu heb je mij. Alles zal goed komen.' Hij trilt en lacht. 'Nee, ga niet weg. Ik probeer je alleen op stang te jagen.'

'Nou, dat lukt je goed. Vertel eens, wat doe jij hier?'

Hij haalt zijn schouders op. 'Je weet wel. Ben naar India gegaan met een paar vrienden. Dat liep niet lekker.'

'Waar kom je vandaan?'

Hij knijpt zijn ogen tot spleetjes. 'Ik wil niet naar huis. Ga niet iemand zoeken om me op te halen.'

'Maar ik kan de ambassade bellen. Zorgen dat ze je helpen. Daar zijn ze voor.'

'Daar zijn ze helemaal niet voor. Ze zijn klote. Ze zijn hier om naar feestjes te gaan en champagne te drinken en een toost uit te brengen op de kutkoningin als ze jarig is. Geloof me. Ik weet waar ik het over heb.'

'O, ja? Heb jij getoost op de verjaardag van de koningin?'

'Ja, met pis.'

We zitten in stilte. Een man van middelbare leeftijd blijft staan en staart naar ons.

'Mevrouw,' zegt hij. 'Valt die man u lastig?'

'Nee. Er is niks aan de hand, dank u wel.'

Hij blijft nog even kijken en loopt dan door.

'Nou, wat is er toen gebeurd?'

Hij haalt zijn schouders op. 'In Hampi kreeg ik wat problemen. Ik heb weten te ontsnappen. Had niet echt een plek om heen te gaan. En nu ben ik hier. Voilà.'

'Maar wat...'

Mijn stem verstomt als ik Ethans ogen groot zie worden. In een fractie van een seconde is hij opgesprongen.

Ik doe hetzelfde en zie de politie op ons afkomen. Ethan

rent weg, verbazend snel, en verdwijnt in de menigte. Ik ga hem achterna en voel zweetdruppeltjes ontstaan op mijn voorhoofd. Ik volg de schim en duik net als hij een zijstraat in. Ik ren op mijn hard klepperende schoenen naar het einde van de steeg en kom abrupt tot stilstand als hij doodloopt. Ik heb het zo warm dat ik nauwelijks kan ademhalen. Ik kijk om; de agenten staan aan het begin van het straatje en komen op me af.

Ethan is nergens te bekennen. Ik kijk wanhopig om me heen in de wetenschap dat ik hem nooit had moeten volgen. Dat was dom. De gebouwen zijn gammel met zwarte gevels en ramen zonder glas. De weinige verf die er nog op zit, bladdert af. Het baksteen is ongepleisterd. Het hout rot. Vanuit een van de huizen kijkt een paar donkere ogen me aan. De geur is penetrant en smerig. Een stapel vuil bij de stoep beweegt en er rent een rat uit vandaan.

Ik wend me tot de politie.

'Hallo,' zeg ik. 'Hij is weg.'

Argwanend kijken ze me aan.

'Hoe heet u?' vraagt een van hen.

'Tansy Harris.'

'Adres in Chennai?'

'Hotel Shiva.'

'Kent u die figuur?'

'Ik heb even met hem gepraat. Ik heb hem wat eten gegeven.'

'Moet u niet meer doen, mevrouw.'

Laat in de middag is hij terug bij de tempel. Hij neemt me mee op avontuur en we eindigen samen in een illegale bar in een achterafstraatje waar we eigengemaakte drank uit doffe glazen drinken. Het vertrek is donker en benauwd en de bezoekers zijn bijna onzichtbaar door de rookwolken.

'Jij bent gek,' zegt hij, en hij maakt plotseling een beweging naar rechts. 'Dat moet je nooit doen. Als ze je nog een keer zien wegrennen, pakken ze je. Echt, dan pakken ze je. Eigenlijk moet je niet eens met me praten.' Hij knikt een paar keer snel achter elkaar. 'Nee. Dat moet je niet doen.'

Ik sla mijn drankje achterover. Ik word er direct misselijk van.

'Gisteravond ben ik naar een café gegaan,' zeg ik tegen hem. 'Dit is leuker.'

'Wat, ben je naar zo'n yuppietent gegaan?'

'Ken je die?'

'Ik heb ervóór gezeten.' Hij laat zich zakken en doet net alsof hij ergens voor zit. 'Niet goed.'

'Het was net alsof ik in Londen was. In de City. De mannen kwamen een voor een naar me toe.'

Ethan knikt, heel vaak achter elkaar.

'Dame alleen.'

Ik doe mijn best om er eentje na te doen. '"Het is heel onethisch dat een getrouwde vrouw in haar eentje in het openbaar alcohol drinkt!" Ze waren aardig, welsprekend, beleefd, maar ze vonden mijn zeden maar niks.'

'Hier heeft niemand zeden. Zeden, maak dat je wegkomt!' Hij kijkt me aan en de verwarring laat zijn gezicht barsten. 'Ben je net zo dom als je eruitziet? En dat bedoel ik niet negatief.' Hij lacht. 'Ik bedoel, waarom trekt een getrouwde vrouw met kinderen met mij op, laat staan in een tent als deze? Drinkend.'

'Ik ben geïnteresseerd. En ik zoek het avontuur.'

'In het toeristencircuit.'

Er komt een man naast ons staan die onze glazen nog eens volschenkt. Ik nip van mijn tweede drankje en voel me eensklaps ongelooflijk misselijk.

Buiten in de goot kots ik heftig. Het spettert in mijn haar. Ethan staat een stukje bij me vandaan en hij kijkt lachend naar me. Hij ziet er opgetogen uit en er lijken barstjes in zijn huid te komen.

19

Er verstrijken zes dagen in een waas van slecht toerisme. Ik vermoed dat ik er zo gespannen uitzie dat niemand vriendschap met me wil sluiten, behalve 'Ethan', want ik ben de hele tijd alleen, op Ganesh na, die me overal heen rijdt en zo vriendelijk is om om de paar dagen een bewonderende blik op de foto's van de jongens te werpen. Ellie heeft op mijn mailtje gereageerd met het bevel dat ik niet eerder moet komen omdat ze weg is voor zaken voor het Kindercentrum, dus ik heb geen andere keus dan de rit uit te zitten.

Nu check ik eindelijk uit uit het muffe oude hotel. Ik wacht ongeduldig op de taxi die me naar de ashram zal brengen, waar in elk geval een persoon is die met me wil praten. Ik kijk op de klok. Tien voor twaalf. De taxi komt om twaalf uur. Ik zie dat mijn benen trillen van opwinding.

De receptie is een beetje morsig, met vochtplekken op de geschilderde muren en vloertegels waar stukjes uit zijn. Het enige zitje bestaat uit drie harde, kerkachtige banken in een nis.

Op het bankje naast me zit een vrouw, gekleed in een strakke spijkerbroek van Diesel en een fuchsia topje, die maar naar me blijft glimlachen. Haar gezicht is prachtig opgemaakt, nog net niet opzichtig. Ik weet waarom ze me mag: ik draag mijn beste kleren en ik zie eruit als iemand uit Londen. Het leidt geen enkele twijfel dat deze vrouw in staat is om Prada te herkennen.

De afgelopen zes dagen heb ik braaf de toerist uitgehangen. Eindelijk heb ik echt een bezoek gebracht aan de katholieke kathedraal waar de restanten van Ongelovige Thomas in liggen. Ik heb de parafernalia gezien van een man die de bijnaam de Zwervende Monnik had en Vivekananda heette en die kennelijk de eerste hindoe-missionaris in het Westen is geweest. Dat botst met de woorden van de man in de tempel die me verzekerde dat hindoes worden geboren, niet gemaakt en ik neem me voor om op een dag echt uit te zoeken of ik me kan bekeren, zuiver en alleen als wetenschappelijk vraagstuk. Ik moest de 'Swami' wel bewonderen, aangezien zijn roeping hem in contact heeft gebracht met een indrukwekkend aantal rijke, blanke vrouwen, waarvan er veel zijn gefotografeerd terwijl ze vol aanbidding naar hem keken.

Ik heb op goed geluk rondgelopen en ben telkens de weg kwijtgeraakt. Het blijkt helemaal niet moeilijk te zijn om weg te dwalen uit de wijken van Chennai waar ze gewend zijn aan buitenlanders, maar ook in de straten daarbuiten slaat niemand acht op me. Ik heb langs de straten gesjokt, alleen om iets te doen te hebben, om mezelf af te leiden. Wandelen is iets wat je altijd kunt doen: ik loop en loop, bekijk alles om me heen en heb het gevoel dat ik een cape draag die me onzichtbaar maakt. Als ik er genoeg van heb, hou ik een riksja aan en word linea recta teruggebracht naar het hotel.

Gisteren zat ik op mijn hotelkamer naar de ventilator te staren terwijl ik aan Max en de jongens dacht. Het verlangen en de eenzaamheid overvallen me in onvoorspelbare golven; ze verschijnen als ik het het minst verwacht en ze vellen me. De neiging om een taxi naar het vliegveld te nemen en direct naar huis te gaan was zo groot dat ik overeind sprong en om me heen keek, op zoek naar iets wat ik kon doen. Ik kon het vooruitzicht niet verdragen om de zoveelste toeristenattractie te gaan bekijken. Ik had de kracht niet voor Ethan. De plaatselijke krant, die elke ochtend op de kamer wordt gebracht, lag op tafel, opengeslagen bij de kleine annonces. Ik werd gefascineerd door het enorme aanbod van banen in callcenters. 'Loop eens binnen,' zeiden ze allemaal, en vervolgens gaven ze een adres voor presentabele mensen die het Engels machtig waren en goedbetaald werk wilden. Omdat ik verder toch niks te doen had, greep ik de krant, stak mijn voeten in sandalen en ging naar buiten om me door Ganesh naar zo'n center te laten brengen.

Het was ergens boven, in een opgeknapt, maar toch afgeleefd kantoorgebouw. Er zat een ontzagwekkende receptioniste, in een mosterdkleurige *salwaar khameez* met een bril op het puntje van haar neus.

'Wilt u werk?' vroeg ze, me over haar bril aankijkend. 'Wilt u echt werk?'

'Ik heb gewoon belangstelling,' mompelde ik. Ik keek de ruimte door waar overal gretige sollicitanten zaten die allemaal ophielden met het invullen van hun formulier om naar mij te kijken. Ze waren stuk voor stuk goed gekleed, in de twintig en Indiaas. Alle ogen waren op mij gericht. 'Zou ik hier misschien een middag kunnen werken?' vroeg ik, mijn stem dempend. 'Om te kijken hoe het is?'

'Wilt u werk afpakken van persoon uit Chennai?'

'Nee.'

Ze knikte naar de deur.

'Voor welke bedrijven verleent u deze diensten?' vroeg ik terwijl ik weg schuifelde.

'Mag ik u niet vertellen, industriële spionage,' zei ze blij, en tot ieders vermaak kwam ze achter haar bureau vandaan om me weg te jagen.

In mijn kamer heb ik een altaartje voor mijn zoons gemaakt. Nu is het uit elkaar gehaald en liggen de foto's zorgvuldig gladgestreken tussen de pagina's van mijn boek. Elke keer als ik in de kamer was, heb ik tegen ze gepraat. Ik heb gehuild. Ik heb een paniekaanval gehad terwijl ik in mijn eentje op mijn kamer zat. Ik heb elke dag bier gedronken zonder me er iets van aan te trekken hoe knappe mannen over me denken. Ik heb elke maaltijd in mijn eentje opgegeten.

Ik heb opgewekte e-mails naar huis gestuurd, vol frases als 'geweldige ervaring', 'schouwspelen en geuren' en 'weer op reis'. Ik heb geïmpliceerd dat ik een of andere vaag gedefinieerde levensles aan het leren ben. Het verbaast me hoe blij ik ben om naar een ashram te gaan, een plek waar ik zal doen wat me wordt gezegd, waar mijn leven geordend zal zijn.

Ethan gaf nauwelijks blijk van herkenning toen ik hem vertelde dat ik wegging. Ik heb gezegd dat ik naar mijn vriendin ging in een ashram, maar hij trilde alleen en wendde zijn blik af. Of hij is kwaad omdat ik ga of het kan hem echt geen donder schelen.

De twee backpackers komen met een hele verzameling tassen en reisgidsen en gaan op de derde bank zitten, die tegenover me. De man knikt, zoals hij altijd doet, en de vrouw negeert me, zoals zij altijd doet.

Ik heb ze de afgelopen week overal gezien. Ik ben dronken langs ze gestrompeld, heb te dicht bij ze gelopen toen ik me verveelde, in de hoop dat ze een praatje met me zouden maken. Ik heb tegen volhardende chauffeurs gezegd: 'Mijn vrienden willen een riksja' als ze achter mij het hotel uitliepen, om niet de enige te zijn die werd lastiggevallen. We hebben elkaar altijd netjes gedag gezegd en zijn vervolgens doorgelopen. Het meisje beent altijd weg met een treurig gezicht. Ik moet mezelf er echt aan herinneren dat ik, voor één keer, niks kan hebben gedaan om haar te beledigen.

'Maar laten we een poosje naar Pondi gaan,' zegt ze. 'Daar kun je toch contact met ze opnemen? Om een datum af te spreken en een plan te maken?' Haar dikke rode haar hangt los, haar gezicht zit vol sproeten en haar stem klinkt vleiend.

'Je weet dat ze ons dolgraag willen zien,' zegt hij. 'Je hoeft niet bang te zijn. Het wordt hartstikke gaaf. Een echte mijlpaal. We kunnen al het familiegedoe afronden en dan naar Nepal gaan. De Annapurna-route.' Hij kijkt naar haar. 'Of wat je ook maar wilt doen,' zegt hij snel. Hij heeft een Londens accent. 'Maar je weet dat we naar het dorp moeten. Daarom zijn we hier immers. Het leek je juist leuk. Het zal inderdaad niet erg luxe zijn, maar daar gaat het ons toch ook niet om? Dit wordt er eentje voor je blog.'

'Ik heb geen blog.'

'Nee, maar als je dat zou hebben.'

'Ja,' mompelt het meisje. 'Maar ik zal met niemand kunnen praten.'

'Gaan jullie naar Nepal?' vraag ik, me een stukje voorover-buigend.

Het meisje kan bijzonder stuurs kijken, waarbij haar hele gezicht onder de rimpels komt te zitten, wat haar lelijk maakt terwijl ze knap zou kunnen zijn. Alleen om haar te ergeren, kijk ik haar met een stralende glimlach aan.

'Ja, inderdaad,' zegt haar vriend. Hij kijkt me aan en glimlacht terug. 'Zodra we hebben gedaan waarvoor we hier zijn gekomen.'

'Ik weet niet eens of ik wel naar Nepal wil,' zegt het meisje chagrijnig. 'Woedt daar geen burgeroorlog of iets dergelijks?'

'Nee, niet waar de toeristen heen gaan. Het is net zoals je van iedereen hoort dat Laos gevaarlijk is. Dat was het toch niet?'

Ik buig me voorover.

'Zijn jullie in Laos geweest?'

De magere roodharige probeert me met haar blik te doden. De vriend lacht.

'Jazeker,' zegt hij. 'Afgelopen herfst. We zijn pas veertien dagen in India. En jij? Ben jij in Laos geweest?'

Eindelijk. Ik grijns opgelucht.

'Ik was er een paar jaar geleden,' zeg ik behoedzaam, omdat ik niet precies wil vertellen hoe lang het geleden was. 'Ik vond het er heerlijk. Laos is een van mijn favoriete plekken. Zijn jullie naar Champasak geweest?' Ik heb geweldige herinneringen aan Max en mezelf in Champasak. Dat was een volmaakte periode in mijn leven. Ik zie ons op de foto, met de fietsen, omgeven door weelderig groen. Ik weet nog hoe het voelde toen alles waar ik me ooit zorgen om had gemaakt van me af viel.

Hij knikt lachend. 'We zijn overal geweest.'

'De Vlakte der kruiken?'

'Nee, daar niet. Dat lag nogal afgelegen.'

'Het is er schitterend.'

Hij knikt. 'Nou, ik dacht dat ik Laos aardig kende, maar nu bewijs je al het tegendeel.'

'Sorry. Waar zijn jullie nog meer geweest?'

'We zijn bij Pakse Thailand ingegaan en daar zijn we een maand gebleven. Je weet wel. Ko Lanta, Bangkok, Chiang Mai. Daarna zijn we naar Delhi gevlogen en onze vrienden zijn naar Dharamsala gegaan omdat ze het gewaad van de dalai lama wilden aanraken, of wat mensen daar ook maar doen, en wij zijn hier per trein heen gegaan. We hebben genoeg geld bijeengeschraapt voor de eerste klas. Dat was heel gaaf. Voor hoe lang ben jij in India? Ik wilde steeds een keertje een praatje met je maken, maar jij leek geen behoefte te hebben aan gezelschap.' Ik spreek hem niet tegen.

'Ik ben hier voor ongeveer een maand.'

'In je eentje?'

'Helemaal alleen, in elk geval hier in Chennai. Ik heb van de week wel een paar mensen gesproken, maar ik heb niemand gevonden om mee op te trekken. Tenminste, geen normale mensen.'

Het meisje kijkt me aan over haar Lonely Planet-boek. 'Zijn *wíj* dan normaal?'

'Normaler dan sommigen.'

‘Aha.’ Ze doet alsof ze haar boek leest.

‘Sorry,’ mompelt hij. ‘Ze is zichzelf niet.’

‘Dat heb ik gehoord,’ snauwt ze.

Hij haalt zijn schouders op en doet zijn mond open om iets te zeggen. Dan sluit hij hem weer. ‘We praten straks wel,’ zegt hij zachtjes tegen haar.

‘O, is het dan zover? Moeten we “praten”?’

Hij kijkt me aan. Hij is klein en gedrongen met grote donkere ogen en zware wenkbrauwen. ‘Het spijt me,’ zegt hij zacht.

Ik kijk opzij. De vrouw in het fuchsia volgt het gesprek belangstellend en ik vraag me af hoe ik haar erbij kan betrekken.

‘Geen probleem,’ zeg ik.

‘Zeg, hoe is het om als vrouw alleen in India te zijn?’ vraagt hij. ‘Trouwens, ik ben Sam en dat zonnestraaltje daar is Amber.’

Ik knik naar haar, al verschuilt ze zich nog steeds achter haar boek. Ik knik ook naar de vrouw in fuchsia, maar die wendt haar blik af.

‘Nou, het valt niet mee,’ vertel ik hun. ‘Maar het is op een heel andere manier moeilijk dan ik had verwacht. Het is vreemd en, ach, ik weet niet.’ Ik hou op met praten. Ik heb geen flauw benul wat ik moet zeggen. ‘De enige die ik echt heb leren kennen was een bedelaar uit Londen die zich Ethan noemt.’

Hij knikt. ‘Die blanke vent? Die zag er nogal heftig uit. En waar ga je nu heen?’

Ik heb net de kans om ‘een ashram bij Pondicherry’ te zeggen wanneer de fuchsia vrouw zich vooroverbuigt en ons gesprek onderbreekt.

‘Sorry, hoor,’ zegt ze op een toon die ik heb leren herkennen als een bekakt Indiaas accent. ‘Maar je broek is prachtig. Mag ik een foto van je maken?’ Ze zwaait met haar mobieltje om aan te geven dat dat haar fototoestel zal zijn.

'O,' zeg ik. Ik voel dat Amber zit te giechelen achter haar boek. 'Ja, tuurlijk. Waarom niet? Ga je gang.'

Met een heel ongemakkelijk gevoel sta ik op zodat de vrouw een foto van me kan nemen. Ik probeer erbovenuit te stijgen en poseer, heel ironisch, als een model door mijn bovenlichaam te verdraaien, mijn handen losjes in mijn zij te zetten en mijn hoofd naar achteren te gooien. Ik weet dat het niet lukt.

'Is dat een Prada?' vraagt ze.

'Jazeker,' bevestig ik. Ik heb me uitgesloofd voor mijn hereniging met Ellie.

'Uit Londen?'

'Ja.'

'Dank je.'

'Is dat de telefoon uit Singapore?' vraagt een man die naast haar neerploft. Weer dat exclusieve Indiase accent. Dat vind ik heel aantrekkelijk klinken bij een man. De verzorgde vrouw kijkt op. 'Nee!' zegt ze woedend. 'Nee! Die heb je me nooit gegeven. Dit is de telefoon uit India! Ziet hij er soms uit als die uit Singapore? Ik heb net een foto genomen van een broek die ik echt moet hebben.' Ze werpt me een kritische blik toe. 'Maar dan twee maten kleiner en in ecru.'

'Pardon? Mevrouw Harris?' Er staat een man naast me die me glimlachend aankijkt. Ik knik. 'Ik ben uw chauffeur.'

Ik kijk Sam aan. 'Willen jullie meerijden?'

Ze kijken elkaar aan.

'Die plaats waar jij heen gaat. Hoe ver ligt dat bij Pondi vandaan?'

'We kunnen het ons niet permitteren om de kosten van een taxi te delen.' Amber wuift het idee weg. 'Wij moeten de hele dag in de bus zitten. We hebben geen geld om in luxe te reizen.'

'Geen probleem,' dring ik aan. 'Ik betaal wel. Ik moet er toch heen en er zijn lege plaatsen.'

Ik ben zelden zo blij geweest om ergens weg te gaan als uit Chennai. Ik staar zielsgelukkig uit het raampje terwijl de taxi zich een weg baant door de klaarblijkelijk oneindige straten van de stad. Er zijn enorme delen van onze planeet die ik niet heb gezien en die ik ook nooit zal zien, en dat vind ik best.

Volgens een onuitgesproken afspraak zit Sam voorin. Het is mijn taxi, maar hij is de man. Normaal gesproken zou ik me tegen dit soort seksisme verzetten, maar op dit moment vind ik het best om hier rustig te zitten en iemand anders een gesprekje op gang te laten houden. Het verbaast me echter wel als hij tegen de chauffeur begint te praten in een taal die ik niet versta.

Ik buig me voorover. 'Is dat Tamil of Hindi of iets anders?' vraag ik.

Sam kijkt om. 'Tamil,' zegt hij. 'Mijn ouders zijn Tamils, en vermoedelijk ben ik het dus ook. Alleen kom ik naar Tamil Nadu via Tooting Broadway en heb ik een hele geschiedenis achter de rug.' Hij wendt zich weer tot de chauffeur.

'Hij is op zoek naar zijn wortels,' zegt Amber zacht en als ik me niet vergis een tikje bijtend. 'Hij wil zichzelf vinden. Het dorp waar zijn ouders vandaan komen ligt op een paar uur afstand van Pondicherry. Daarom gaan we die kant op. Een paar dagen in Pondicherry en dan moeten we de bushbush in om Sams neven en nichten op te zoeken.'

'Maar daar heb jij niet zo veel zin in?'

Ze haalt haar schouders op en kijkt de andere kant op. 'Hij wel,' zegt ze.

Ik kijk door mijn raampje naar de stad en luister naar Sams gebabbel tegen de chauffeur. Ze moeten allebei vaak lachen en Sams uitbundige opwinding werkt aanstekelijk. De blijdschap dat ik Ellie na zo lang eindelijk weer zal zien borrelt in me op. Ik ben niet langer alleen. Het is me gelukt: het moeilijke deel van mijn reis is voorbij. Van opluchting moet ik giechelen.

Ik blijf kijken naar de beelden van het leven van alledag:

kleine meisjes in onberispelijke marineblauwe uniformen die op weg zijn naar school, hun haar in keurige strakke vlechten; mannen en vrouwen op motoren die zo hard mogelijk, hotsend en botsend, over de weg rijden, op weg naar plaatsen waar ik me geen voorstelling van kan maken. Ik zie oudere vrouwen voorzichtig over obstakels stappen, de stoep af stappen en weer op gaan, en met hun waardigheid intact naar hun bestemming gaan. We passeren geen enkele bedelaar en niemand die er berooid uitziet. Ethan bezwoer me dat hij niet de enige is en lachte minachtend toen ik dat suggereerde, waarna hij zei dat ik dom en naïef ben.

Ik vraag me af of Londen er ook zo uitziet; of het mogelijk is om erdoorheen te reizen als een vreemdeling, om uit het raam te kijken en gefascineerd te zijn door fragmenten van mensenlevens. Londen is enorm en divers en kosmopolitisch, alleen voel ik me verstikt in het hoekje waar wij wonen, omringd door gezinnen als het onze, alle mensen die wedijveren, worstelen en doormodderen.

We moeten naar een interessantere wijk verhuizen, besluit ik. Ik neem me voor om dat tegen Max te zeggen. Ik weet dat hij nee zal zeggen, vanwege de scholen, de reistijd en de hypotheek.

Eindelijk komen we bij de rand van de stad. De straten worden rustiger en de huizen staan verder uiteen. De weg is geasfalteerd, maar alle zijstraten bestaan uit stof en steen. Hier en daar zie ik handgeschilderde bordjes die de weg wijzen naar de 'International School'.

Ik buig me voorover.

'Hoe oud ben jij, Sam?' vraag ik.

Hij kijkt verbaasd. 'Vierentwintig.'

'Jezus, ik was ouder toen ik voor het eerst naar Azië ging. Toen was ik ook in mijn eentje. Grappig. In de tussentijd heb ik nauwelijks vijf minuten voor mezelf gehad.'

'Vind je het fijn om in je eentje te reizen?' vraagt Sam. 'Daar moet je vast veel zelfvertrouwen voor hebben. Ik zou het niet graag doen.'

'Nee. Er kan van alles gebeuren. Op mijn vorige reis heb ik mijn man leren kennen. In Vietnam.'

'Ben jij getrouwd?' vraagt Amber. Ik laat mijn trouwring zien. 'Ja,' zegt ze. 'Die had ik al gezien. Ik dacht dat je hem droeg om de mannen op afstand te houden. Ben je echt getrouwd?'

'Ja, echt.'

'Ben je bij hem weggegaan?'

Ik probeer mijn schrik om haar vrijpostige vraag te verbergen.

'Voor een paar weken maar.' Ik doe mijn best om achteloos te klinken. 'Hij heeft een baan. Een echte baan waarmee we de hypotheek aflossen. Vandaar dat hij er niet is.'

'O. Ik dacht dat je gescheiden was, of misschien lesbisch.'

Ik lach. 'Je had het kunnen vragen.'

Ze knikt en kijkt weer uit het raampje. Er tikt een minuut voorbij en daarna kijkt ze me weer aan.

'Dus je hebt geen kinderen?'

'Hoe kom je daar nou bij?'

'Nou, omdat je in je eentje in India bent, natuurlijk.'

'Als je een man zou tegenkomen in India die bij een vriend op bezoek gaat, zou je er toch ook niet van uitgaan dat hij geen kinderen heeft?'

Sam draait zich om en staart naar me. 'Heb jij kinderen?'

'Twee jongens.'

'Heb je die soms heel jong gekregen?'

'Nee. Ik heb Toby op mijn dertigste gekregen en Joe drie jaar later. Helemaal niet zo jong.'

'Waar zijn ze dan?'

Amber fronst. 'Ik probeer te bepalen of ik het schokkender zou vinden dat je ze hebt meegenomen naar India, ergens veilig weggestopt, of dat je ze hebt achtergelaten,' zegt ze.

'En wat is je conclusie? Wat is erger?' Hun verbazing is ontHutsend. 'Ze zijn in Londen,' zeg ik snel. 'Bij Max, hun vader, mijn echtgenoot. Ze maken het prima. Ik mis ze overigens vreselijk. Voor het geval jullie het je afvroegen.'

Sam knikt langzaam. 'Sorry. Het is gewoon een beetje vreemd voor ons dat jij hier bent terwijl je kinderen hebt die nog echt heel jong zijn.'

'Zes en drie.'

'En,' zegt Amber, 'dat je hier alleen voor de lol bent.'

'Hé, ik heb nooit gezegd dat ik hier "alleen voor de lol" ben,' zeg ik tegen haar. 'In die ashram woont een oude vriendin van me. Ze leidt daar een soort weeshuis en ze heeft me gevraagd om een paar weken te komen helpen. Volgens haar hadden ze dringend behoefte aan een stel extra handen en iemand die ze kunnen vertrouwen. Ik heb overigens een aantal keer nee gezegd en daarna heb ik geprobeerd te regelen dat we met zijn allen zouden gaan. Pas daarna heb ik besloten dat de wereld niet zou vergaan als ik de jongens een paar weken achter zou laten onder de hoede van hun vader, mijn ouders en de Mountview crèche zodat ik Ellie kon gaan helpen. Mag het? Ik ben naar Chennai gegaan omdat ik het gevoel had dat ik de stad moest verkennen. De hemel mag weten waarom.' Ze gapen me aan. Amber slaat een hand voor haar mond.

'Jezus,' zegt ze. 'Dat is ongelooflijk. Hoor eens, het spijt me. Ik dacht dat je je kinderen had achtergelaten bij een nanny of zo en op vakantie was gegaan. Al zullen de meesten van ons natuurlijk niet de bezienswaardigheden van Chennai gaan bekijken als je ook naar een tropisch eiland kunt. Maar jij bent hier om goede daden te verrichten. Dat is heel imponerend, vind je niet, Sam?' Opeens kijkt ze me met een grijns aan.

'Zeg dat wel. Verrekte indrukwekkend.'

'Nee, hoor,' werp ik tegen. 'Ik voel me een beetje een bedrieger. Er spelen ook nog andere dingen.'

'Ja,' zegt Sam. 'Vast wel. Nou, vertel eens over je vriendin. En de ashram. En het weeshuis. We willen alles horen.'

We rijden langs rijstvelden en dorpjes aan de kant van het binnenland en vakantieoorden aan de kant van de kust. Naast een akker, op een totaal verlaten plek, zie ik een backpacker naast haar rugzak staan. Op haar rugzak is een Franse vlag genaaid. Ze lijkt uit het niets te zijn gekomen.

'Kun je stoppen?' vraag ik opeens. Ze doet me aan mezelf denken, van jaren geleden.

De chauffeur vraagt niet waarom, maar trapt zo hard op de rem dat we allemaal naar voren schieten. 'Sorry,' zegt hij met een lachje.

Ik doe mijn portier open en stap uit. Ik roep naar de vrouw die misschien twintig meter achter ons staat.

'Wil je een lift?' gil ik terwijl de zon op mijn hoofd schijnt.

Ze grijpt haar rugzak en rent naar me toe. De chauffeur stapt uit en opent de achterbak. Er is geen ruimte voor een vierde rugzak.

'Geeft niks,' zegt ze vrolijk. 'Ik hou hem wel vast.'

We zijn een andere wereld binnengereden. Om mijn enkels waait stof. De hemel is blauwer dan je voor mogelijk houdt. De lucht is anders. Het ruikt naar bladeren, stuifmeel, de vage geur van petroleum en een vleugje zee.

Onze nieuwe passagier draagt een korte overall over een rood shirt. Ze heeft donkerbruin haar dat wild om haar gezicht valt en onder haar vingernagels zit een indrukwekkende rouwrand. Haar lichaam is klein en hoekig en ze verdrinkt in haar kleding.

'*Bonjour*,' zegt ze. 'Ik ben Delphine. Dank je wel. Gaan jullie naar Pondi?'

'Ik ga naar een ashram daar in de buurt,' zeg ik. 'Maar deze mensen, Sam en Amber, gaan inderdaad naar Pondicherry. En jij?'

Ze haalt haar schouders op. 'Ik ga waar de auto heen gaat.'

Delphine praat aan een stuk door. We horen dat ze Frans is, dat ze al tien maanden in India is, dat ze liftend van de ene plaats naar de andere gaat en werkt waar ze kan.

'Ik ben naar India gegaan omdat ik een droom had,' zegt ze. 'Een echte droom in je slaap, bedoel ik, geen droomwens. Ik kan hem me nu niet meer herinneren, maar als ik wakker word, weet ik dat ik naar India moet. Dus ik ging. Ik verlaat me op vreemden. Tot nu toe werkt dat. Vandaag ga ik naar de ashram. Jij pikt me op, dus ik ga erheen met jou. Het is het lot. Ik heb andere mensen ook op die manier zien reizen. Dat heeft een goede energie, vind ik.'

We wisselen verhalen uit en ik kom erachter dat Sam en Amber elkaar via een vriendin hebben leren kennen, Amy, die op dit moment bij de groep in Dharamsala is.

'Dus we hebben elkaar ontmoet in een pub op Amy's vijfentwintigste verjaardag,' zegt Sam. 'Ze had wel verteld over Amber, haar Schotse vriendin van de universiteit. Het ging steeds van: "Jullie raden nooit wat Amber nu weer heeft uitgespookt!" Dat soort dingen. Dronken op hoorcollege komen. In slaap vallen in een werkgroep waar maar vier mensen waren. In haar ondergoed op tafel dansen. Een docent neuken.'

Amber geeft hem met de rug van haar hand een klap in zijn gezicht. 'Sam!'

Lachend zegt hij: 'Sorry.'

Ik voel me erg begaan met mensen die hun zelfbeheersing verliezen en zich slecht gedragen.

'Echt waar?' vraag ik.

Amber glimlacht vaagjes. Ze lijkt een radicale stemmingswisseling te hebben ondergaan. Er spelen hier heel wat verborgen gevoelens die ik niet begrijp, maar het leidt geen twijfel dat ze me even toegewijd is geworden als ze eerst vijandig was zodra ik over de weeskinderen was begonnen.

'Sorry,' zegt ze. 'Wat moeten jullie wel niet van me denken?

Tansy heeft haar kinderen achtergelaten om hier mensen te helpen. Delphine volgt haar droom. En ik ben alleen maar... stom. En bang.'

'Nee toch!' Ik ben ontsteld.

'Dat is belachelijk, Amber,' zegt Sam.

'O, dat ben ik wel degelijk,' zegt Amber. 'Dat weet je best, Sam.'

Ze zijn allemaal gefascineerd door Max' bestaan; het amuseert me dat mijn conventionele gezinnetje in dit gezelschap als exotisch wordt beschouwd.

'Dus jij hebt je man in Vietnam ontmoet?' vraagt Amber. 'Wist je meteen dat hij de ware was? Ging het van: poef! Een bliksemschicht, levenspartner?'

Dit deel van mijn geschiedenis is op zichzelf redelijk rechttoe rechtaan. 'Ja,' zeg ik. 'Niet direct, maar zodra ik dat besefte, was ik er ook heel zeker van. Al heb ik nog hard mijn best moeten doen om hem te krijgen.'

Sam knikt. 'Maar heb je ooit nog twijfels gehad nadat je het wist? Nooit? Zo van: hup, en we leven nog lang en gelukkig?'

Ik knik. 'Jazeker.'

Delphine lijkt uitsluitend via impulsen te leven, ze veroordeelt niemand en ze is niet van haar stuk te brengen. Wat haar ook gebeurt, het is allemaal 'het lot'. Ze ziet geesten, laat zich leiden door kristallen en gelooft in karma. Na een poosje luister ik niet meer naar het gesprek. We komen door stadjes die in een oogwenk achter ons liggen en we halen mannen en vrouwen en soms zelfs complete gezinnen op motoren in. We komen voorbij een vrolijk uitziend pretpark dat Dizzee Land heet. Uren later rijden we een stad binnen.

'Dit moet Pondicherry zijn,' gok ik. 'Wie wil uitstappen?'

Sam en Amber kijken elkaar aan.

'Er is toch slaapgelegenheid in de ashram?' vraagt Sam.

'Misschien is het gaaf om die te bekijken. Ik neem aan dat ze er telefoon hebben. Dan kan ik het dorp toch zeker bellen?'

'En misschien,' voegt Amber eraan toe, 'kan ik, ik weet het niet... iets doen in het weeshuis. Dat zou goed zijn. Vind je het erg als ik met jou optrek?'

We kijken allemaal naar Delphine. 'Ja, tuurlijk,' stemt ze in. 'Ik ga naar de ashram. Ik ga waar jij gaat. Ik volg het pad voor me.'

'O!' roept Amber opeens. Ze buigt zich voorover en tikt de chauffeur op zijn schouder. 'Het spijt me. Kun je even stoppen? Daar stond toch een brievenbus?'

De auto stopt. Sam steekt zijn hand uit en Amber geeft hem een kaart. Hij rent de drukke straat door, doet de kaart op de bus en rent weer terug.

Opeens zijn we in de wereld van de backpacker. We komen langs een Tibetaans restaurant waar een stalletje voor staat met een rek met kleren waar ik naar heb gesnakt. Tevreden kijk ik door mijn open raampje terwijl de hete lucht in mijn gezicht blaast.

Naast de weg staat een groot wit bord waar de woorden DE ASHRAM VAN KRACHT op zijn geschilderd in dikke zwarte verf, met wat Hindi of Tamil ernaast. Eronder staat een heel verhaal in kleine lettertjes.

We minderen vaart. Aan weerskanten van de weg staan grote groepen bomen. Om de paar meter is een verkeersdrempel. We komen langs mensen op bromfietsen, op fietsen en te voet, in groepjes. Ze zien er vredig uit.

'Dus nu zullen we Ellie ontmoeten,' zegt Amber.

Ik leun achterover en haal diep adem. Ik ben bij mensen. Ik sta op het punt om een bekend gezicht te zien, om te worden herenigd met een van mijn beste vriendinnen. Ik ga iets goeds doen en een aantal kinderen leren kennen.

Als we langzamer gaan rijden om over een verkeersheuvel

te gaan, sla ik mijn armen om mezelf heen van verwachting en ik wip op en neer op mijn plek van opwinding en preventieve opluchting.

20

De auto stopt op een stoffige open plek en we stappen de rustige, zware lucht in. De bladeren ruisen, maar een paar seconden lang gebeurt er niks. Vervolgens stapt er een Indiase vrouw kordaat tussen een groepje bomen uit en loopt naar ons toe, een klein handje uitstekend. Ze heeft dik zwart haar, een neusring en draagt een glanzend paarse tuniek.

'Goedemiddag,' zegt ze. Een gigantisch blad van een enorme palmboom valt met een klap neer. Ze vangt het, vouwt het snel en handig en gooit het weg, een bladvliegtuig. Het glijdt de auto in en valt op de grond. 'Tansy Harris?' gaat ze onverstoorbaar verder. Ze kijkt naar Amber en Delphine en laat haar blik dan op mij rusten, vermoedelijk omdat ik ruim tien jaar ouder ben dan de andere twee. 'Ik ben Maya, de manager van het gastenblok het Vredige Toevluchtsoord. Ellie heeft gevraagd of ik je wilde opvangen en ervoor te zorgen dat het je aan niets ontbreekt.'

Vanuit het niets komt een hete wind opzetten die door de boomtoppen rimpelt. De bomen zijn overal. Ze knikt me toe en haar haar waait plotseling rond haar gezicht.

'Goedemiddag,' zegt ze tegen de anderen.

'Bonjour,' zegt Delphine. 'Mooi bladvliegtuig.' Ze pakt een blad en begint het te vouwen. Dan schopt ze haar slipper uit, pakt met haar tenen het vliegtuig dat Maya heeft gefabriceerd en maakt het na.

'Ik begrijp het niet,' zeg ik. 'Ik dacht dat ik bij Ellie zou logeren. Zij heeft me uitgenodigd. En ze zei dat haar huis groot genoeg is voor mij. En dat ze me in haar auto zou ophalen. Het Vredige Toevluchtsoord? Dat klinkt meer als een hospice.'

Maya is sierlijk en klein. Ik voel me gigantisch en lomp.

'Ze wilde je ook ontmoeten,' zegt ze rustig. 'Ze laat zich verontschuldigen. Hier.' Ze geeft me een opgevouwen papiertje. 'Ze zal je te zijner tijd opzoeken. Ondertussen biedt het Vredige Toevluchtsoord eenvoudige accommodatie en ik kan je verzekeren dat jouw welzijn voor ons voorop staat. We zijn geen hospice, maar wel heel gastvrij.'

Ik vouw het briefje open.

'Lieve T,' heeft Ellie geschreven. 'Sorry. Moest een paar dagen weg voor zaken rond het KC. Er logeren mensen in mijn huis. Maar Maya is geweldig en zij zal voor je zorgen. Ik zal het weer goed met je maken, oké? Doe yoga, ook al vind je het verschrikkelijk, ontspan je en dan zie ik je over een paar dagen of zo. E. xxx.'

Ik stop het in mijn zak.

'Nou ja, zeg,' zeg ik tegen iedereen. 'Ik reis achtduizend kilometer omdat zij me blijkbaar nodig heeft en dan is ze er niet en zegt ze niet eens waar ze wel is. Ze zegt wel "doe yoga". Nou ja, ze zal wel weten wat ze doet.'

'O,' zegt Maya, 'vat het niet verkeerd op. Enid is een van onze beste docenten.'

Ik ga niet op Enid in, wie zij ook mag zijn.

'Wat betekent "zaken rond het KC"?' vraag ik in plaats daarvan.

'Het KC is het Kindercentrum.'

'Aha. Nou, dan zal ik daarheen gaan. Ik heb mijn kindjes niet thuisgelaten om hier een potje yoga te gaan doen. Echt niet. Als ik yoga had willen doen, was ik wel in Londen gebleven.'

We staan op een stuk aangestampte rode aarde, een open plek in het bos, waar we via een hobbelig pad zijn gekomen. De chauffeur heeft onze rugzakken uitgeladen en staat op een beleefde afstand te wachten op zijn geld. Door de bomen heen zie ik de omtrek van een gebouw.

Als ik zwijg om adem te halen moet ik toegeven dat dit een bijzonder aangename omgeving lijkt. De zon is versluierd en overal om ons heen zwaaien de boomtoppen in de wind. Het hele complex is groter dan ik had verwacht; de taxi heeft nog ongeveer tien minuten gereden nadat we het bordje met DE ASHRAM VAN KRACHT hadden gezien. Ik dacht dat het om een paar mensen in hutjes rond een goeroe zou gaan, met wat ondervoede kinderen aan hun rokken. Maar het geheel lijkt een stuk imposanter dan dat.

Maya gebaart met haar hoofd. 'Kom mee,' zegt ze, wijzend op het gastenverblijf. 'Het Vredige Toevluchtsoord is gunstig gelegen. Heel centraal.'

Ik kijk Amber aan en we gniffelen allebei.

'Centraal?' vraagt Sam beleefd. 'Echt waar?' Hij zegt iets in Tamil. Ze geeft antwoord en ze beginnen alle twee te lachen.

'Nou, goed,' zegt Amber. 'Waar is de ashram?'

Maya wijst naar een pad tussen de bomen. 'Die kant op. Je ziet het vanzelf.'

'En het Kindercentrum?' vraag ik.

'O, de kinderen zijn niet ver weg. Ik zal je morgen de weg wijzen.'

Delphine heeft staan wippen op de ballen van haar vieze, blote voeten omdat ze ontzettend graag iets wil zeggen. Eindelijk krijgt ze daar de kans toe.

'*Bonjour*, Maya,' zegt ze. '*Namaste*. Ik wil graag in het Vredige Toevluchtsoord. Ik heb gehoord dat jullie ook boerderijen hebben, ja? Ik heb niet veel geld. Mag ik na wat tijd in de ashram op de boerderijen werken? Ik ben bereid om alles aan te pakken.'

Er verschijnt een oprechte glimlach op Maya's gezicht en ze knikt. Ze loopt naar het gebouw en we pakken onze rugzakken en volgen haar. Delphine trekt haar slippers weer aan.

'Natuurlijk,' zegt Maya al lopend. 'De boerengezinnen en ons land nemen graag tijdelijke arbeiders op. Ben je alleen? Wat is je naam?'

'Delphine Brunel. *Oui*, ik ben alleen.'

'Ik wil graag met de kinderen helpen,' zegt Amber snel terwijl ze me een zijdelingse blik toewerpt.

'Dat kan,' zegt Maya. 'Delphine, vertel jij me alsjeblieft wanneer je naar de boerderij wilt gaan, dan laat ik je door een personeelslid naar de centrale boereneenheid brengen waar je zult worden toegewezen aan een gezin. Amber, jij kunt morgen met Tansy een bezoek brengen aan het KC.'

Delphine steekt allebei haar duimen op en heeft vreemd genoeg even iets weg van Paul McCartney.

Een groepje vrouwen loopt over de open plek, hun lange haar in knotjes, hun monden glinsterend van de gouden tanden. Ze dragen ouderwetse heksenbezems. Ze bekijken ons met een zekere matheid. De ene zegt iets en de ander knikt, haar mond flonkerend. Ik vraag me af hoe vaak ze al dikke, blanke mensen zoals wij hebben zien aankomen.

'Wat zei ze?' vraag ik aan Sam.

'Ze zei dat ik een ongelooflijk goed geschapen jongen moet zijn om zo'n prachtige harem te hebben.'

Amber kijkt om naar me. 'Zo doet hij nou de hele tijd. Moedig hem alsjeblieft niet aan.'

Het complex lijkt te zijn uitgehakt in het regenwoud. Ik krijg het gevoel dat de begroeiing naar binnen zou glippen en de boel zou opeisen als er een halve dag niemand was. Het zou opkomen tussen de spleten, zich een weg banen door het metselwerk en alles kapotmaken.

Het witgepleisterde gebouw van een verdieping heeft de vorm van een hoefijzer, rond een stoffige rode binnenplaats. De ramen zijn klein met horren ervoor en langs de voorkant van het huis is een betonnen veranda waar veel deuren op uitkomen. De veranda is rommelig, bezaaid met stoelen en spullen.

Aan de kant het dichtst bij ons zit een blonde vrouw met touwachtig lang haar in de lotushouding, haar ogen dicht en een gepijnigde uitdrukking op haar gezicht. Onwillekeurig vermoed ik dat ze weet dat wij er zijn en dat ze indruk op ons probeert te maken. Achter haar wringt een andere vrouw, heel klein met donker haar, sloom kleren uit in een emmer grijs water. Een man met een roodverbrand gezicht en een bierbuik die tegen zijn lichtgroene T-shirt drukt zit op een witte plastic stoel, met zijn voeten op een andere, en leest het eerste Harry Potter-boek in het Engels. Over zijn voorhoofd loopt een straaltje zweet. Als wij eraan komen, kijkt iedereen op, behalve de mediterende vrouw, en bestudeert ons grondig. Ik zorg ervoor dat ik hen even grondig bekijk. Niemand glimlacht.

De twee vrouwen met bezems vegen het vuil van het pad en praten heel snel met elkaar. Aan de rand van het bos spelen twee Indiase kinderen. Ze kijken ons een poosje aan, hun gezichten uitdrukkingsloos. Een meisje en een jongetje die, schat ik zo, wat ouder dan Toby en wat ouder dan Joe zijn. Heel even wil ik ze volgen.

'Zijn dat kinderen van het Kindercentrum?' vraag ik aan Maya.

Ze kijkt even op. De kinderen draaien zich om en gaan ervandoor. 'Ja,' zegt ze. 'Goed, dit is de vrouwenkant.' Ze wijst naar de linkerkant van het hoefijzer, de kant die het dichtst bij ons is. 'En dat, de mannenkant.'

Onmiddellijk zegt Sam: 'Hoe zit het met stellen?'

Maya schudt haar hoofd. 'Hier in het Vredige Toevluchtsoord bieden we geen accommodatie voor stellen.'

'Elders in de ashram wel?'

Ze houdt haar hoofd een beetje schuin en perst haar lippen opeen. 'Ja, er is wel een plek. Maar dat is gereserveerde accommodatie, alleen op uitnodiging, voor bijzondere gasten.'

Amber schudt haar hoofd. 'En als we jou zouden vragen om ons uit te nodigen er gebruik van te maken, dan zou je zeker weigeren?'

'Inderdaad.'

'Dat dacht ik al. Dus als we hier willen blijven, dan moeten we gescheiden slapen? Zijn het slaapzalen of zo?'

Maya's ogen twinkelen. 'Nee, nee, nee. Geen slaapzalen. Gedeelde kamers. We hebben maximaal vier bedden per kamer, dus het zijn niet echt de grote ruimtes die het woord "slaapzaal" impliceert.'

Toen ik jonger was, is het me gelukt om door Azië te reizen, door Argentinië, Chili, Bolivia, Peru en Ecuador en de slaapzalen in elk land te vermijden, behalve in China, waar alles zo surrealistisch en beangstigend was dat ik blij was met het gezelschap. Een kamer van vier zal best meevallen.

'Klinkt prima,' zeg ik. 'Maar Amber? Sam?'

'Best,' zegt Amber haastig. 'Het is immers maar voor een paar nachtjes, is het niet, Sam? Dan moeten we ons aan de regels van de ashram houden.'

Sam haalt zijn schouders op. 'Waarschijnlijk wel.'

'Jij klaagt hierover, woon je soms in Buckingham Palace?'

Delphine ploft neer op haar bed. Amber zit op de rand van het hare en kijkt zenuwachtig. Ik lig tussen hen in op het mijne en druk me overeind op mijn ellebogen om de kamer te bekijken. Het woord dat ik zoek is 'sober'. Er staan vier bedden naast elkaar langs de muur, tegenover de deur en het kleine raampje met tralies ervoor. Ik weet dat ik gemakkelijk op Ambers of Delphines bed kan rollen zonder in het gat op de vloer te vallen. Het vierde bed vertoont sporen van bezetting: een Lonely Planet-boek over India in het Duits, een witte katoenen tuniek die ik begeer. Daarnaast is er nog een plafondventilator en verder helemaal niks. De muren zijn grijzig wit, op de vloer liggen afbladderende vierkanten plastic linoleum. De lucht is verstikkend. Ik zet de deur, die alleen maar naar buiten leidt, zo ver mogelijk open, en zet hem vast met mijn rugzak.

'Nee,' zeg ik tegen Delphine. 'Ik woon niet in Buckingham Palace en hier zal ik het prima kunnen uithouden.' Ik kijk naar de smalle bedden met witte lakens en oranje dekens.

'Thuis heb ik drie dekbedhoezen van Laura Ashley,' vertel ik ze. 'Die wisselen we af. Ze passen alle drie bij de gordijnen al zijn de patronen allemaal net even anders.'

Amber lacht: 'Ik heb een dekbedhoes van Ikea die ik van mijn ouders heb gekregen, maar dat is dan ook de enige die ik bezit, dus om de paar weken stop ik hem 's ochtends vroeg in de wasmachine en hang ik hem de hele middag op de verwarming om te drogen. Soms moet ik hem voor ik naar bed ga verder droogmaken met een föhn.'

Delphine moet lachen. 'Als ik bij mijn ouders ben, in Mont de Marsan, wat een heel erg, je weet wel, heikneuterig dorp is in Frankrijk, heb ik een roze bed. Ken je "Charlotte aux Fraises"? Dat is een stripfiguur. Zij staat erop. Heel mooi voor een meisje van vier. Maar vorige week sliep ik onder niks, dus dit is heel goed voor mij.'

'Heikneuterig,' zegt Amber. 'Dat is een goed woord om te onthouden.'

Maya verschijnt in de deuropening nadat ze Sam naar zijn kamer heeft gebracht. Ze recht haar rug en begint aan een toespraakje dat ze duidelijk al talloze malen heeft gehouden. Haar gezichtsuitdrukking is onmiskenbaar ondeugend.

'Deze ashram,' verkondigt ze, 'is gewijd aan het welzijn van lichaam en geest. We hebben strenge regels en als je je daar niet aan houdt, zul je worden verzocht om te vertrekken. Geen alcohol, geen drugs, en kuisheid is van het allergrootste belang. Iedereen staat 's ochtends voor vijf uur op en brengt het eerste uur van de dag door in stille meditatie in de Grote Zaal.'

'Godsamme,' zegt Amber. 'Dat zal leuk worden.'

'Vind je ook niet?' zeg ik instemmend.

'Er wordt gemeenschappelijk ontbeten na de meditatie, de hele gemeenschap samen. Het avondeten kost hier in het Vredige Toevluchtsoord veertig roepie. Er worden de hele dag yogalessen gegeven. Tansy, jij hebt drie uur 's ochtends en drie uur 's middags, met Enid.'

'Dat lijkt me niet.'

'Jazeker. Wij zijn een contemplatieve orde, maar dit is de echte wereld en een groot deel van onze inkomsten komt uit het toerisme. Jullie zullen bijvoorbeeld aangenaam verrast zijn door het bezoekerscentrum en de cafetaria daar.'

Amber steekt haar hand op, alsof ze op school is.

'Hoe groot is het hier?' vraagt ze.

'O, wij zijn een van de grootse ashrams in India: het complex is twintig kilometer breed en loopt op sommige plekken helemaal door tot het strand. We hebben tweeduizend bewoners en verscheidene boerderijen, zoals Delphine al weet. We produceren kledingstukken, zuivelproducten, cashewnoten, souvenirs, bakstenen, speelgoed... Daarom verzoek ik jullie dringend om onze winkels te bezoeken, die ook een groot gedeelte van Tamil Nadu van spullen voorzien. Het keukendeel is aan deze kant.' Met haar hand wuift ze vaag naar rechts. 'En het toiletdeel aan de andere kant. Dat is alles, volgens mij. Niet roken, geen vlees, en probeer vriendelijk te zijn. Zijn er nog vragen?'

'Ja! Wanneer komt Ellie terug?'

Maya schokschoudert en stapt de veranda op. Wij volgen haar.

'Ze vindt je wel,' zegt ze. 'Maak je geen zorgen.'

Opeens haast ze zich naar voren. Een enorme zwarte vogel, ter grootte van een baby, is vlakbij geland en Maya jaagt hem weg door op hem af te rennen.

'Maak dat je wegkomt!' gilt ze. Ik vang Delphines blik op en probeer niet te lachen.

'Die vervelende vogels,' zegt ze, als ze terugkomt. 'Ik kan ze allemaal wel vermoorden. Altijd mensen lastigvallen voor eten.'

'Heel yoga-achtig,' zegt Amber.

'Zou je het met een wapen doen of met je blote handen?' vraag ik. Ik zie dat ze erover nadenkt.

'Katapult,' besluit ze. 'Met een steen.'

Er beweegt iets in de bomen. Ik heb geen idee of het een kind, een dier of de wind is.

21

Iemand rinkelt buiten met een handbel, een echt, rinkelend, koperen exemplaar. Het geluid komt dichterbij, dichtbij genoeg om mijn oren te laten tuiten, en sterft dan weg.

Ik duik naar mijn telefoon en zie dat het bijna vijf uur is. Er klinkt beweging in de kamer, een geeuw, er verschuift iets. Ik slaag er niet in om iets te zeggen, maar wel om in beweging te komen, de dichtstbijzijnde kleren aan te trekken (al weet ik niet helemaal zeker of die van mij zijn), mijn voeten in sandalen te steken en met een wazige blik naar de deur te schuifelen.

Het vroege ochtendlicht slaat me in mijn gezicht en maakt me wakker als een emmer koud water. De wereld heeft een gouden gloed, de schaduwen zijn heel erg schuin: alles is nieuw en fris. Iedereen in het gastenverblijf, een paar honderd in totaal, loopt en masse dezelfde kant op. Samen met Delphine voeg ik me bij de menigte. We volgen een pad tussen de bomen door, het bos geurig, de wereld herboren.

De Grote Zaal is teleurstellend gewoontjes. Het is een betonnen gebouw met vieze witte verf die op sommige plekken afbladdert. Maar zodra we naar binnen gaan, verandert dat, wordt het heel groot en licht met een lap stof die aan het plafond wappert als een zeil en een geschuurde houten vloer. Er zitten hier duizenden mensen in rijen, hun blik naar voren gericht, de meesten in de lotushouding met kaarsrechte rug. Ik neem plaats in een van de achterste rijen, net als Delphine, en kruis mijn benen (het zal me absoluut niet lukken om mijn voeten op de binnenkant van mijn dijen te leggen, zoals sommige mensen hier) en ik doe mijn best om me niet belachelijk te voelen terwijl ik wacht tot er iets gebeurt. Het enige vergelijkbare voor een dergelijke bijeenkomst is een vage herinnering aan hoe het was om in de aula te zitten voor een schoolbijeenkomst.

De vrouw die het podium op zweeft ziet er jong uit, misschien dertig, en heeft heel steil haar en een glimlach op haar gezicht. Zelfs van een afstand, met duizenden mensen in het vertrek, zie ik haar charisma. Zonder iets te zeggen gaat ze op een kussen zitten, kruist haar benen en kijkt zoekend de kamer door.

'Dat is Anjali,' fluistert Maya die achter me zit.

Ergens rinkelt iemand met een tingelend belletje.

Andere mensen doen hun ogen dicht. Er wordt niks gezegd, dus ik zorg ervoor dat ik stil blijf. Ik staar een poosje naar de zee van hoofden en probeer dat van Ellie te onderscheiden. Het is ongeveer half om half, Indiërs en buitenlanders. Een van de kleine blonde hoofden zou van Ellie kunnen zijn, maar van achteren is het onmogelijk om te weten welke van haar is. Bijna zeker geen van alle.

Als ik merk dat de vrouw op het podium naar me kijkt, staar ik zo lang in haar ogen als ik durf. Ik probeer mijn blik af te wenden, maar al snel blijkt dat ik dat niet wil. Dit is belachelijk. Ze is jonger dan ik en ik wil haar uitlachen, hoe ze daar zit op een kussen in het ochtendgloren, alsof ze iets heroïsch en gewichtigs doet. Toch kan ik niet eens een meesmuilend lachje tevoorschijn toveren.

Wanneer ze haar blik afwendt, voel ik me vreemd leeg. Ik knijp mijn ogen stijf dicht en probeer nergens aan te denken, omdat ik zeker weet dat je dat hoort te doen. Ik stel me voor dat er een grote gedachtebel vol niks boven de zaal uitstijgt en knapt in de lucht waarna de glitterende nietsheid en vrede over het land wordt uitgestrooid.

De glitterende vrede duurt een paar seconden. Dan merken

de slechte dingen de leegheid op en eisen hem op.

Ik zie mijn kinderen door een dikke ruit, ze leiden hun leven zonder mij en lachen met Max. Ik wuif, maar ze kijken recht door me heen alsof ik een onbekende ben, en geen bijster interessante. Ik zie mezelf en Jim een goedkoop hotelletje in glippen waardoor alles uit de hand loopt en ik alles kwijtraak. Terwijl de meditatie eindeloos doorgaat wordt mijn ademhaling zwaar en spannen mijn spieren zich. Ik zie mezelf, duizenden kilometers van huis, terwijl ik alles uit elkaar laat spatten. Ik weet dat er iets ergers zou zijn gebeurd met Jim als ik niet hierheen was gegaan. Achter mijn oogleden verschijnt mijn moeder die me beschimpt en zegt dat ik even erg ben als zij ooit is geweest. 'Je hebt gefaald,' zegt ze met dubbele tong.

Ik doe mijn uiterste best om haar aan de kant te duwen. Ik doe mijn ogen stijf dicht, al houdt dat niks buiten en concentreer me op mijn ademhaling. Mijn adem sist tussen mijn tanden door. De goede dingen in mijn leven zijn Max, Toby en Joe en ik ben bij alle drie weggelopen. Ik laat de jongens mijn gedachten binnenkomen, en zie hun ondeugende gezichtjes. Ik weet nog dat ik zwanger was: de paniek, de angst. Ik voel een spookbaby in me schoppen. Ik hou mezelf voor dat ik op dit moment echt niet een kleintje aan het uitbroeden kan zijn.

Voor deze ashram is het moederschap onwennig, maar ze doen er wel heel gladjes over. Ze hebben geen flauw benul hoe verrekte verknipt de moeder-kindrelatie kan zijn. Volgens de onzinuitstalling in het Bezoekerscentrum heeft 'iedereen een moeder nodig'. De spirituele leider hier is altijd een vrouw, op dit moment heet die Anjali, die blijkbaar de vrouw voor me is. Nu ik niet naar haar kijk, kan ik lachen om het feit dat ze veel te jong en onervaren is om de spirituele leidster van wat dan ook te zijn. Ze ziet eruit als iemand die werkervaring opdoet als goeroe. Ze heeft geen flauw idee waar ze mee bezig is.

Ik voel me meer in staat om de wezen in het Kindercentrum

hier te 'bemoederen' dan ik in staat ben om voor mijn eigen kinderen te zorgen. En ik heb geen moeder nodig. Ik heb er verdomme nooit een nodig gehad. Ik open mijn ogen om aan mijn gedachten te ontsnappen en zie dat ze me weer aanstaart. Tot mijn schrik weet ik zeker dat ze in mijn hoofd kan kijken, en ik schaam me voor mezelf.

Wanneer de bel weer rinkelt en de mensen overeind komen, sta ik stijf van de spanning en stroom ik over van stomme emoties. Als dit gebeurt als ik mijn hoofd leegmaak, dan kan ik dat maar beter niet nog eens doen.

Ik besluit om het gemeenschappelijke ontbijt over te slaan en me ergens te verstoppen tot ik de yogales heb gemist.

Sam en Amber zijn gemakkelijk over te halen om zich samen met mij voor alle groepen mensen te verstoppen. Alle ashramleden samen zijn een mengeling van de gezonden en de ongelooflijk bizarren. Er zijn heel veel mensen, mannen en vrouwen, in willekeurig wapperende gewaden. Er zijn vrouwen met vlechten. Er zijn ernstig kijkende mannen met een geestdriftige bekeringsdrang in hun ogen waardoor ik het liefst zo ver mogelijk bij ze vandaan wil rennen. De blanke mensen zien er het vreemdst uit.

We belanden in het bezoekerscafetaria en ook al is het pas half acht, het voelt aan als twaalf uur 's middags. Buiten staan tafeltjes, op een betegeld terras, waar zich een buitenissige groep mensen heeft verzameld. Een paar tafeltjes verderop schrijft een bleek meisje in een boek en bijt op haar lip. Achter ons ruziën twee vrouwen in snel Tamil, althans ik denk dat het Tamil is, met heel veel handgebaren.

'Wat zeggen ze?' vraag ik.

Sam luistert een poosje.

'Ze bespreken wie er deze keer naar Pondi moet,' zegt hij, en hij luistert wat aandachtiger. 'En ze hebben het over "de kinderen". Ze regelen iets voor de wezen.'

'Vraag ze eens naar het Kindercentrum,' spoort Amber hem aan.

Hij slaat zijn ogen ten hemel en gaat naar hun tafeltje. We zien hem praten, naar ons wijzen en knikken als de vrouwen antwoorden. Een minuut later is hij terug.

'Ze weten alles over je, Tansy,' zegt hij met een knikje naar me. Amber is onder de indruk. Ik heb nooit beseft hoe gemakkelijk het is om jonge mensen te imponeren. Ze lijkt zich aan me te hechten. 'Ze zeggen dat Ellie het over je heeft gehad en dat zelfs Anjáli heeft gevraagd wanneer je komt.'

'Anjali de "spirituele leider"? Weet je dat ze vanochtend voor de groep zat? Volgens Maya.'

'Dat kan niet. Gezien de manier waarop ze het over haar hadden, moet ze minstens veertig zijn.'

'Ooo,' zeg ik. 'Stokoud.'

'Nou, dat moet ze wel zijn. De vrouw van vandaag is vast een andere Anjali. Ze zeiden dat je vandaag naar het Kindercentrum moest gaan om even kennis te maken.'

Ik kijk naar de vrouwen. Ze glimlachen en zwaaien.

Ik vraag me af of er nog een Anjali is. Ik stel me iemand voor van rond de zestig, met een vriendelijk gezicht en een rechte rug. Dat lijkt logischer dan de knappe jonge vrouw die ik vandaag heb gezien, hoe onweerstaanbaar zij ook was. Maar ik weet nog op welke toon Maya zei: 'Dat is Anjali,' en op welke manier ze naar me keek, en ik weet dat zij het echt is.

Rechts van me bestuderen een paar mannen technische diagrammen en ze bespreken een soort technisch project in het Frans. Ze dragen identieke witte T-shirts en witte korte broeken en het lijkt alsof ze op het punt staan een tennisbaan op te stappen of misschien de set van een homopornofilm. Drie vrouwen in een fladderend gewaad lopen langzaam voorbij. Een van hen heeft een bord met lekker uitziende cakejes en gebakjes.

Sam grijnst. 'Kijk, ze hebben cake. Mam, mag ik een cakeje?'

'Je lijkt Toby wel,' zeg ik. 'Alleen ben ik je moeder niet. Maar ja, als verreweg de oudste aanwezige sta ik je toe om cake te eten. Maar wees voorzichtig. Misschien is het niet goed. Je kent de regels, Sam. Hou je bij de plaatselijke gerechten, dan kan er niet zo veel misgaan.'

'O, jawel,' werpt Amber tegen. 'Neem mijn broer, mijn stiefbroer. Die is hartstikke ziek geworden in Pakistan door plaatselijke gerechten te eten. Ik geloof dat het geit was.'

Daar denk ik even over na. 'Dat kan. Maar als je geen vlees eet, is het een stuk veiliger. En ik bedoel niet dat de cake giftig is, alleen dat hij misschien niet zo lekker is.'

'Ja, je hebt gelijk,' zegt Amber.

'Nou, duim maar voor me.' Sam staat op. 'Ik waag het erop.'

De cake is zwaar, als een spons van polystyreen. De thee is melkerig, geurt naar kardemom en is volmaakt. Ik zit in de cafetaria en observeer de mensen die langslopen.

Ik zie een groep kinderen opgaan in een spel terwijl ze op afstand blijven van de cafetaria en de vreemde gasten. Een jongen tekent iets met een stok in het zand en de anderen, drie meisjes, nemen een aanloop en springen er ritualistisch overheen. Ze lachen en duwen elkaar weg. Maar van tijd tot tijd kijken ze naar ons, slaan ze de vreemden gade, met een gezichtsuitdrukking die veel te alwetend is.

22

Ook het Kindercentrum is een lelijk betonnen gebouw, maar dit heeft een rieten dak. Er staat een hek om een groot grasachtig terrein waar een glimmend, nieuw uitziend klimrek en een glijbaan staan. Een man van middelbare leeftijd in een wit pak loopt weg en zegt 'goedemorgen' tegen ons. Ik knik terug en kijk naar de kinderen die buiten spelen.

Een jongen die iets ouder lijkt dan Toby staart naar me, zonder te knipperen of te glimlachen. Twee meisjes rennen naar het hek en zeggen 'hallo', steeds opnieuw. Ze dragen hun haar allebei in strakke vlechten en ze houden elkaars hand vast. Met mijn vingertop streel ik de foto's van Toby en Joe in mijn zak.

'Hallo,' zeg ik.

De zon schijnt fel op ons neer. De bladeren ruisen door het briesje in de verte.

'Hoe gaat het met u?' vraagt de oudste van de twee, die ik ongeveer op vijf schat.

'Met mij gaat het goed, leuk dat je het vraagt. En hoe gaat het met jou?'

'Goed.'

'Mogen we naar binnen?' vraagt Amber, en ze knikt naar het gebouw. De meisjes glimlachen en rennen voor ons uit naar binnen.

Vijf minuten later zit ik op de grond en zitten de kinderen op een respectabele afstand naar me te staren. In leeftijd variëren ze van baby's tot negen of tien. Ze kijken naar ons met donkere, fluweelachtige ogen. Een klein meisje kruipt naar me toe en ik neem haar op schoot. De anderen schuiven wat dichterbij. Amber gaat naast me zitten, duidelijk niet op haar gemak, en al snel heeft ze een groter kind op schoot dat haar rode haar streelt.

'Wat moeten we doen?' fluistert ze. Onhandig slaat ze een arm om het kind heen.

'Eh...' Dit heeft me nogal overvallen. We klopten aan om te vragen of we ergens mee konden helpen, en we werden direct naar deze kamer gebracht en daar achtergelaten. Ik probeer me voor te stellen wat Toby en Joe leuk zouden vinden. 'We kunnen ze een verhaaltje vertellen,' zeg ik aarzelend. 'Of een liedje zingen.'

'Ik kan geen liedje zingen!'

'Ook geen kinderliedje?'

'Nee!'

'Een verhaaltje, dan?'

'Zullen ze dat wel begrijpen?'

'Dat maakt niet uit.'

Ik probeer een verhaal te bedenken. Ik kan niet zomaar iets verzinnen, het moet iets zijn wat de aandacht trekt, zelfs al begrijpen ze de woorden niet. Dan weet ik het.

'We gaan op berenjacht,' zeg ik zo dramatisch mogelijk. Ik voel me heel dom, maar ik ga door en treed buiten mezelf. Als je jezelf niet voor schut kunt zetten in een kamer vol dankbare weeskinderen, is het slecht met je gesteld. Ik sta op en hou de baby met een hand vast terwijl ik de andere gebruik om willekeurige gebaren mee te maken. 'We gaan een grote vangen!' roep ik uit. 'Wat een prachtige dag.' Ik wijs op de lucht. 'Wij zijn niet bang!'

Ik werk het hele Berenjacht-boek af, uit mijn hoofd, de hele tijd met Joe's mollige gezichtje, glimlachend om de vertrouwde woorden, in gedachten. Nadat ik ben geëindigd met een opgelucht: 'Wij gaan nooit meer op berenjacht,' kijk ik naar mijn publiek. Tussen de verblufte gezichtjes zijn een paar aarzelende glimlachjes te zien.

'Nog een keer,' zegt een jongen.

'Wat was dat nou?' vraagt Amber. 'Dat was fantastisch. Heb je dat zelf verzonnen?'

'Nee! Dat is een van de lievelingsverhalen bij ons thuis,' zeg ik tegen haar. 'Kom mee. Doe jij deze keer ook mee. Het is niet moeilijk.'

We blijven er uren terwijl we ons drukken voor yoga. We verschonen katoenen luiers, borstelen haar, zoeken het wasgoed uit en reciteren het berenboek telkens weer. Het Kindercentrum heeft meer geld dan ik had verwacht. Er wonen slechts twintig kinderen (ik had rekening gehouden met honderden) en ze slapen op stapelbedden en in ledikantjes, met zijn vijven op een kamer, maar ieder met zijn eigen plekje. De oudere kinderen mogen gaan en staan waar ze willen in de ashram en meedoen met yoga en meditatie, terwijl de jongeren in de gaten worden gehouden door vrijwilligers, en op dit moment vervullen Amber en ik die taak.

Ik besluit om met vier van de kinderen te gaan lunchen in de cafetaria en kies ze willekeurig uit. Ik beloof de anderen dat zij ook aan de beurt zullen komen. Drie meisjes en een jongetje, Amber en ik zitten aan een tafel. De kinderen spreken een beetje Engels en we praten zo goed en zo kwaad als het gaat met elkaar terwijl we heel veel glimlachen.

'Spreek Engels,' zegt de jongen steeds maar weer. De jongere meisjes fluisteren tegen elkaar. 'Denk je dat zij geloven dat we hen gaan adopteren?' vraag ik aan Amber. 'Misschien moeten we niet zo lief voor ze zijn.'

'Laat ze je zoontjes zien,' raadt ze me aan. 'Dan weten ze dat je al kinderen hebt.'

Zo gezegd, zo gedaan. Ik pak de foto's van Toby en Joe en

laat ze de kring rondgaan. De kinderen lachen en het jongste meisje geeft ze allebei voorzichtig een kusje.

'Mijn broer,' zegt de jongen.

'Nee!' zeg ik tegen hem. 'Niet je broer. Sorry. Nou ja, in de geest misschien.' Ik kijk Amber aan. 'Maar deze kinderen worden toch niet geadopteerd? Ellie spoort alleen hun familie op. Denk je dat ze dat weten?'

'Eh... Ik heb geen flauw idee.'

De stem die ons onderbreekt is scherp en vijandig.

'Bent u mevrouw Tansy?'

Ik kijk om en zie een Indiase vrouw met dikke brillenglazen naast me staan. Haar ogen worden vergroot en ze lijkt op een kikker. Ze draagt een paarse *salwaar khameez* en ze is blootsvoets en heeft lang haar.

'Ja,' zeg ik. 'Ik ben mevrouw Tansy.'

'Ik ben Enid. U hebt de sessie van vanochtend gemist! Dat is onduldbaar.'

Ik lach. 'Nee. Sorry, Enid, maar er is een misverstand. Ik ben hier voor de kinderen.' Ik wijs naar ze. 'Niet om yoga te doen. Ellie heeft me alleen aangemeld voor je cursus omdat ze hier niet is en ze dacht dat ik iets te doen moest hebben. Maar in plaats daarvan help ik met deze jongens hier. Dus geef mijn plek gerust aan een ander.'

Ze schudt haar hoofd en haar mondhoeken wijzen omlaag. 'Er is betaald. Aanwezigheid is verplicht.'

'Betááld?'

'Natuurlijk. Twee weken intensief.'

'Maar ik ben hier maar voor een paar weken! Je cursus is vast fantastisch, maar ik ga hem echt niet doen. Wie heeft er betaald?'

Ze haalt haar schouders op. 'Ellie heeft namens jou betaald. Je moet vanmiddag komen. Anders zal Anjali je verzoeken om te vertrekken.'

Ik staar haar aan. Amber giechelt. De kinderen hebben grote ogen opgezet en zijn zenuwachtig. Blijkbaar kennen ze Enid: ze schuiven bij haar vandaan.

'Wat?' vraag ik aan haar. 'Ben je gek of zo?'

'Helemaal niet.'

'Dat zou Anjali echt niet doen.'

'Reken maar van wel.'

Als de duisternis invalt, strompel ik over het bospad dat naar het Kindercentrum leidt en neem me heilig voor om nooit, echt nooit meer naar yoga te gaan. Ik haat Enid en alles waar ze voor staat en alles wat ze doet. Ze heeft me deze middag drie uur achtereen gemarteld terwijl ik bij de kinderen had kunnen zijn.

Wanneer het donker wordt, lijkt het net alsof er een gordijn omlaag komt. Het ene moment bewonder ik de schemerende zonsondergang en het volgende kan ik het pad voor me niet meer zien. Ik blijf staan. Ik steek mijn handen naar voren, dan opzij, in een poging mijn positie te bepalen. Ik begin met piepkleine stapjes vooruit te lopen. Niets is hier verlicht, helemaal niks. De bomen blokkeren het restje daglicht dat er nog is. Ik buig me opzij en tast naar een boom om op te leunen.

Voor mijn gevoel sta ik uren stil en ik vraag me af, heen en weer slingerend tussen geamuseerdheid en angst, hoe ik moet terugkomen bij het gastenverblijf terwijl ik daar nog heel ver vandaan ben. Ik wacht tot er iemand op een fiets langskomt, maar dat gebeurt niet. Ik hoor de geluiden van het bos en voel mijn hart kloppen in mijn keel. Voor het eerst in dagen denk ik aan vroegere gevaren.

Als mijn middel zacht wordt omvat door twee handen, hap ik geschrokken naar adem.

'Rustig maar,' zegt een vrouwenstem. Het is een zachte stem met een zwaar accent. 'Ik heb een zaklamp. Waar moet je heen?'

Ik slaag erin 'het Vredige Toevluchtsoord' te zeggen.

‘Deze kant op. Alles komt goed. Hier. Geef me een hand.’

Haar hand is zacht en sterk. Ze leidt me vlug over bospaden en zegt af en toe dingen als ‘er komt een grote steen aan’, tot we uitkomen naast de Grote Zaal. Dan neemt ze me mee over het korte pad naar het gastenverblijf, maar ze blijft staan zodra we het licht ervan zien. Ik kan haar totaal niet zien. Ze heeft ervoor gewaakt om op zichzelf te schijnen met haar zaklamp.

‘Heel erg bedankt,’ zeg ik. ‘Wie ben je?’

Ze streelt mijn haar. Een onverwachte scheut elektriciteit gaat door mijn lichaam.

‘Ik ben Anjali,’ zegt ze, en daarna is ze weg.

23

Ik lig op de veranda onder de zwakke buitenverlichting en laat me steken door de zwermen muggen. Het is donker, maar nog warm en ik heb nergens puf voor. De achterkant van mijn benen staat in brand. Mijn armen trillen.

'En?' vraagt Sam. 'Hoe was yoga? Ik kan niet geloven dat je echt bent gegaan.'

'Ik ook niet. Ze is een in en in gemene vrouw.'

'Vond je het niet leuk?'

'Ik heb de hele middag in een kamer met Duitsers gezeten terwijl ik de ene na de andere stomme positie moest aannemen van de verrekte Taliban,' zeg ik tegen hem. 'Als het me zelf niet lukte, rukte ze mijn ledematen in de goede houding. Ik zat gewoon te wachten tot mijn kniepees zou scheuren.'

Lachend zegt hij: 'Klinkt leuk. Maar ik geloof niet dat de Taliban zo te werk gaat.'

'Maar het klinkt inderdaad leuk,' zegt Delphine. 'Iets heel ongewoons voor jou! Dat is goed.'

'Ga jij morgen maar in mijn plaats,' zeg ik tegen haar.

'Ja, graag!'

'Er is daar niet eens een klok. Ik zat maar te wachten tot het was afgelopen. Ik dacht dat ze halverwege wel een pauze zou houden, maar ze ging maar door. En die kamer was de heetste, stinkendste, stoffigste...' Ik hou op omdat ik geen energie meer heb. 'En op de terugweg raakte ik de weg kwijt in het donker.'

'Ja,' zegt Amber. 'Je doemde ineens uit het niets op.'

'Ik werd gered,' zeg ik, maar vreemd genoeg verzwijg ik de rest.

Plotseling gaat het elektrische licht aan. Aan de bovenkant van de veranda zitten tl-buizen. Het trekt direct zwermen insecten aan, als ijzerdeeltjes op een magneet.

Vrouwen dragen potten eten naar een bijzettafel en zetten op verschillende plekken borden met chapatti's op de eettafel. De vrouw die gistermiddag zo opvallend zat te mediteren, is nu druk in de weer met het pakken van stapels borden, glazen en kannen water.

De mensen verschijnen allemaal tegelijk. Bijna niemand praat. Ze gaan gewoon in een rij staan en beginnen rijst, curry en wat er nog meer in de potten zit op hun bord te scheppen. Net als gisteren probeer ik me ertussen te voegen. Ik merk dat de mensen naar me kijken, al zegt niemand iets, en ik probeer hun blik langer vast te houden dan zij de mijne. Een paar gezichten komen me bekend voor van yoga, maar geen van hen lijkt mij te herkennen.

Sam en Amber mompelen tegen elkaar, een ongelukkig klinkend gesprek dat ik niet kan verstaan. Ik ga tegenover hen aan de lange buitentafel zitten. Een vrouw met kortgeknipt grijs haar en een streng gezicht gaat naast me zitten. Ik herken haar.

'Hallo,' zegt de grijsharige vrouw. 'Welkom. Ik ben Helga.' Tot mijn verbazing buigt ze zich naar me toe en geeft een zoen op mijn wang. Ik probeer te doen alsof dat heel gewoon is en kus snel de lucht naast haar wang alsof ik in Londen op een mediafeestje ben.

'Dag, Helga,' zeg ik. 'Ik ben Tansy. Jij doet ook yoga bij Enid. Hoe lang ben je hier al?'

'Vier weken. Mijn programma zal binnenkort voorbij zijn en dan ga ik een poosje weg, maar ik ben van plan om daarna nog een paar weken terug te komen.'

'Echt waar? Vind je het hier dan fijn? Doe je een programma van vier weken? Hoe kun je Enid zo lang verdragen?'

'Het wordt gemakkelijker. Dat merk je nog wel.'

'Ben je Duits?'

'Ja, uit het voormalige Oost-Duitsland. Hoe lang wil jij blijven?'

'Ik heb geen idee.'

'Dat is de beste manier.'

Ons gesprek wordt onderbroken door een schreeuw een stukje verderop aan de tafel.

'Hallo, daar!' roept de man met de grote buik, degene die de hele tijd Harry Potter zit te lezen. Zo te horen is het een Amerikaan. Hij klinkt alsof hij vanaf zijn eigen dek een andere boot roept.

'Dag,' zeg ik tegen hem.

'Ha!' roept hij. 'Nog een Engelssprekende. We moeten elkaar steunen.'

Ik kijk naar Helga die toegeeflijk glimlacht.

'Ja, hoor,' stem ik in, en ik wend mijn blik af.

Ik schep mezelf drie borden wortel en okracurry met zilvervliesrijst op. Ik drink vijf glazen water en kom tot de ontdekking dat ik niet eens alcohol wil. Niets verdrijft de behoefte aan bier beter dan om vijf uur opstaan en de hele middag yoga doen. Als mijn fles mineraalwater leeg is, hou ik op met drinken omdat ik het kraanwater in de kan op tafel niet vertrouw.

Ik praat met Helga. Dit is wat ik wilde: willekeurige gesprekken met mensen die toevallig tegelijkertijd op dezelfde plek zijn als ik.

'Vertel eens, waarom ben je eigenlijk hierheen gegaan?'

Helga vertelt me over een bittere echtscheiding en een middernachtelijke openbaring dat ze naar India moest gaan, dat haar volwassen kinderen zich prima zouden redden als ze dat zou doen.

'Jij kent Ellie en het Kindercentrum,' zegt ze. 'Ik sta vierkant achter het werk dat ze doen. Zoals je weet komen er in de nabije toekomst een paar plaatsen vrij in het centrum. Ik ga naar Chennai om de weeshuizen daar te bezoeken en te kijken welke kinderen we hier in de ashram kunnen helpen.'

'O, dat is geweldig.' Ik vraag me af of Ellie mij ook zoiets wil laten doen. Ik vermoed van wel.

'Zijn er veel weeshuizen in Chennai?'

'Ja, natuurlijk.'

'Het verbaasde me hoe weinig echte armoe ik zag toen ik er was. Ik lette op kinderen, maar de meesten die ik zag waren goed gekleed en doorvoed. Er waren wel een paar bedelaars, maar ik had van iedereen gehoord dat het vreselijk en heel pijnlijk zou zijn, en, nou ja, dat viel eigenlijk heel erg mee.'

Helga glimlacht treurig. 'Je wordt er niet echt met je neus op gedrukt, hè? Je moet weten waar je moet kijken, maar nee, het is lang niet zo rooskleurig als de stadsbestuurders het willen doen voorkomen.'

Ik pak nog een chapatti om het restant van mijn curry op te soppen.

'O, tuurlijk is het vegetarisch,' zegt de Amerikaanse man heel hard. 'Maar er is wel een verschil tussen vegetarisch en groenten!'

Niemand weerspreekt zijn bewering, dus ik buig me wat voorover.

'Meen je dat nou?' vraag ik.

'O, absoluut,' zegt de man. 'In India eten ze niet graag groenten.'

Ik begin keihard te lachen, maar sommige vrouwen aan tafel knikken instemmend. Deze man lijkt ervan te genieten om het hoogste woord te hebben en de vrouwen lijken zich daarin te schikken. Typisch, denk ik kwaad. De enige persoon aan tafel die voortdurend aan het praten is, is een man.

Eigenlijk zitten er twee mannen aan tafel. Sam vouwt een chapatti in vieren; hij lijkt half te slapen, maar als hij me naar hem ziet kijken, geeft hij me een knipoog. Ik wend me weer tot de Amerikaan en zie dat hij in het licht van de lantaarn naar mijn decolleté kijkt.

'Hoe kun je in godsnaam zeggen dat ze geen groenten eten?' vraag ik. 'Dat is belachelijk.' Ik kijk naar mijn bord. 'Kijk hier,' zeg ik, er met mijn vork in prikkend. 'Wortel. Groene dingen. Vegetarische curry. Gemaakt van groenten.'

'Ja, schatje, dat is precies wat ik bedoel,' zegt hij tegen mijn borsten. 'Híér gebruiken ze groenten. Ze verbouwen ze en eten ze. Ik bedoel élders in India.'

'Ja, hoor,' zeg ik. 'Aloo gobi? Channa masala. In een groentebiryani zitten groenten, zoals de naam al zegt. Enzovoort, enzovoort. In Saravana Bhavan in Chennai hadden ze zo veel groenten dat ik een derde keer moest opscheppen omdat ik ze zo lekker vond.'

Hij dwingt zijn blik omhoog naar mijn gezicht.

'Je bent een heel knappe vrouw,' zegt hij. 'Ik ben Nick en ik hou wel van een meisje met pit. Maar vertel eens, liefje, hoe lang ben je al in India?'

Ik ben woedend.

'Een week,' geef ik toe. 'Maar ik woon in Londen en...'

'Een week. Je eerste keer?'

'Ja, maar ik ben wel in...'

Hij kijkt stralend naar zijn publiek en spreidt zijn handen uit. 'Ik bedoel maar.'

'O, flikker een eind op,' zeg ik. 'India heeft een miljard inwoners en alleen de bewoners van deze ashram hebben de geneugten van groente ontdekt? Doe niet zo achterlijk.'

Mensen schuiven bij me vandaan. Ik haat Nick. Ik richt me heel nadrukkelijk weer tot Helga, al blijf ik Nicks blik op me voelen.

'Vertel eens over de kinderen,' zeg ik haastig tegen haar. 'Hoe bepaal je je keus? En wat gebeurt er dan?'

'O,' zegt ze. 'Nou ja, jij bent Tansy, Ellies collega. Je weet hoe het gaat. We zoeken familieleden of mensen die ze in huis kunnen nemen. Als een kind een tehuis heeft gekregen, vullen we zijn plaats met een ander die hulp nodig heeft. Zoals je weet, krijgen veel kinderen binnenkort nieuw onderdak.'

Ik doe alsof ik begrijp waar ze het over heeft en knik ernstig. Het bevalt me wel dat ik Ellies collega ben.

'Er is hier meer welvaart dan je verwacht, als je uit Europa komt,' zeg ik wat later, een heel ander onderwerp aansnijdend. 'Ik bedoel, gisterochtend droeg ik mijn dure broek en toen heeft een vrouw daar een foto van genomen omdat ze er ook zo een wilde.'

'Twee maten kleiner en in ecru,' roept Amber giechelend vanaf de andere kant van de tafel.

'Precies. Maar er waren geen hordes bedelaars. De enige mensen die me zagen waren de riksjabestuurders.'

'O, ja, daar word je soms gek van,' zegt Helga, maar Nick leunt over de tafel heen en onderbreekt haar.

'Niet op eerste indrukken afgaan, Tamsin!' roept hij.

Ik kijk hem kwaad aan. 'Tansy.'

'Candy,' zegt hij.

'Tansy,' herhaal ik.

'Nou, Tammy,' zegt hij snel, 'dus alleen omdat er geen bedelaars aan je rokken hangen, denk je dat ze niet bestaan? India heeft het armoedeprobleem snel opgelost, is het niet? En daar kun jij over oordelen omdat je hier al, nee maar!, een week bent!'

'Je hebt geen flauw idee waar we het over hadden,' gil ik. 'Je luisterde niet eens.' Ik werp hem een van mijn speciale woedende blikken toe. 'Hoor eens, Míck,' zeg ik. 'Ik kan ook heel goed beledigend zijn, maar in dit geval was ik niet degene die beledigend deed. Ik was geïnteresseerd in...' Ik wijs op de vriendelijke vrouw omdat haar naam me door mijn woede even is ontschoten.

'Helga,' zegt ze.

'In wat Helga te vertellen had. En ik had het niet tegen jou. Al lijkt dat een geheel nieuwe ervaring voor je.'

Nick zet grote ogen op en buigt zich overdreven bij me vandaan, zijn beide handen opstekend om me af te weren.

'Nou, dames,' zegt hij. 'Ik denk dat de maaltijden hier een heel stuk levendiger zullen worden.'

'Val dood,' zeg ik tegen hem. 'Wat een fantastische manier om iemand welkom te heten aan je kuttafel. De meeste mensen hier doen iets nuttigs en zitten niet de hele dag een kinderboek te lezen in een T-shirt dat veel te klein is.'

Uit de duisternis klinkt een lach. We kijken allemaal om en staren de avond in.

Ik hoor iemand over het lage muurtje springen.

'Ik hoef niet te vragen of ik op de goede plek ben,' zegt Ellie die met grote passen op me afkomt. Ze klinkt nog altijd Australisch en is nog net zo klein als vroeger. Ze lacht opnieuw als ik met een stralende lach opsta. 'Het is jaren geleden dat ik haar voor het laatst heb gezien, maar ze is geen spat veranderd.'

24

Ellie is een snelle en behendige chauffeur en ik smoor mijn kreten als de motor schokkend over het oneffen pad door de Indiase avond rijdt. De lucht is gevlekt met wolken: de felle stippen van de sterren onderbroken door stukken dreigend zwart. Alles voelt opnieuw vreemd en buitenlands.

Ik kan de spieren in Ellies strakke kleine lijf voelen. De warme wind blaast in mijn gezicht en laat mijn haar achter me wapperen. Ik heb geen idee waar we heen gaan. Op dit moment zitten Toby en Joe te eten met Max en missen mij. Ik denk aan Max, die thuiskomt bij hen en die elke nacht zonder mij in ons bed slaapt, zich uitstrekt op mijn kant en geniet van de extra ruimte.

Ik gooi mijn hoofd in mijn nek, kijk naar de hemel en ruik de warme avondlucht.

We verlaten het weggetje en rijden een smal stenen paadje op. Het lange gras langs de kanten en de aarde van het pad worden even verlicht als we erlangs rijden, als in een horrorfilm. Verder daalt de duisternis overal neer. Het pad gaat het bos in en de bomen aan weerskanten steken over het pad heen en strijken af en toe langs ons. De motor rijdt over een grote steen en ik pak Ellie steviger beet, ervan overtuigd dat ik zal vallen.

Ze woont echt in een hut. Er brandt buiten een lantaarn en tussen de bomen zie ik een paar andere huisjes. Een stukje bij het huis vandaan is een vreugdevuur gebouwd, maar nog niet aangestoken.

Ellie parkeert de motor heel zorgvuldig, draait zich met een grijns naar me toe en nodigt me zwijgend binnen. Ik geniet van haar aanblik.

De hut is van hout, met een rieten dak, maar binnen voelt het broos, als een tent. De vloeren zijn van licht hout en de muren zijn bekleed met witte stof, net als de Grote Zaal. Ik stommel rond en durf niks aan te raken, omdat ik ervan overtuigd ben dat het hele huisje dan zal instorten. Vanbinnen is het verrassend ruim, met kamers die uitkomen op andere kamers waarvan de deuren gesloten zijn.

'Het is net de Tardis van Doctor Who,' zeg ik, en ik denk aan Toby.

'Ja,' zegt Ellie. Ze kijkt me glimlachend aan. Vroeger was ze gewoontjes en jongensachtig, maar in de loop der jaren is ze op de een of ander manier tot bloei gekomen. 'Wat is dat precies? Vorige week waren hier andere Britten en die zeiden precies hetzelfde toen ze binnenkwamen: "Het is net de Tardis." Ik zei: "Ja, dat weet ik," maar wat is een Tardis in vredesnaam?'

Ik kijk toe als ze vier bekers van tafel pakt en in een emmer zet, klaar om afgewassen te worden.

'Heb je in Australië nooit een kinderserie van de BBC gezien die *Doctor Who* heette?'

Ze fronst haar wenkbrauwen. 'Misschien werd die uitgezonden toen ik klein was. Ik keek niet veel tv. Ik was nogal een vreemd kind.'

'Het is onlangs nieuw leven ingeblazen. Echt, het is te gek. Waarschijnlijk is het langs je heen gegaan.'

'Daarom heb ik dus geen flauw idee waar je het over hebt.'

'Nou, de Doctor is een tijdsheer en hij reist door de tijd en de ruimte in een blauwe politiecel. Die is vanbinnen veel groter dan vanbuiten. Tardis staat voor *Time And Relative Dimension In Space*.'

Ellie kijkt me een beetje vragend aan, en kijkt vervolgens haar huis door en knikt. 'Tof. De Tardis. Zo kan ik mijn huis wel noemen. Dan laat ik de kinderen een naambordje voor me maken om buiten op te hangen. Alle anderen geven hun huis een naam als "Waarheid en harmonie" of andere onzin.'

'Ja.'

Ellie loopt haastig naar een houten bureau en pakt een stapel papier. Ze opent een la, laat alles erin vallen, draait de sleutel om en doet die aan een dun zilveren kettinkje om haar hals. Alles bij elkaar duurt het tien seconden, misschien wel minder.

'Waar ben je geweest?' vraag ik.

'In Delhi. Sorry. Heeft Maya je mijn briefje gegeven?'

'Ja. Ellie was in Delhi.'

'Ellie was in Delhi,' beaamt ze. 'Hé, kijk eens. Ik heb bier voor je.' Ze haalt een enorme fles Kingfisher uit een emmer water in de hoek, schudt de druppels eraf en opent hem met een metalen flesopener die in de muur verankerd lijkt.

'O,' zeg ik. 'Dank je. Proost.'

'Ik mag je bijna tien jaar niet hebben gezien, maar ik weet dat je nog altijd een drankje nodig hebt,' zegt ze opgewekt. 'Dat heeft Max me verteld. Wedden dat je niet eens wist dat Tamil Nadu drooggelegd is. Nou ja, min of meer. Neem plaats.'

Langs een muur liggen grote gekleurde kussens. Ik laat me langzaam zakken op een donkerrood exemplaar en staar haar aan. Ze is druk bezig iets wat alleen cannabis kan zijn in een vloeitje te strooien.

'Dat heeft Max je verteld?' slaag ik erin uit te brengen.

Ze likt aan het papier en sluit haar joint.

'Ja. Vond je de yoga leuk?'

'Nee, vreselijk.'

'Pech. Dat kwam ook van Max.'

Verbaasd kijk ik haar aan. 'En ik dacht dat ik hem in Londen had gelaten. Wat precies?'

'O, hij vroeg of ik iets leuks voor je wilde regelen. Vandaar die yoga. Ik weet niet zeker of hij dat bedoelde, maar dit is natuurlijk geen kuuroord. Zeg maar niet tegen hem dat ik er niet was toen je aankwam. Ik heb gezegd dat de meeste mensen Enids yoga leuk vinden. Hij zei dat hij je graag eens in de lotushouding zou zien.'

'Ik haat Enids kutyoga. En ik haat Enid.'

'Voor je het weet, hou je van haar. Stockholmsyndroom? Je zult van haar houden omdat ze de totale controle over je leven heeft tijdens haar lessen. Zo gaat het altijd. In het begin hebben de mensen een hekel aan haar, maar uiteindelijk aanbidden ze haar.'

'Ik denk niet dat ik nog een keer ga.'

'O, ze zal je echt niet laten ontsnappen.'

'Maar goed,' zeg ik, en ik bekijk haar eens goed en grijns. 'Daar ben ik dan! En daar ben jij! Ik kan het nog niet echt geloven.' Ze neemt een trek van haar sigaret en inhaleert diep. Ik nip van mijn bier.

'Het is waanzinnig om je te zien,' zegt ze. 'Je bent nauwelijks veranderd.'

'Jij wel. Je ziet er heel kalm en vredig uit. Vroeger verschool je je achter je bril. Het leek net alsof je pas tien was, en dat was heel verraderlijk. Nu zie je eruit alsof...' Ik kijk haar aan. Haar lichtblonde haar is langer dan eerst, tot op haar schouders, en krult een beetje. Of ze heeft definitief afscheid genomen van haar bril of ze draagt contactlenzen. Ze heeft de onberispelijke houding van een fanatieke yogabeoefenaar. Ze draagt een los geel topje en een broek van oranje zijde. 'Nou, je ziet eruit als iemand die in een ashram woont. En je lijkt minstens twaalf.'

'Nou, het is ook al een hele poos geleden. Vijf jaar, toch?'

Ze is zo mager dat ik zeker weet dat ik haar met één arm kan optillen. Ik zie dat haar gezicht, in ontspannen toestand, strak is. Ze lijkt minder ongecompliceerd dan vroeger.

'Acht,' zeg ik. 'Niet vijf. Toby is bijvoorbeeld al zes.'

'O, ja. Nou, dat hou ik allemaal niet zo bij. Vooral niet de leeftijd van andermans kinderen. Er is niets saaier dan dat.'

'O. Ja, dat zal best. Dat kan ik me voorstellen.'

Ze leunt tegen een turkooizen kussen, sluit haar ogen en inhaleert diep, waarna ze tevreden uitademt. Vervolgens geeft ze de joint aan mij.

'Nee, dank je. Ik gebruik geen downers. Die zijn slecht voor me.'

'Alcohol is een downer.'

'Dat is anders. Het is legaal. Ik ben eraan gewend geraakt.'

Buiten krijst iets. Ik spring op. 'Wat was dat?'

'Meneer Uil. Tans, het is echt fijn om je weer te zien. Ik heb hartstikke vaak aan je gedacht. Ik wou dat Max ook mee was gekomen. Dat heb ik tegen hem gezegd. Hij had niet echt een goede reden.'

'Nee, als je hier bent, lijkt dat niet zo. Maar hij heeft het druk, daar. Tevreden met zijn leven en zo.'

Het kamertje is gevuld met een bedwelmende rook.

'Zeg, gaan jullie uit elkaar?' vraagt ze sloom. 'Ik bedoel, echt. Max maakte zich zo veel zorgen om je. Er zit iets niet helemaal lekker, hè?'

Ik schop mijn sandalen uit en leun achterover. Het is heel vreemd om lauwe pils uit een gigantische fles te drinken, maar iets weerhoudt me ervan om een glas te vragen. Alles voelt raar, maar toch heb ik een vreemd gevoel van welbehagen.

'Nee!' zeg ik. 'Natuurlijk niet. Ik ben hier omdat je gevraagd hebt of ik wilde komen. Hij heeft me wel een beetje aangemoedigd om te gaan, zodat ik weer gelukkig kan worden, maar dat heeft niks met ons huwelijk te maken. Hoezo, wat heeft hij jou dan verteld?'

'Niet veel. Dus hij heeft zijn reis nooit willen afmaken?'

Ik sla mijn ogen neer. 'Voor hem was het gewoon minder belangrijk. Hij was hier al een keer geweest. Pondicherry oefent op hem niet de magische aantrekkingskracht uit als het in de loop der jaren op mij heeft gedaan. Voor mij is het het paradijs op aarde. Het is de opwindendste, meest exotische, meest afwijkende-van-de-norm-plek op aarde. Het was niet gewoon Pondicherry, een stad in Zuid-India waar Max zou gaan werken als docent Engels, maar Pondicherry, de plaats waar we, in een parallel universum, allemaal een gelukzalig leven aan zee zouden leiden. Waar ik volmaakt zou zijn, net als alle andere mensen en dingen.'

Ellie glimlacht. Waarom heb ik al die jaren geleden niet gezien hoe knap haar gezicht is?

'Ja,' zegt ze giechelend. 'Dat is ook wat mij hier heeft gebracht.'

Verbaasd kijk ik haar aan. 'Echt waar? Hoe is dat zo gekomen?'

Ze haalt haar schouders op. 'Ik had zelf geen echte bestemming, dus heb ik de jouwe geleend. Jij ging naar huis en de rest maakte ruzie als nooit tevoren.' Ze kijkt me grijnzend aan en eindelijk vallen de jaren weg. 'Opeens was jij verdwenen,' zegt ze. 'Ik was doodsbang en ik bleef in Kathmandu met Greg en Juliette tot Max uit Engeland mailde om te vertellen dat alles goed was met jou. Toen had ik iets van: En nu? Voor het eerst in tijden was ik single. Max en jij waren weg. Ik praatte niet meer met Eddy. Greg en Juliette gingen terug naar Laos. Gabe bleef in Tibet. Ik was helemaal alleen. Dus besloot ik om jouw reis te stelen.' Met een afwezige blik in haar ogen leunt ze achterover. 'Ik heb het heel langzaam gedaan. Ik ben naar Dharamsala gegaan om de dalai lama op te zoeken, maar ik kreeg er de balen van omdat er allemaal lui als ik rondliepen. Die waren echt strontvervelend en dat bezorgde me een existentieel crisisje. Ik ben dwars door India naar het zuiden getrokken. Elke keer moest ik een nieuwe visum regelen, maar omdat ik toch geen plannen of deadlines had, vond ik het niet erg om dagen of weken bij overheidsgebouwen rond te hangen. Uiteindelijk belandde ik, zoals gepland, in Pondi.' Ze lacht. 'Eigenlijk was het heel gaaf. Pondi lijkt in niets op andere plaatsen. Het stelt zeker niet teleur. Vervolgens ben ik hierheen gegaan omdat het een interessante verblijfplaats leek terwijl ik bedacht wat ik zou gaan doen. De jaren verstreken. En ik ben hier nog steeds.'

'Ik had niet verwacht dat jij op een plek als deze zou eindigen.'

Plotseling klinkt er een kreet uit de andere kamer. Eerst denk ik dat het een beest is. Dan, als het nog een keer gebeurt, een hoog jammerkreetje, besef ik dat het een baby is.

Met een zucht kijkt Ellie om zich heen.

'Ik ga over een paar minuutjes wel naar haar toe.'

'Heb jij een baby?'

Ellie lacht. 'Nee, zeg. Ik heb echt geen kutbaby. En dat zal ook nooit gebeuren. Het is een klein meisje. Tara. Je hebt haar gezien in het KC. Ze zijn trouwens helemaal verrukt over jouw verhaal over de beer.'

'Het verhaal is niet van mij.'

'Voor hen wel. Maar goed, Tara is een lief ding, maar ze slaapt slecht. Ik heb een paar familieleden van haar gevonden in Kashmir en die zijn met me mee teruggegaan om haar op te halen. Ik heb ze in Delhi ontmoet. Ze zijn net in het "elkaar leren kennen"-stadium.'

'Zijn dat de mensen die in jouw woning verblijven? Is Tara's familie op dit moment hier?'

Ellie knikt. 'Precies. Dat is een regel van Anjali. Wij nemen de kinderen op en proberen hun verwanten op te sporen en ze bij een familielid onder te brengen. Wij helpen met de papierwinkel. Niet dat het de officiële instanties iets kan schelen, maar je moet wel het juiste formulier onder de neus van de juiste figuur kunnen houden.'

'Waar zijn de mensen uit Kashmir dan?'

'Een avondje in Pondi.'

'Heb je de baby alleen gelaten toen jij me kwam halen?' Het verbaast me hoe schokkend ik dat vind terwijl ik nota bene voortdurend heb gefantaseerd over weggaan bij mijn gezin, wat ik nu eindelijk heb gedaan.

Lachend zegt Ellie: 'Kijk niet zo! Er is niks aan de hand. Ze was hier volmaakt veilig.'

'Maar stel dat je huis in brand was gevlogen?'

'Hoe vaak gebeurt dat nou spontaan? Het kan alleen in de hens vliegen als ik hier rook, en ik was er immers niet.'

Omdat ik het gehuil niet meer kan verdragen, sta ik op en loop op het lawaai af. 'Mag ik haar halen?' Ellie knikt. Ik duw een deur open en loop struikelend naar het gejammer. Als mijn ogen gewend raken aan de duisternis, zie ik de vorm van een kind onder een verdraaid laken in de hoek van een slaapkamer. Ik til haar op. Ze verzet zich niet, maar nestelt zich ook niet tegen me aan. 'Herinner je je de tsunami?' vraagt Ellie als ik terugkom met Tara op mijn heup. Ze is heel klein, maar wel ouder dan haar grootte suggereert.

'Ja, natuurlijk.'

'Ja, ja, die herinner jij je nog omdat je tv keek in je grote, van alle gemakken voorziene huis in Londen en die vreselijke beelden uit Azië zag. Toen heb je de tv vast weer uitgezet omdat de beelden te erg waren en je niet wilde dat je kinderen ze zagen.'

Ik ga niet in op het 'grote, van alle gemakken voorziene huis', omdat het daar niet echt om gaat, en ik knik.

'Hier was het onvoorstelbaar, een catastrofale verwoesting. In Pondi. In al die dorpjes waar je doorheen bent gekomen vanuit Chennai. Vooral in een stadje dat Mamallapuram heet. Een vissersdorpje dat compleet is weggevaagd. Je hebt geen idee van de omvang ervan omdat je je zoiets echt niet kunt voorstellen.'

Ik knik.

'En nu,' gaat ze verder, 'jaren later, zijn degenen van wie het leven is verwoest voornamelijk kinderen. Ze hebben hun familie verloren. Tara was een pasgeboren baby'tje, de enige overlevende van haar gezin, omdat haar moeder erin slaagde om haar naar iemand op een dak te gooien. Er zijn wel echte weeshuizen, maar geloof me, dat zijn macabere plekken. Het KC is geen weeshuis en we hebben nooit meer dan een paar kinderen tegelijk. Dat heb je met eigen ogen gezien. We vragen de leefgemeenschap om hulp, zodat iedereen een oogje op ze kan houden en een beetje verantwoordelijk is. De echte weeshuizen hier in de buurt worden geleid door prima mensen die over het algemeen goed werk doen, maar ze zijn vreselijk naargeestig. Wanneer we maar kunnen, halen we de kinderen daar weg.'

'Die arme schatjes.' Ik streel Tara's haar. 'Ik ben heel blij dat ik ben gekomen. Wat wil je dat ik doe?'

Ze kijkt me aan. 'Jij hebt twee jongens. Ik wens vaak dat internationale adoptie gemakkelijker was. De meeste wezen zijn meisjes. Jij had er eentje kunnen nemen. Dat was het beste geweest wat je had kunnen doen, de problemen van de hele wereld voor één persoon oplossen.'

Ik lach. 'Ellie, ik ben een moeder van niks.'

Over haar sigaret heen kijkt ze naar me. 'Een moeder van niks? Dus jij zou werkelijk een weesmeisje negeren in een van vlooien vergeven kamer waar ze met nog veertig anderen slaapt op de betonnen vloer en schijt in een hoek?'

Ik ben licht in mijn hoofd door het bier. Ik vergeet mijn angst voor de moeder-dochterrelatie. Ik vergeet het feit dat ik weet dat internationale adoptie, tussen twee verschillende culturen, complexe problemen kan opleveren.

'Je hebt gelijk,' zeg ik. 'Natuurlijk zouden we er eentje nemen als dat ging. Reken maar. Maar wat kan ik écht voor ze doen?'

'Nou, een beetje van wat ik net heb gedaan, om je de waarheid te vertellen. Zorgen dat alles gladjes verloopt als we een nieuw tehuis voor ze zoeken. Je bent zelf moeder. Kun je een kind naar zijn of haar familie brengen als het nodig is?'

'Tuurlijk.'

'Je bent tegenwoordig wel heel betrouwbaar,' zegt ze lachend. 'In elk geval vanbuiten. Maar je bent heel zenuwachtig, en dat is echt niet nodig, hoor.'

We blijven een poosje in stilte zitten. Ellie geeft me een derde biertje. Tara verschuift op mijn schoot, nestelt zich tegen me aan en valt in slaap. Ik kijk naar de bovenkant van haar hoofd, naar haar zachte zwarte haar, en streel de rug van haar tere handje.

De uren verstrijken. Opeens liggen Ellie en ik buiten op het gras naast het vuur dat ze moet hebben aangestoken. Ik heb al het bier opgedronken dat Ellie voor me heeft gekocht, maar ik raak vooral van de wereld door de rook van haar joints.

De nacht is warm en de vlammen schieten de lucht in. Tara ligt weer in bed. Haar familieleden uit Kashmir kwamen terug uit Pondi, pakten haar op en verdwenen zonder iets te zeggen in de andere kamer terwijl ze me een argwanende blik toewierpen. Volgens mij droeg de vrouw kleding van Top Shop, maar ik was te beneveld om ernaar te vragen.

We liggen op onze rug, onze blote voeten heet naast het vuur. De wolk is verdwenen en de sterren boven ons zijn opmerkelijk: helder en duidelijk afgetekend.

'Toby's leraar is een reiziger,' zeg ik. 'Meneer Trelawney. Door hem kreeg ik ook weer zin om weg te gaan.'

'Meneer Trelawney?' vraagt Ellie. 'Is hij sexy?'

'Nee. Althans... nou, een beetje. Het is maar goed dat ik ben weggegaan. Echt, ik was niks van plan, maar misschien zou er wel iets zijn gebeurd.' Ik kraam onzin uit. Dat weet ik al op het moment dat ik het zeg.

'Wat? Zou je het hebben gedaan of heb je het gedaan?' Haar woorden klinken onduidelijk en loom.

'Zou hebben. Alleen omdat hij een reiziger is. Hij is zoals Max vroeger was.'

Heel bedaard vraagt Ellie: 'Hoe ver ben je gegaan?'

'Niet ver. Een beetje geflirt. Ge-sms't. O, en ik heb hem een keer gekust. In het klaslokaal. Dat is echt heel erg, vind je niet?'

'Denk je nog aan hem nu je daar weg bent?'

'Nee. Niet echt. Ik heb hem een paar sms'jes gestuurd. Hij reageert ongeveer een dag later. Allemaal in het nette.'

'Heb je het ook aan Max verteld?'

'Nee! Maar het stelde niks voor. Het had wel iets kunnen worden, maar dat is niet gebeurd.'

'Nou, zelfs al had je hem scheel geneukt, wat maakt het uit? Het is jouw lichaam. Doe ermee wat je wilt.' Ellie heeft zoveel wiet gerookt dat het me verbaast dat ze haar mond nog kan bewegen en woorden kan vormen. 'Het is onbelangrijk. Kijk eens om je heen. Vind je het niet verbazingwekkend dat we miljoenen kilometers de ruimte in kunnen kijken? Ik bedoel, je kunt op een heuvel klimmen en naar het uitzicht kijken, en dat vinden mensen heel wat. Maar het kan niemand iets schelen dat je het hele universum door kunt kijken wanneer je maar wilt. Zelfs overdag is al dat blauw de ruimte. Eindeloosheid.'

Ik kijk op.

'Tegenwoordig denken ze toch dat het universum eindig is?'

'O ja?' Ellie doet haar hoofd opzij om naar mij te kijken. 'Maar dat is het niet echt, hè? Ik bedoel, ik geloof dat het eindeloos doorgaat. Zie je die sterren?' Vaagjes zwaait ze ernaar met haar joint. 'Het menselijke oog verdient meer lof dan het krijgt. Neem jou en mij nou; wij zien die ster, een enorme brandende zon die miljoenen, triljoenen kilometers bij ons vandaan is, en dat jaren geleden. We kunnen door de ruimte en de tijd kijken. Dat kunnen we met iets wat maar zo groot is.'

Ze houdt haar sigaret omhoog, die ongeveer de doorsnee van een oogbal heeft.

'Ja,' stem ik in. 'Dat geeft je het gevoel dat je heel klein bent. En dat is nog voor je over het hoe en waarom gaat nadenken.'

'Je bedoelt: hoe is het begonnen? En waarom? Weet je, die

onzin kan me niks meer verdommen. Je hoeft er alleen naar te kijken om te beseffen dat wij niks voorstellen en dat niks wat wij zeggen of doen wezenlijk verschil zal maken. We zijn nog minder dan mieren. Kus wie je wilt, doe wat je wilt; wij zijn willekeurige energiekolkjes. Kosmisch gezien is alles onbelangrijk. Als je je steentje bijdraagt om de wereld ietsje beter te maken, heb je je taak volbracht. Zorg dat je een positief effect hebt op de wereld om je heen, laat geen voetafdruk na en maak je niet druk om kleinigheden want het leven bestaat uit niets anders.'

Ik duw mezelf op op mijn ellebogen en kijk haar aan. 'Maar... Maar, Ellie, jij woont in een sekte, ik bedoel, een religieuze gemeenschap. Je zit voortdurend te mediteren of je doet yoga. Je moet een strengere filosofie hebben dan dat.'

'Waarom?' vraagt ze lachend.

'Maar moet je dan niet geloven in, weet ik veel, kosmische krachten of karma of zoiets? Om nog maar te zwijgen over een soort god? Of dat Moeder-gedoe? Of Anjali? Ik dacht dat je zou doorzemelen over het channelen van de universele geest van bla-bla-bla. Voor jou moet alles toch zeker betekenisvol en belangrijk zijn?'

'Betekenisloos en onbelangrijk. Dat is het beste.' Ze zwaait met haar joint. 'Overigens zou Anjali hetzelfde zeggen, als je het haar op een onbewaakt ogenblik vraagt. Wat je nooit zal lukken. En trouwens, dit zijn de laatste dagen van de mensheid. Er zijn grote veranderingen op til. Je zult je eigen voedsel moeten verbouwen; de luiken sluiten en voor je eigen mensen zorgen. En dit is geen religie. We hebben hier geen god. De mensen dragen de goden aan die ze zelf willen. Het gaat ons om de manier van leven. Ik neem Anjali's wetten veel serieuzer dan de politie.

De aardse wetten negeer ik naar eigen goeddunken,' zegt ze na een paar seconden. 'Ik bedoel, aardse wetten zijn willekeurige, historische onzin. Waarom is al het bier dat jij net hebt gedronken legaal en deze joint niet? Waarom wordt de wet zo verschillend toegepast? Stel bijvoorbeeld dat een man hier uit de buurt, zonder connecties, wordt betrapt met een zak hasj, dan verdwijnt hij jarenlang achter de tralies, maar als jij het was, dan zouden ze je laten gaan met een waarschuwing en zou de ambassadeur ervoor zorgen dat je een plaatsje bij het raam krijgt in het vliegtuig naar huis. Jij zou overal mee weg kunnen komen.'

'Ik heb een armoedzaaier ontmoet in Chennai,' vertel ik haar. 'Hij was Brits, blank. Hij heeft problemen gekregen in Hampi en hij is nog altijd hier, en leeft op straat. Ik ben wat met hem opgetrokken omdat er verder niemand met me wilde praten.'

'Dan is hij gek. Was hij gek?'

Ik denk na over Ethan. Het valt niet mee om die vraag te beantwoorden.

'Ja, natuurlijk was hij dat. Maar ergens mocht ik hem wel. Ik dacht: daar had ik ook kunnen zitten.'

Ze haalt haar schouders op. 'Ja, logisch. Dat geldt voor ons allemaal, denk ik. Je moet gewoon het beste maken van wat het leven je biedt en de wereld een beetje beter maken dan hij was toen jij er kwam. Een andere mogelijkheid is er niet.'

Mijn hoofd ligt lekker op het gras. Ik sluit mijn ogen en luister naar de vreemde geluiden van de Indiase nacht.

25

Ik heb twee uur geslapen als iemand heel hard met een bel rinkelt.

'Meditatie!' roept een stem en ik herken Maya. Vanochtend spreekt het idee me niet aan. 'Opstaan! Naar de Grote Zaal!'

De mensen komen in beweging. Overal heerst activiteit.

Ik slik mijn misselijkheid weg en trek het laken over mijn hoofd. In de kamer lopen mensen. Delphine draait zich om, kruipt naar het einde van haar bed en staat op. Ik hoor Amber mompelen. Ik ben nog altijd dronken. Ik sluit mijn ogen en slik de gal weg die in mijn keel opwelt.

Als de bel weer gaat, vlak naast mijn oor, gil ik het uit.

'Sorry,' zegt Maya. Ik doe mijn ogen nog steeds niet open. Ik weet zeker dat ze er helemaal niet uitziet alsof het haar spijt. 'Meditatie. Geen excuses, geen uitzonderingen.'

'Ik ben ziek.'

'Niet waar. Sta op.'

'Nee.'

Het laken wordt weggetrokken. Ik lig op mijn bed in een T-shirt en een slipje. Ik dwing mijn ogen open en kijk haar woedend aan terwijl ik slaperig om me heen tast naar het laken.

'Ongetwijfeld voelt Ellie zich hetzelfde,' zegt ze, 'maar ik kan je verzekeren dat zij er al is.'

'Wat ga je doen als ik weiger?'

'Dan vertel ik het aan Anjali en zeg ik ook dat je gisteravond alcohol hebt gedronken op het terrein van de ashram, nee, ontken het maar niet, ik kan het ruiken, en dan zal zij je vragen om hier weg te gaan en nooit meer terug te komen.'

Ik trek een broek aan. 'Waarom dreigt iedereen de hele tijd om naar Anjali te gaan? Waarom is zij zo'n godin?' mopper ik terwijl ik mijn haar in een staart trek en er een elastiekje omheen doe dat waarschijnlijk van Delphine is.

'Kom op. De anderen zijn al vertrokken. Als we gaan fietsen, halen we ze wel in. Neem jij Youssefs fiets maar.'

Tien minuten later zit ik helemaal achter in de zaal in kleermakerszit. Dit hou ik echt geen uur vol. Ik werp een heimelijke blik op de man rechts van me. Die heeft zijn ogen dicht. Ik kijk naar Maya, die links van me zit. Ze doet haar ogen open, knipoogt, en sluit ze weer.

Ik concentreer me op Anjali. Zij is de enige die me kan zien, maar vandaag kijkt ze niet en stom genoeg voel ik dat als een belediging. Ik blijf naar haar staren, ook al wil ik dat zelf niet.

In elk geval word ik vandaag niet gekweld door mijn eigen demonen. Enigszins opgelucht schuif ik naar achteren en slaag erin met mijn rug tegen de muur te leunen. Dan doe ik mijn ogen dicht.

'Hé,' zegt Amber die me door elkaar schudt. 'Opstaan. Het is lunchtijd.'

De slaapkamer baadt in zonlicht en buiten klinkt gekletter. Mijn hoofd bonst en mijn mond is net zo droog en ongeveer even stoffig als de grond buiten. Ik probeer weer in slaap te vallen, maar het is te laat: ik ben wakker en moet water hebben.

'Hoe ben ik hier gekomen?' Vaagjes herinner ik me dat ik terug naar bed ben gestrompeld. 'Wat doe ik hier?'

'Nou, slapen, natuurlijk. Je hebt hartstikke veel yoga gemist en die vrouw was weer op oorlogspad, maar wij hebben haar verteld dat we je niet hebben gezien en we hebben de deur op slot gedaan zodat ze je niet kon wakker maken. Ze was niet blij. Je zult er vanmiddag echt heen moeten. Ik ben de hele ochtend bij de kinderen geweest. Ik heb "Row Row Row Your Boat" voor ze gezongen. Dat was fantastisch.'

Ik ga rechtop zitten. 'Jezus, ik raak nooit meer alcohol aan. Heb je ook dat van "als je de krokodil ziet, vergeet dan niet te schreeuwen" gedaan?'

'Wat?'

Mijn ogen gaan vanzelf dicht. Ik span me in om ze scherp te stellen.

'"Row Your Boat". Het heeft tegenwoordig allemaal verzen die iedereen kent. "Zachtjes over de rivier, als je een kwal ziet vergeet dan niet te rillen". Dat soort dingen.'

'Nee. Die coupletten heb ik niet gezongen. Hoor eens, het leek Sam en mij een goed idee om je wakker te maken voor de lunch, maar drie uur yoga op je nuchtere maag, met een kater... Sta op en kleed je aan, was je gezicht en dan zie ik je zo wel weer.'

Ik loop heel voorzichtig langs de mediterende vrouw op de veranda en merk dat mijn voeten me automatisch naar het midden van de aangestampte aarde voor het gastenverblijf dirigeren, waar ik abrupt stil blijf staan en om me heen kijk terwijl de wereld om me heen tolt. De zon zorgt er direct voor dat mijn hoofdpijn erger wordt. In mijn slapen voel ik aderen kloppen. Vaagjes hoor ik Nicks stem op de achtergrond. Ik word aangevallen door zevenentwintig verschillende lagen van geluid. Over de boomtoppen zweeft Indiase muziek. Ergens in de verte blaft een hond. Insecten schreeuwen zo hard ze kunnen met hun iele stemmetjes. Ik leg een hand tegen de zijkant van mijn hoofd. Hoe kan ik het hier stil hebben gevonden?

Nick komt naar me toe en ik besef dat ik alleen een ruimvallend T-shirt en een slipje aanheb. Ik ren weg en maak er geen geheim van dat ik voor hem op de loop ga. Ik vlucht het bos in, voor ik me bewust word van mijn vergissing. Maar toch, het is hier stil en troostend. Het is een andere, gedempte wereld en ik ga zitten en leun tegen een boom. Dit zou een prima toevluchtsoord zijn, mocht ik er ooit eentje nodig hebben.

Met de lunch eet ik zo veel ik kan en ik neem zo veel mogelijk vormen van koolhydraten.

'Echt, ik was helemaal niet van plan om te drinken,' zeg ik tegen Amber. 'Dat kwam door Ellie. Zij had heel veel bier voor me gekocht, en daar was ze heel trots op. Maar waarom drink ik dan alles wat er is? Waarom kan ik niet ophouden?'

Ik denk aan mijn moeder. Ik ben geen alcoholiste. Ik ben niet zoals zij. Maar toch, ik weet dat heel veel alcoholisten erin slagen om een avond, of een paar avonden, niet te drinken. Het belangrijkste is matigheid.

Amber haalt haar schouders op. 'Gewoon omdat het er is, lijkt me. Dat stelt niks voor. Dat hebben zo veel mensen. En verder heb je hier niet veel kans om te drinken. Er zijn hier geen pubs.'

'Daar zit wat in.' Ik scheur een stukje chapatti af. 'Waar is Sam?'

'Die belt met het beroemde dorp.' Ze perst haar lippen opeen tot ze wit en bloedeloos zijn. Dan laat ze een strak glimlachje zien. 'Grappig, hè? Hij belt met het dorp, niet met een iemand, gewoon met de nederzetting als geheel. En dan begrijpt hij niet waarom ik me geïntimideerd voel.'

'Hoe zit dat eigenlijk?'

'De mobiele dekking is slecht. Daarom moet hij ze op de juiste tijd bellen via de betaaltelefoon.'

'Nee, dat bedoel ik niet! Ik bedoel, jullie gaan er toch met zijn tweeën heen? Maar jij hebt geen zin en hij staat te trappelen?'

Amber draait haar haar rond haar vinger. 'Voor we hier kwamen, leek het me ontzettend leuk. Als je in Londen bent, klinkt het geweldig: "Ga mee naar mijn dorp in Zuid-India".

Maar nu zie ik er als een berg tegen op. En ja, hij is vreselijk opgewonden, buiten zichzelf, gewoon. Zo ken ik hem helemaal niet. Daarom heeft hij het me waarschijnlijk wat op de lange baan laten schuiven, omdat hij van de opwinding geniet. Het is zijn nieuwe bestaansreden.'

'Waarom zie jij ertegen op?'

Amber eet een stuk aardappel en geeft daarna antwoord.

'Omdat ik doodsbang ben. Dat is nogal logisch. Thuis spreekt hij Tamil, dat weet je al, het is zijn eerste taal. Terwijl ik er nauwelijks gedag in kan zeggen. *Vanakkam.* Maar als ik het probeer, moeten de mensen lachen. En mensen in kleine Tamildorpjes, in dit geval Poosarippatti, spreken natuurlijk geen Engels. Dus zal ik erbij zitten als een domme, uit de kluiten gewassen blanke roodharige troel, en geen woord kunnen verstaan. En zij zullen allemaal wensen dat ik niet was meegegaan omdat ze Sam voor zichzelf willen hebben. En...' Haar stem sterft weg en opeens lijkt ze bijna in tranen.

'En wat?' wil ik weten. 'Vertel op.' De zon is nu heel heet. Een straal is tussen de platen van het gammele dak geglipt en bonst op mijn hoofd.

'O, dit is ontzettend dom.' Ze kijkt om zich heen en buigt zich daarna naar voren. 'Beloof je dat je niks tegen hem zult zeggen?'

'Ja. Natuurlijk beloof ik dat.'

'Je moet met de hand op je hart beloven, zelfs als je het wel aan hem wilt vertellen, en je moet ook beloven dat je mij niet zult overhalen om het tegen hem te zeggen.'

'Ja, ja, met de hand op mijn hart.'

Ze knikt.

'Nou, ik heb een brief gelezen die ze hem hebben gestuurd. Dat ging per ongeluk. Ik zocht zijn paspoort en die brief lag daar gewoon. Ik heb hem natuurlijk niet echt gelezen, want hij was in Tamil. Maar er was een foto bij. Van een meisje. Een formeel portret, met haar mooiste glimlach waarbij ze al haar tanden liet zien, in haar mooiste kleren. En weet je? Ik denk dat ze willen dat hij met haar trouwt.'

Ik staar haar aan en als ik zie dat ze het meent, moet ik onwillekeurig lachen.

'Wat een mop,' zeg ik. 'Doe niet zo gek. Hij is jouw vriendje. Als ze echt een meisje voor hem hebben uitgezocht, dan moet je daar samen met hem grapjes over maken. Niet stiekem in je eentje over lopen stressen.'

'Ja, het zou inderdaad grappig zijn, als hij het aan mij had verteld. Ze was heel knap. En ongelooflijk jong. Ik kan me echt niet met haar meten.'

'Als hij er niks over heeft gezegd, komt dat alleen omdat hij wist dat jij van streek zou zijn en er niet meer heen zou willen.'

'Kun je het me kwalijk nemen dat ik er niet meer heen wil? Zou jij dat nog willen?'

Daar denk ik even over na. 'Nee, niet zoals de zaken er voor jou nu voorstaan. Maar ik zou het zeker met hem hebben uitgepraat zodra ik die foto had gevonden, zodat er niks aan de hand zou zijn. Waarschijnlijk willen ze helemaal niet dat hij met haar gaat trouwen. Het is gewoon een foto van zijn nichtje of zoiets, dat is niet verboden. Je moet even uitzoeken wie ze is en waarom hij die foto heeft en wat er precies in die brief staat. Ga met hem praten. Hij hoeft alleen tegen iemand in dat dorp te zeggen: "Bedankt, maar ik heb al een vriendin" en alles is geregeld. Ze weten toch dat jullie komen? Dan heeft hij dat vast al verteld.'

Ik zie Amber een beetje opkikkeren. 'Denk je dat echt? Jezus, het moet fantastisch zijn om getrouwd te zijn. Is het niet heerlijk om je niet meer druk te hoeven maken over al dit soort ongein?'

Ik denk aan Jim en dan aan Max. 'Mmm,' stem ik zwakjes in. 'Min of meer.'

Sam ploft op de stoel naast Amber waardoor ik er gelukkig niet over hoef uit te wijden.

'Hoi, Doornroosje,' zegt hij tegen mij. 'Je hebt tijdens de hele meditatie gesnurkt. Sommige mensen moesten erom lachen, maar de meeste keken heel afkeurend.' Hij duwt zijn haar uit zijn gezicht.

'Dat heb ik niet gedaan!'

Hij kijkt heel tevreden. 'Misschien wel, misschien ook niet. Je zult het nooit weten.'

'Hou je kop!'

'Goed, Amber, alles is geregeld. We nemen woensdag de bus. Zij komen ons afhalen. Ik heb allerlei instructies gehad. Ze zijn heel erg opgewonden. Volgens mij hebben ze nog nooit een roodharige op bezoek gehad.'

'O,' zegt Amber met een flauw glimlachje. 'Hoe ga je je opstellen? Als "Grote man uit de stad"?'

Hij kijkt geërgerd. 'Helemaal niet. Dit is mijn familie. Mijn naaste familie; ooms en tantes, neven en nichten. Dat weet je best. Ik ben helemaal geen grote man uit de stad.'

'Ik zal er maar een beetje bij zitten terwijl iedereen langs me heen praat. Denk je dat het onbeleefd is als ik een boek lees?'

'Blijf je zo stom doen?' vraagt Sam. 'Je hoeft niet mee, hoor. Jezus, je hebt er geen geheim van gemaakt dat je er eigenlijk geen zin in hebt.'

'Nou, misschien kan ik beter niet meegaan.' Na die woorden staat ze op en beent weg. 'Ik wil je niet in je doen en laten beperken.'

Sam wendt zich tot mij. 'Waar sloeg dat nou op?' vraagt hij, maar voor ik het hem kan vertellen, en dat zou ik zonder meer hebben gedaan, is hij haar achternagegaan.

De yoga is een martelgang. Enid haat me en ik haat haar. Ik haat haar rechte scheiding, haar jampotglazen en haar paarse tuniek. Ik haat haar oefenmat en haar knobbelige voeten.

Ze gelooft niet dat ik die ochtend ziek was en ze dreigt me weg te sturen als ik nog een les mis. Ik doe er het zwijgen toe, maar volgens mij zei de boze blik die ik haar toewierp genoeg.

Ik wring mezelf in allerlei bochten, rek mijn spieren en sta op een been. Ik heb altijd gedacht dat dit lichte oefeningen zijn, maar het is verschrikkelijk. Na ongeveer een uur besef ik dat ik het alleen zal redden door me eraan over te geven, alsof ik een kind ben. Met een uiterste krachtsinspanning schakel ik het deel van mijn hersens uit dat protesteert en doe zonder morren wat me wordt opgedragen.

En ondanks alles voel ik me na de les vreemd opgewekt.

Ik leer de kinderen alle coupletten van 'Row Your Boat' die ik me kan herinneren, en verzin er nog een paar. Die zijn behoorlijk grimmig:

Roei, roei, roei je boot
Heel, heel erg ver
Als je een piratenschip ziet
Zeg dan vrolijk Arrrgh.

Vooral die is heel populair: we toveren de Indiase wezen kortstondig om in mooi uitgedoste piraten en ik neem me heilig voor om dit later aan Jim te sms'en. Vervolgens besluit ik om dat niet te doen.

Daarna beginnen we aan ons project, namelijk dat ze het berenverhaal gaan uitbeelden. We verdelen ze in groepjes en werken aan hun rol. Iedereen wil de beer zijn. Ik kies het langste kind uit, een jongen die Mani heet, en hij rent rond om de anderen bang te maken, die het uitkraaien van pret.

Als ik opkijk om te kijken hoeveel daglicht er nog is, zie ik tot mijn verbazing dat Ellie en Anjali achter in de kamer met elkaar staan te smoezen. Het lijdt geen enkele twijfel dat ze het over mij hebben. Ellie zegt heel duidelijk: 'Natuurlijk. Die doet alles,' waarna ze mij ziet kijken. We staren elkaar een paar seconden aan, en dan rent ze de kamer door, geeft me een kus en zegt: 'O, Tansy, jij bent de bovenste beste. Je mag hier nooit meer weg en ik ga Max nu direct mailen om hem dat te vertellen.'

'Ga je hem mailen?'

'Ja.'

'Waar dan?'

26

De duisternis kruipt naderbij door een dakraam en zorgt voor langer wordende schaduwen waardoor iedereen er eng uitziet. Er zijn hier maar weinig mensen. Ellie zit aan een kant van de kamer en ik kies een hoekje aan de andere kant en log in bij mijn e-mailaccount. Ik wist helemaal niet dat hier een internetcentrum was.

Er wordt een sterke arm rond mijn hals geslagen.

Ik schreeuw het uit. Vervolgens draai ik me heel snel om met mijn vuisten omhoog, klaar om mezelf te verdedigen.

'Goh, jij bent echt een opgewonden standje,' zegt mijn aanvaller.

'Nick! Godsamme. Wat doe jij nou?'

Hij draagt strakke shorts die vlezige roze dijen onthullen en een Fairtrade Ashram T-shirt (dat weet ik omdat er Fairtrade-@de Ashram op is geborduurd).

'Ik dacht dat ik aardig deed. Je zag er daarstraks niet zo florissant uit.'

'En als je me om mijn nek grijpt, ga ik me natuurlijk een stuk beter voelen. Ik weet wat je echte bedoeling was.'

'O, ja? Wat dan wel?'

'Een weerloze vrouw betasten. Een mooie kans niet aan je neus voorbij laten gaan.'

Hij lacht. 'Het spijt me. Maar in alle eerlijkheid geloof ik niet dat jij jezelf als "weerloos" kunt bestempelen.'

Ellie kijkt om waarbij haar blonde haar over haar gezicht valt.

‘Geen geintjes uithalen met die dame, Nick. Ik heb haar gisteren bier gegeven. We voelen ons vandaag allebei kut.’

‘En jij hebt niet eens gedronken,’ breng ik haar in herinnering.

‘Jullie hebben allebei door de meditatie heen geslapen,’ verkondigt Nick, en hij gaat achter een computer aan de andere kant zitten.

‘Alle twee. Ik heb jullie gezien. Of liever gezegd, gehoord. Prachtig gesnurk.’

‘Ik heb niet gesnurkt!’ werp ik tegen, maar hij trekt zijn wenkbrauwen op en draait zich om. Verdomme!

Ik richt mijn aandacht weer op het mailtje dat ik aan het lezen was.

‘Hé, Ellie,’ zeg ik. ‘Max heeft een paar foto’s gestuurd. Ik weet dat ik je de jongens al heb laten zien, maar wil je ze nog eens bekijken?’

Ze glimlacht. ‘Tuurlijk. Jouw kleine kereltjes.’

Ik klik om ze te vergroten. Nick komt ook kijken.

‘Dat is Toby.’ Ik wijs hem aan. Hij staat boven op een klimrek, zijn armen in de lucht gestoken als Superman. ‘En dat is Joe.’ Ik scrol naar beneden om mijn kleintje te laten zien die op de foto een ijsje in zijn hand houdt, al is het daar het seizoen niet voor. Het regent en hij glimlacht heel tevreden.

‘Wauw,’ zegt Ellie, zich vooroverbuigend. ‘Kijk nou toch!’ Ze pakt de muis en scrolt weer naar Toby. ‘Ik weet dat ik het al eerder heb gezegd, maar hij lijkt echt sprekend op Max. Het is gewoon griezelig. Net alsof het een kinderfoto van Max is. Het kost me nog steeds moeite om te geloven dat je dit soort mensen in je leven hebt. Dat dit echt jouw kinderen zijn. Dat Max en jij kleintjes hebben gemaakt. Dat zou ik echt niet kunnen. Hé, wie is die vrouw naast Maxy?’

Ik kijk strak naar het scherm. Ze is naar de derde foto gescrold die duidelijk door een van de kinderen is genomen. Max staat dicht bij Sarah en kijkt haar lachend aan.

'Dat is Sarah,' zeg ik. Ik slik moeizaam. 'Een van mijn beste vriendinnen.'

Ellie zwijgt een poosje. 'Vertrouw je haar?' vraagt ze dan.

'Ja.' Ik hoor de onzekerheid in mijn stem.

'Weet je dat zeker?' vraagt Nick. 'Ik zou het echt zeker willen weten.'

'O, flikker op,' zeg ik tegen hem, en sluit de map.

Ellie gaat weer achter haar eigen computer zitten en ze draait het scherm een stukje, zodat ik niet kan zien wat ze doet.

Ik bekijk mijn eigen e-mails. Ik open er een van Sarah en probeer tussen de regels door te lezen.

'Hoi,' schrijft Sarah. 'Ik schrijf even om je te verzekeren dat Max en T&J het prima maken. Zoals gewoonlijk zit Gav in Singapore, dus wij houden een oogje in het zeil voor jou. Max is veel grappiger dan ik wist. Ik dacht dat hij een streberige... nou, bankier was (om nog maar te zwijgen over alle lelijke namen die jij voor hem had voor je wegging), maar hij is ontzettend aardig, vind je ook niet?'

Mijn alarmbellen rinkelen zo hard dat het me verbaast dat Ellie en Nick ze niet kunnen horen aan de andere kant van de kamer. Ik begin aan een reactie voor Max die, hoop ik, wat meer informatie zal opleveren zonder dat ik volledig paranoïde overkom. Ik hou mezelf voor dat ik dom doe, maar toch kan ik me niet aan de indruk onttrekken dat mijn arme echtgenoot het leven zonder mij een stuk gemakkelijker vindt.

In gedachten zie ik ze dichter naar elkaar toe groeien, door de omstandigheden op elkaar aangewezen, langzaam en genietend verliefd worden, iets waar ze zich tegen proberen te verzetten, tot ze uiteindelijk overmeesterd worden door hun hartstocht. Dan drinken ze samen een paar flessen wijn en rukken elkaar de kleren van het lijf. Het is niet alleen mogelijk; in mijn vermoeide, katterige hoofd lijkt het onvermijdelijk.

Ik schrijf hem liefhebbender dan ik normaal gesproken zou

hebben gedaan. Ik besluit om later ook nog te bellen.

De vrouw met het touwachtige haar die onafgebroken op de veranda zit te mediteren komt de kamer binnen, kijkt mij aan zonder te glimlachen en loopt naar Ellie. Ze praten zacht terwijl de vrouw steeds achterdochtig naar mij omkijkt. Ze gaat zo staan dat ik Ellie niet kan zien en ze regelen samen iets. Ik zie dat ze geld geeft en in ruil daarvoor iets kleins in haar zak stopt. Dan gaat ze weg, zonder mij ook nog maar een blik waardig te keuren.

'Wat gebeurde daar?' vraag ik aan Ellie.

Met een glimlach kijkt ze me aan. 'O, dat was Melinda. Die is hier nu een paar maanden. Een echt zonnestraaltje. Vind je ook niet, Nick?'

'Nou,' zegt hij. 'Charmant en bevallig. Ik vind haar vet, zoals jullie jongelui zeggen.'

Omdat er verder helemaal niks te doen is, probeer ik te ontdekken wat Ethan is overkomen. Max zou het vreselijk vinden dat ik dat doe.

Als er inderdaad iets dramatisch is gebeurd waardoor hij hier is beland, dan heb ik het gevoel dat ik daar online een spoor van moet kunnen vinden. De naam 'Ethan' samen met 'India' nopen Google ertoe om te vragen of ik 'eten India' bedoel. Ik probeer me te herinneren uit welke stad hij komt. Hij heeft een keer iets gezegd over Norfolk. Ik voeg Norfolk toe aan mijn zoekterm. Vervolgens Norwich. Dan Hampi.

Mijn speurtocht wordt volledig belemmerd door het feit dat hij eigenlijk geen Ethan heet. Ik heb geen idee hoe ik een man zonder naam moet opsporen. 'Vermiste man uit Norfolk' is het beste wat ik kan verzinnen, maar helaas kom ik daardoor niks over hem te weten. Ik probeer een zoektocht via afbeeldingen, maar behalve een poster van iemand die hem overduidelijk niet is, komt er niets relevants aan het licht.

'Tansy?' Ik kijk om. Ellie doet haar stoel achterover en wenkt me.

'Ja.'

'Ik roep je al een poosje. Wat ben je aan het doen?'

Ik glimlach. 'O, niks. Ik ben voor de lol iemand aan het googelen.'

'Toch niet die knappe surfleraar?'

'Nee. Die vent die op straat in Chennai leeft.'

'Meestal hebben die kerels geen e-mail, hoor. En ook geen Facebook-pagina. Hoor eens, wil je iets voor ons doen? Jij bent hartstikke goed met die kinderen. Wil jij met Tara naar Pondi gaan voor haar medische controle? Zou je dat willen doen?'

'Wil je dat ik naar Pondicherry ga?'

'Je moet het echt Pondi gaan noemen nu je hier bent. Dat doet iedereen. Wist je trouwens dat het geen Pondicherry meer heet? Als je correct wilt zijn, heet het nu Puducherry.'

'Ja, dat weet ik, maar voor mij zal het altijd Pondicherry blijven. En dat je iemand nodig hebt om erheen te gaan, is wat Delphine een teken zou noemen. Ik geloof niet dat ik het ooit Pondi zal noemen, dat lijkt nogal vrijpostig voor een stad waar ik tien jaar lang bezeten van ben geweest.'

'Het zal vanzelf wel lukken. Wil je morgenochtend gaan?'

'Zal het aan mijn verwachtingen voldoen?'

'Absoluut.'

'Ga jij mee?'

'Nee, ik heb het morgen de hele dag druk. Maar we zullen er een keertje gaan eten wanneer je hier lang genoeg bent om naar Europese gerechten te snakken. Morgen moet je erheen voor zaken.'

Nick heeft zich omgedraaid. 'Als je wilt, kan ik wel meegaan. Dan kan ik je handje vasthouden.'

'Vergeet het maar mooi, klerelijer.'

27

Alexia's gedachten

5.12 uur
Voor een keer schrijf ik dit nadat ik al naar bed ben geweest. Normaal ben ik laat op omdat ik niet kan slapen. Vannacht heb ik wel geslapen, maar ik ben vroeg wakker geworden en ik wist dat ik niet meer in slaap zou kunnen komen.

Volgens Duncan ben ik geobsedeerd. 'Je moet niet steeds aan haar denken,' zegt hij. 'Daar word je gek van. Alles is geregeld. Met haar is niks aan de hand. Je moet alleen nog even wachten.'

Ik word er helemaal gek van maar dan wel op een positieve manier, al zeg ik dat niet tegen hem. Ik bedoel, sinds ik dit idee heb gekregen en me voor het eerst voorstelde dat we naar India zouden gaan om een gezin van drie personen te worden (we zullen een gezin worden, op dit moment zijn we een stel, geen gezin, want de poezen tellen echt niet mee), dan geloof ik dat ik ten goede ben veranderd.

Ik heb een reisboek over India waar ik voortdurend in zit te lezen. Ik weet dat de beste hotels in Delhi in Zuid-Delhi zijn en dat de backpackers in Paharganj verblijven. Ik weet dat de regering in New Delhi zetelt en de Britten er de baas waren tot Gandhi ze heeft weggestuurd (ja, dat vereenvoudigt de zaken een beetje). Ik weet dat Calcutta tegenwoordig Kolkata heet. Ik weet dat er in Goa heel veel oude hippies zijn. Ik weet dat de sikh-tempel in Amritsar staat en die plaats kan ik aanwijzen op de kaart. Ik weet dat Sri Lanka niet bij India hoort.

Pas nu merk ik hoe weinig ik eigenlijk over de wereld daarbuiten weet. In alle eerlijkheid moet ik zeggen dat 'naar het buitenland' vroeger Canada, Mexico of Londen betekende. Meer niet.

Die dingen vertel ik ook aan Duncan, maar hij lacht erom. Als ik het tegen Dee zeg, kijkt ze me verbijsterd aan en zegt ze dat er meer dan genoeg Amerikaanse kinderen zijn die een gezin nodig hebben en dat ik dichter bij huis moet zoeken als ik iemand wil redden. Waarom zeggen mensen dat toch altijd? Ze geloven niet dat we dat allang hebben geprobeerd. Ik vertel het aan Milly en Brian. Die veroordelen me niet. Ik heb het vaak over India tegen Brian. Brian weet alles.

Ik probeer romans te lezen die zich in India afspelen, omdat ik denk dat dat me een goed beeld zal geven van hoe het er is. Maar ik moet bekennen dat het me moeite kost om door die boeken heen te komen en dat ik er al een paar dagen geen een heb aangeraakt.

En ik word geobsedeerd door Saskia. Misschien zullen wij haar Sas of Sassy noemen. Misschien wil ze haar naam het liefst als Sasi spellen. Dat lijkt me wel gaaf. Al zullen we nog jarenlang weinig geld hebben vanwege de kosten van de adoptie, we zullen haar het mooiste leven geven.

Ik doe mijn best om er niet aan te denken waar ze nu is, maar het is onmogelijk om dat niet te doen. Helaas heb ik tijdens mijn onderzoek ontdekt dat die arme weesjes in India vaak hun hele jeugd in weeshuizen zitten en dat de omstandigheden daar verschrikkelijk zijn. Ik weet dat ze daar nu is. Ik hoop dat ze weet dat we haar komen redden zodra het ook maar enigszins mogelijk is. Ik hoop dat ze weet dat ze een slaapkamer krijgt en een fiets en een kast vol speeltjes.

Ik vraag me af hoe groot de verandering voor haar zal zijn. Ik begrijp dat het een poosje zal duren voor ze zich heeft aangepast. De mensen daar vragen zich af of het wel goed is om een kind zo ver weg te voeren van zijn cultuur – want we zijn echt duizend kilometer van elkaar verwijderd – in feite natuurlijk meer dan duizend kilometer, maar ik bedoel spiritueel gezien. Daarom zal ik ervoor zorgen dat ik belangstelling hou voor alles wat met India te maken heeft. Om de paar jaar zal ik met mijn dochter naar het land teruggaan. Ik zal de Indiase gemeenschap hier opzoeken, als die er al is. Ik zal doen wat ik kan om het meisje te laten opgroeien als een Amerikaanse van Indiase afkomst en volgens mij kan Indiaas-Amerikaans wel eens het beste ter wereld zijn.

Ik werk zelfs aan mijn conditie. Ik loop door de stad in plaats van de auto te pakken. Ik heb mijn haar laten knippen en iedereen zegt dat het beter staat. Ik wil een moeder zijn op wie mijn kleine Saskia trots kan zijn. Ik wil dat we ons uiterste best gaan doen.

Reacties: 1

Hoi, Alexia. We kennen elkaar niet, maar ik ben ook een potentiële moeder die een soortgelijke weg bewandelt als jij. Wij hebben India ook overwogen, maar de drempels daar leken te hoog en over veertien dagen gaan we naar China om ons dochtertje Wei op te halen. Ik ben ongelooflijk opgewonden. Het is heel toepasselijk dat we in Canton, Ohio wonen! Als jij in die buurt woont, nodig ik je graag uit voor de Overzeese Adoptiegroep. Volgens mij doet het iedereen goed om mensen te leren kennen die zich in dezelfde situatie bevinden en het lijkt erop dat jij, naast je poezen, wel iemand kunt gebruiken die het begrijpt.

Ik ben heel blij dat je aan je lieve Saskia bent gekoppeld. Ik wens je veel geluk, liefje.

Veel liefs,
Pam

28

De riksja hobbelt over de weg en ik moet steeds aan Max denken. Ik wacht op de triomfantelijke intocht in Pondicherry en ik speur naar een soort WELKOM IN PONDICHERRY-bord. Dat bestaat natuurlijk niet en terwijl de bebouwing steeds dichter wordt, besef ik dat ik er al ben. Mijn hart bonst, ik heb mijn handen tot vuisten gebald en ik ben misselijk. Dit is het dan: dit is het einde van mijn reis, na een onderbreking van acht jaar.

De weg is niet bijzonder druk, maar de stoepen bruisen van leven. In de hete lucht zweeft stof. Overal zijn mensen, op hun hurken naast de weg, kokend, schreeuwend, dingen dragend, pratend in hun mobieltjes, rokend.

Onze riksja schokt verder en door de open zijkant kijk ik naar buiten en neem alle bijzonderheden in me op. Dit is Pondicherry. Ik meen dat de wegen hier breder zijn. Er staan bomen op regelmatige afstand van elkaar. De mensen zijn gelukkiger. Veel van hen lopen op de straat.

Ik verstevig mijn greep op Tara. Ik had hier met mijn eigen kinderen heen willen gaan, maar ik ben met het kind van een ander. Een dochter van een overleden moeder. Ze kijkt me niet aan, maar friemelt aan de sluiting van mijn handtas. De riksja gaat een hoek om en ergens wil ik niet dat hij zal stoppen. We zwenken door de straat, langs een droge, stinkende goot. De bestuurder steekt een verkeersweg over en stopt dan.

'Het regeringsplein,' verkondigt hij.

Ik weet niet precies waarom ik zo zenuwachtig ben. Mijn

eerste stap op het asfalt van Pondicherry lijkt gedenkwaardiger dan mijn eerste stap op Indiaas asfalt. Ik voel dat er, alleen door mijn aanwezigheid hier, iets is veranderd.

Ik zie Max en Sarah, die samen lachen. Waarom zou hij me die foto hebben gestuurd? Probeert hij me iets te vertellen of wil hij me provoceren?

Tara staat dicht bij mijn benen als ik de bestuurder betaal en ik pak haar hand die klein maar sterk is. De lucht ruikt naar de zee. Een briesje tilt mijn haar op.

'Kom mee, Tara,' zeg ik, al heb ik haar nog nooit iets horen zeggen. Ze verstopt zich altijd achter Ellie of ze klampt zich vast aan de oudere kinderen in het KC. 'Kijk, daar is een speelplaats, precies zoals Ellie zei. Laten we even gaan spelen, dan gaan we daarna naar je afspraak.'

Ik had echt geen speelplaats verwacht in India. Vooral niet eentje die precies hetzelfde is als degene waar ik met mijn jongens in Noord-Londen heen ga. Afgezien van de locatie, het centrum van een drukke Indiase stad, had het dezelfde plek kunnen zijn. Er staan dezelfde, in primaire kleuren geschilderde toestellen maar deze zijn glanzender en minder versleten. Is dit nou globalisatie? Is er ergens een bedrijf dat glijbanen en touwbruggen met rode, gele en blauwe frames fabriceert, en die aan alle gemeentes ter wereld verkoopt?

Ik had gedacht dat Indiase kinderen met stukken oud karton zouden spelen die ze op straat hadden gevonden of, in het geval van de superbevoorrechte minderheid, met dure en ingewikkelde speeltjes die zijn geïmporteerd van FAO Schwartz. In plaats daarvan krioelt het hier van de kinderen die precies zo spelen als mijn zoontjes, met dezelfde concentratie op hun taak: het klimmen, het glijden, het niet naar beneden vallen.

Ik blijf dicht bij Tara en ben veel beschermender voor haar dan voor Toby en Joe. Ik gedraag me net als Olivia's moeder en wijk niet van haar zijde, help haar trapjes op, steek mijn armen uit voor het geval ze valt. Ik ben doodsbang dat ze gewond raakt, of zoekraakt, terwijl ik verantwoordelijk voor haar ben.

Ze is vier. Dat wil zeggen, ietsje ouder dan Joe. Ik stel me voor dat hij naast haar staat: ze is heel klein en tenger. Als ik hem zou vragen om voor haar te zorgen, dan zou hij een arm om haar schouders slaan en haar rondleiden. Ik zie zijn ernstige gezichtje voor me en hoor hoe serieus hij zijn plichten als hoeder neemt. Hij zou diep beledigd zijn als hij zou ontdekken dat hij jonger was dan zij. Toch zie ik in haar ogen iets wat ik nooit in die van Joe hoop te zien.

Ze speelt heel serieus, klautert het klimrek op, waar ze zich omdraait en voorzichtig weer omlaag komt. Onderwijl houdt ze de andere kinderen goed in de gaten. Ik probeer haar gelaatsuitdrukking te interpreteren.

Ellie heeft me verteld dat ze na de tsunami terecht is gekomen in een weeshuis in Mamallapuram dat plotseling uit zijn voegen barstte. Daar was ze het enige kind van wie nooit een verre verwant op bezoek kwam.

'Ik ging er langs,' zei Ellie, 'omdat we in het KC ruimte hadden voor een paar kinderen. Alle kinderen dromden om me heen. Geloof me, het is hartverscheurend als je zo'n bezoekje aflegt, en ze allemaal roepen: "Mij! Neem mij, mama!" en ze elkaar aan de kant duwen, echt het overleven van de sterkste. Maar een heel klein meisje stond iets afgezonderd in haar eentje naar de grond te kijken. Ik vroeg naar haar en ze zeiden dat er nooit iemand bij haar op bezoek kwam. Ze dachten dat haar familie in Kashmir woonde.' Ze haalde haar schouders op. 'Het leek míj het beste dat iemand ze zou opsporen.'

Tara is heel erg eenzelvig. Ik zie dat ze voorzichtig aan de bovenkant van de lage glijbaan gaat zitten, beide handen tegelijk optilt en naar voren schuift tot het punt waar de zwaartekracht haar omlaag zal laten gaan, en ik moet heftig knipperen. Hoe jong ze ook is, ze heeft al geleerd om haar emoties op te kroppen. Ik vraag me af hoe haar nieuwe leventje eruit zal zien in de bergen van Kashmir. Ik merk dat de moeders en oma's op het plein ons openlijk nieuwsgierig aankijken. Als ik Tara's hand pak en met haar wegloop in wat hopelijk de goede richting is, wijkt de menigte voor ons uiteen. Niemand glimlacht en niemand ziet er vijandig uit. Voor het eerst sinds ik hier ben, kijken ze alleen naar me.

Voor ons loopt een groepje schoolmeisjes. Allemaal hebben ze haar dat glanst en keurig in model zit. Indiase schoolmeisjes zien er precies uit zoals schoolmeisjes eruit horen te zien. Veel hebben twee lange vlechten in hun haar. Ze lijken onschuldig en kwetsbaar.

Ik kijk naar een meisje in een bescheiden blauw uniform en ze staart terug. Nadat we elkaar een paar seconden nietszeggend hebben aangekeken, laat ik me van mijn beste kant zien en glimlach naar haar. Ze staart nog even, kijkt vervolgens naar Tara, weer naar mij, en glimlacht terug. Ik steek mijn hand op en zwaai even. Zij doet hetzelfde.

Er lopen oudere mensen in groepjes van twee of drie rond met wandelstokken. Tara loopt langzaam en ik ben bang dat ze moe is, daarom til ik haar op en marcheer ik naar de dokterspraktijk, terwijl ik iedereen recht in de ogen kijk en ze uitdaag om onbeleefd te zijn.

Een uur later steken we de weg over die naar de promenade en de zee gaat. Ik voel me verschrikkelijk leeg nu ik hier ben zonder al mijn jongens. Ik kijk of ik iets zie wat we kunnen doen, zodat ik er niet meer aan hoef te denken.

'Kom mee, Tara,' zeg ik, en het meisje kijkt me aan met haar kalme, donkere ogen. 'Laten we daarheen gaan.' Ik hou haar handje stevig vast.

Eindelijk ben ik bij het strand. De golven slaan over en spatten op, duidelijk gevaarlijk. Instinctief neem ik Tara in mijn armen. Ik vind het vreselijk dat ze haar familie hier is kwijtgeraakt aan een golf. Ik vraag me af hoeveel ze zich daar nog van herinnert. Er vliegen druppeltjes door de lucht. Het water heeft een onheilspellende donkergrijze kleur en het strand is smal en vol stenen.

Het Pondicherry van mijn dromen had een wit zandstrand met een rij bungalows in pastelkleuren, palmbomen die zwaaiden in de zeebries, helder water en de fusionkeuken. De realiteit is anders, maar, vreemd genoeg, beter en intenser dan ik me had voorgesteld. Ellie heeft gelijk: deze stad kan nooit teleurstellen. Hij heeft iets magisch.

Pondicherry is niet de zoveelste Indiase stad: de wegen zijn koloniaal en statig en sommige dragen nog altijd hun Franse naam. Enkele gebouwen aan het strand zijn grandioos en de sfeer is ontzaglijk ontspannen. Ondanks de starende blikken valt niemand me lastig, zelfs niet de man in een lendendoek en een lang overhemd die een ijskarretje achter zich aan trekt. Hij biedt iedereen die hij passeert zijn waren aan, behalve mij. Ik probeer zijn blik te vangen, maar hij kijkt de andere kant op. Als hij ons had benaderd, had ik misschien een ijsje voor Tara gekocht, al zou ze daar ziek van kunnen worden en nu ik de verklaring van de arts dat ze kerngezond is in mijn handtas heb, durf ik geen risico te nemen. En ze vraagt er zelf ook niet om. Als Toby en Joe hier waren, zouden ze dat zeker doen. Dan zouden ze me aan mijn mouw trekken. 'Mogen we een ijsje? Ah, mam? Toe, nou.'

We hadden hier met zijn allen kunnen wonen. Dat kunnen we nog steeds. Bij het idee alleen bekruipt me een grote opwinding. Ik kijk naar gezinnen met prachtige, donkerogige kinderen, jonge mannen en vrouwen in westerse kleding en een man met beverige benen die aan de kant van het pad zit en een blikje voor munten ophoudt. Ik gooi alle munten uit mijn portemonnee erin en merk dat Tara me opmerkzaam, maar zwijgend gadeslaat. Een jong stel met rugzakken op dingt af bij een riksjabestuurder. Een vrouw met grijs haar die een degelijke broek draagt, drukt een reisgids tegen haar borst en glimlacht even naar me, maar blijft niet staan. Ik zie dat haar blik van mij naar Tara gaat, en dan weer terug.

Als de fanfare begint te spelen, maak ik een sprong van schrik en draai me vervolgens om. Aan de lantaarns hangen luidsprekers met dunne draadjes ertussen. Er trekt een wolk voor de zon langs. In de plotselinge schaduw lijkt het net een Brits strand bij vloed. Na een poosje zie ik een groot fanfarekorps dat bestaat uit mannen in militair uniform in een heel precieze formatie achter een beeld van Gandhi zitten. Als ze de muziek van *Mission Impossible* beginnen te spelen, glimlach ik bij mezelf.

Kon ik dit maar met iemand delen. Ik kijk lachend naar Tara en knijp bemoedigend in haar hand. Ik wil dat zij hier ook van geniet. Ze blijft me aankijken, tot ik mijn blik afwend. Ik glimlach. Na een poosje glimlacht ze terug, al heb ik meer het idee dat ze mij nadoet dan dat ze blij is.

Toby en Joe zouden hiervan genieten. Max zou moeten lachen om de ongerijmdheid van de fanfare. Ik zet hen uit mijn hoofd. Ik ben gewend aan het enigszins lege gevoel dat ik me alleen druk hoef te maken om mezelf. Dat is goed. Het moet me goeddoen.

Op het water, half verborgen in de mist, voert een groep boten vreemde manoeuvres uit. Er klinkt een zachte knal en een paar mensen wijzen naar de hemel. Het minst indrukwekkende vuurwerk ter wereld wordt afgestoken. Hadden ze maar gewacht tot het donker was. Ik stel me voor dat de schepen 's avonds in de Golf van Bengalen door het vuurwerk worden verlicht.

Ik ben de enige die chagrijnig doet. Alle andere mensen lijken te genieten van de vertoning. Mensen lopen al etend en pratend rond. Ze zijn opgewekt en druk bezig. Ik slenter verder. Waarschijnlijk is het een goed teken dat de marine hier zo weinig te doen heeft dat ze de inwoners van Pondi kunnen vermaken met hun bedrevenheid, muziek en gedempte knalletjes.

Het is lunchtijd. Aan de overkant van de straat is een restaurant dat eruitziet als een echte, niet-toeristische, niet voor rijke mensen-tent. Ik kan de donkere zaak een stukje in kijken en zie formica tafeltjes en houten kisten opgestapeld tegen de muren. Voor ons, op de promenade, is een veel mooier uitziende zaak. Die is wit gepleisterd en wordt omgeven door gras met een hek ervoor. De clientèle lijkt voornamelijk te bestaan uit een blank reisgezelschap met een Australische tongval en een paar rijke gezinnen. Ik aarzel en weeg het zeezicht en de prachtige locatie van de toeristentent af tegen de normaliteit van die aan de overkant. Dan til ik Tara op en draag haar de weg over, waarbij ik heel behendig de riksja's vermijd, waarvan er twee langzamer gaan rijden zodat de bestuurders zich naar buiten kunnen buigen en roepen: 'Riksja, mevrouw?'

We zitten aan het tafeltje dat het dichtst bij de open voorkant van de zaak staat. Hier kan ik Pondicherry voorbij zien komen. Als we hier woonden, zouden we hier heel vaak zitten.

'Goed?' vraag ik, en ik schuif Tara's stoel verder naar de tafel. Ze knikt. Ze is zo klein dat ze eigenlijk in een kinderstoel zou moeten zitten.

'Wat wil je eten?'

Ze kijkt weg.

'Rijst?'

Ze knikt.

'En nog iets anders?'

Ze knikt weer. Wist ik maar hoeveel ze begrijpt.

Het restaurant is donker, ook al komt het uit op de straat, en ruikt naar kruiden en stof. Ik kijk naar de mensen die voorbijlopen. Net als ik een ouder stel observeer dat langzaam voorbij schuifelt, allebei met een wandelstok, begint er achter me iemand hard te praten.

'Pardon, mevrouw?'

Geschrokken draai ik me om, maar als ik de spreker zie, blijkt het een man van middelbare leeftijd in een lichtgekleurd zomerkostuum te zijn.

'Dag,' zeg ik.

'Het spijt me dat ik je stoor,' zegt hij. 'Het spijt me dat ik zo brutaal ben. Maar het zit zo, ik herken je van de ashram. Is dit je dochtertje?'

'Ik geloof dat ik jou ook heb gezien,' zeg ik met samengeknepen ogen. Hij komt me inderdaad bekend voor. 'Nee, ze is niet van mij. Ik ben met haar naar de stad gegaan omdat ze hier een afspraak had. Op dit moment woont ze in het kindercentrum. Dit is Tara.'

Hij lacht. 'Dag, Tara,' zegt hij, en hij richt zich dan tot haar in een stroom van snel Tamil. Ze schudt haar hoofd en kijkt van hem weg, weigerend een gesprek met hem aan te gaan.

'Woon jij in de ashram?' vraag ik, geërgerd dat ik buiten het gesprek word gehouden. Ik vraag me af wat hij tegen mijn pupil heeft gezegd.

'Nee!' zegt hij. 'Nee, zeer zeker niet. Ik ga er wel vaak op bezoek aangezien de omgeving me goeddoet. En om je de waarheid te zeggen interesseert het me wat ze er doen.'

'Ja. En als je er niet woont, hoef je ook niet elke ochtend om vijf uur te mediteren.'

'Precies.' Hij schraapt zijn keel. Ik nip van mijn *chai* en kijk naar de stofdeeltjes die dansen in de zonnestralen. 'Vertel eens, woon jij daar? Werk je soms met de kinderen?'

Ik neem een slokje water uit de fles die ik de hele ochtend in mijn tas heb meegedragen. Ik wilde dat ik een biertje kon bestellen.

'Nee, helemaal niet. Waarschijnlijk vertrek ik binnenkort weer. Ik heb me ingeschreven voor een yogacursus, maar ik heb vandaag vrijaf gekregen omdat ik met Tara hierheen moest voor haar afspraak. Eigenlijk ben ik gekomen om Pondi te bekijken. Daarvoor ben ik helemaal naar India gekomen. Het heeft een speciale betekenis voor mijn echtgenoot en mij. Misschien ga ik hier wel een poosje logeren. Of ik ga terug naar huis naar mijn kinderen. Ik weet het nog niet.'

De man knikt. 'Vrijheid is een krachtige drug,' zegt hij. 'Maar laat ik me even voorstellen.' Hij steekt zijn hand uit voor een formele handdruk. 'Brian Thevar.'

Ondanks mezelf moet ik lachen. 'Brian? Heet je Brian? Echt waar?'

Hij lacht ook. 'O, ja. Zo reageren buitenlanders heel vaak. Brian is inderdaad geen Indiase naam. Om onverklaarbare redenen vonden mijn ouders hem mooi. En ik moet bekennen dat het prestige ervan wat is toegenomen na de Monty Python-film.'

'Ik ben Brian! Nee, ik ben Brian!'

'Precies.'

'Was die film hier populair?'

'Populair genoeg. En jij?'

'O, het spijt me. Ik heet ook Brian.' Hij lacht. 'Niet echt. Ik ben Tansy.'

'Als in het bittere wormkruid?'

'Ja! Dank je wel! Er zijn niet veel mensen die dat weten.'

Ons eten wordt gebracht en ik schep rijst en vegetarische curry op voor Tara en vervolgens voor mezelf. Er zitten onder andere duidelijk herkenbare stukken tomaat, aardappel en okra in. Ik pak mijn telefoon en neem er snel een foto van, alleen om Nick te bewijzen dat er ook buiten de ashram groenten worden gebruikt.

'En wat doe jij, Brian?' vraag ik terwijl ik de telefoon opberg. 'Werk je?'

'Ik? O, ik ben tegenwoordig met pensioen,' zegt hij. 'Vroeger was ik bij de politie.'

Ik draai me om. 'Echt waar?'

'O, jazeker.'

'O, dat is mooi. Dat geeft me een veilig gevoel.'

'Ik ben blij het te horen. Maar je zou je niet onveilig moeten voelen. Pondi is geen gevaarlijke stad. Ik zorg ervoor dat ik op de hoogte blijf, weet je. Officieus hou ik een oogje in het zeil, als het nodig is. Maar vertel eens, waarom nam je een foto van je lunch? Is dat gebruikelijk in Londen?'

Als Tara en ik bijna klaar zijn met eten komt er een jongeman naderbij. Ik zie hem op ons aflopen. Onze blikken ontmoeten elkaar en ik kijk weg, zenuwachtig om niks. Hij heeft een vlassig snorretje, waarschijnlijk zijn eerste.

Ik richt mijn blik weer op Brian, die nog druk bezig is met eten.

De man draagt een fris bordeauxrood poloshirt en een broek waar de vouwen in zijn gestreken. Zijn ogen zijn chocoladebruin en strak op de mijne gericht.

'Hallo,' zegt hij met een plotselinge glimlach. 'Alstublieft. Mag ik op de foto met u?'

Ik knipper met mijn ogen. 'Wat?'

'Mijn foto.' Hij steekt zijn gsm omhoog en zwaait ermee. Dan kijkt hij achterom en ik volg zijn blik. Op veilige afstand zijn nog vijf jongemannen, allemaal in frisse bordeauxrode poloshirts die allemaal geïnteresseerd toekijken. Ze dragen een uniform, dus waarschijnlijk zitten ze nog op school.

In gedachten loop ik de redenen na waarom ik geen foto van mezelf met een beleefde jongeman moet laten nemen. Die zijn niet overtuigend.

'Goed, dan,' zeg ik. 'Wat kan mij het ook schelen. Maar zorg dat het kleine meisje er niet op komt.'

Hij draait zich naar zijn vrienden en steekt zijn duimen omhoog. Ze rennen naar ons toe en een van hen pakt zijn telefoon aan. De jongeman trekt een stoel vlak naast de mijne en grijnst voor de foto. Het kost me moeite om te glimlachen. Ik ben me ervan bewust dat Brian het tafereeltje bekijkt.

'Hoe oud is je moeder?' vraag ik aan de jongeman als hij op wil staan. Hij kijkt stomverbaasd.

'Zevenendertig,' zegt hij na een korte stilte. Ik besluit om niet te zeggen dat ik een jaar jonger ben.

Zijn vrienden komen een voor een, steken hun duim op voor de camera, en gaan er dan weer vandoor om de foto's te bekijken. De laatste, blijkbaar de grappenmaker van het gezelschap, een goedgebouwde knul met langer haar dan zijn vrienden, slaat een arm om mijn schouders en probeert me stevig tegen zich aan te trekken. Zijn hand is me veel te dicht bij mijn borsten en kruipt daar nog dichter naartoe. Ik ruk zijn arm weg en sta op.

'Geen foto voor jou,' zeg ik tegen hem. Ik kijk naar Brian die half overeind is gekomen.

'O, het spijt me,' zegt de jongen. 'Toe nou. Alstublieft.'

'Vergeet het maar mooi. Hup, maak dat je wegkomt.'

'Maar het spijt me echt heel erg.'

Ik vind het fijn om gemeen tegen hem te doen. 'Nee. Laat me met rust. Deze man was vroeger agent.' Hij kijkt naar Brian die iets strengs zegt in Tamil en hij deinst achteruit. Zijn vrienden lachen en ik voel me enigszins beter als hij weg sjokt en er boos en vernederd uitziet. Net goed.

'Wil je bij ons komen zitten?' vraag ik glimlachend aan Brian.

'Het zou me een genoegen zijn,' zegt hij, en draait zich om en zet zijn bord tegenover mij op onze tafel.

'Vertel eens, juffrouw Tansy,' zegt hij. 'Wat brengt jou naar India?'

Ik grijns naar hem en begin hem alles te vertellen over mijn zonen, mijn man en mijn vriendin Ellie die in de ashram woont.

29

Een week later.

Als Sam eindelijk aankondigt dat hij naar zijn dorp gaat, begrijp ik totaal niet waarom hij dat zou willen. Ik besef dat ik één ben geworden met de ashram.

We staan op de veranda en hij heeft zijn backpack op zijn rug en stevige schoenen aan zijn voeten.

'Ga je weg?' vraag ik. 'Echt waar? Hier? Waarom?'

Hij kijkt me zijdelings aan en begint te lachen.

'Eh... Om mijn familie op te zoeken? De grote, wijde wereld in te trekken? Weet je nog? Een Tamil-jongen die voor het eerst in zijn leven in Tamil Nadu is? Die knul. Ik heb het al bijna drieëntwintig keer uitgesteld omdat het fijn was om hier een beetje rond te hangen. Dat kan ik niet nog eens doen.'

'Dat weet ik, maar... Wil je niet wat langer blijven?'

'Tansy! Nee, dat wil ik niet. Amber en jij doen prima werk met de kinderen. Dat zie ik ook wel. Het viel niet mee om haar bij alles vandaan te moeten slepen. Maar nee, toevallig heb ik een leven buiten deze plek en ik ben waanzinnig opgewonden. Ik bedoel, ik ben opgegroeid als Brit, Tamil kwam op de tweede plaats. Mijn vrienden kwamen overal vandaan. Als ik een blanke vriend mee naar huis nam schaamde ik me altijd een beetje dat mijn ouders zo'n zwaar accent hadden. Ik heb mijn Tamil-kant genegeerd omdat ik niet op zo'n multi-ethnische school zat. Ik vormde een minderheid en ik deed alles wat nodig was om erbij te horen. En het heeft heel lang geduurd voor ik kon denken: wacht eens even, dat dorp ben ik. Daar kom ik vandaan, en dat is iets om trots op te zijn. Er is hier heel veel van mezelf en ik kan haast niet wachten om me daarin onder te dompelen. Is dat goed?'

'Ja,' zeg ik. 'Dat is prima.'

'Heel vriendelijk van je.'

'Eh... maar zorg er wel voor dat je niks overhaasts doet.'

Hij kijkt me nogal verbaasd aan en, vind ik, een tikje schuldbewust.

'Hoe bedoel je?'

'O, niet uit de put drinken. Geen dubieus vlees eten. Niet met een tienernichtje trouwen. Dat soort dingen.'

'Ze eten geen vlees.' Hij kijkt me aan. Hij heeft buitengewoon lange, krullende wimpers. 'Ik zal niet uit de put drinken.'

'En?'

'Heeft Nick het je verteld?'

'Nick?' Het duurt even voor zijn woorden tot me doordringen. 'Nou, laten we zeggen van wel. Is het dan echt waar? Wacht daar een potentiële bruid op je?'

Hij slaakt een zucht. 'Ze proberen het gewoon. Wat hun betreft, kan ik haar mee naar Londen nemen en haar een fantastisch leven bezorgen. En tot op zekere hoogte is dat waar, zelfs al ben ik niet stinkend rijk. Een verblijfsvergunning, een dak boven haar hoofd, elektriciteit... Je kunt het ze niet kwalijk nemen dat ze het proberen.'

'Heb je dat tegen Amber gezegd?'

'Nee, natuurlijk niet. Het is zo al moeilijk genoeg om haar hier los te weken. Als ze van Amirtha zou weten, zou ze geen voet in dat dorp zetten. Overigens heb ik Amirtha nog nooit ontmoet, haar nooit geschreven en ben ik al helemaal niet van plan om met haar te trouwen.'

'En je hebt besloten om uitgerekend Nick in vertrouwen te nemen?'

'Nou, hij en ik zijn de enigen op die kamer.'

'Aha. Ik geloof niet dat ik hem iets zou vertellen, al was hij de enige op de kamer.' Moet ik Ambers vertrouwen beschamen? Ik kan het niet verdragen om hem op haar te zien wachten terwijl ik ervan overtuigd ben dat ze niet van plan is om met hem mee te gaan. 'Als ik jou was, zou ik het in plaats daarvan aan Amber vertellen,' zeg ik snel, voor ik van gedachten kan veranderen. 'Want stel je voor dat ze de foto bij toeval heeft gevonden en ze in haar hoofd heeft gehaald dat je niks tegen haar hebt gezegd omdat je het serieus in overweging neemt.'

Hij staart me aan. Er loopt een groepje vrouwen langs dat onderweg een mantra scandeert. Ik hou zijn blik vast.

'Maar dat heeft ze toch niet gedaan?' vraagt hij na een poosje.

'Dat moet je haar maar vragen.'

'Goed, dat zal ik doen. Onze bus vertrekt over een uur uit Pondi. We moeten echt in de riksja stappen.' We staan zwijgend te wachten. Boven ons hoofd vliegen vogels. Om ons heen gaat het leven in de ashram kalmpjes zijn gang. 'Ik heb geprobeerd om het onderwerp aan te snijden, hoor,' zegt hij na een paar minuten. 'Maar ze wil me eigenlijk niet meer kennen. Het is steeds van "Tansy dit" en "het Kindercentrum dat". En ze gelooft ook in dat kuisheid-gedoe. Ik snap wel dat het traumatisch voor haar is, dat reizen altijd veel emoties bij haar zal oproepen en dat dit een veilige haven voor haar is. Ze heeft hier een toevluchtsoord voor zichzelf gecreëerd en dat wil ze natuurlijk niet verlaten.'

Ik ben stomverbaasd. 'Waarom roept het veel emoties bij haar op? Waarom heeft ze een toevluchtsoord nodig?'

'O, dat heeft ze je vast wel verteld.' Hij staart naar de stoffige aarde en schopt tegen de bovenlaag. 'Ze komt niet, hè?'

'Ga haar dan zoeken, stomme sukkel.'

Hij knikt. 'Ga je mee?'

'Volgens mij moet je dit echt zelf doen.'

Hij loopt in de richting van het gastenverblijf, maar draait zich dan om.

'Maar als de zaken anders voor me lagen,' zegt hij. 'Nou, is een gearrangeerd huwelijk echt zo slecht? Zijn mensen gelukkiger in "liefdesrelaties" dan in andere regelingen?' Hij begint terug te lopen. 'Als Amber er niet was, zou ik misschien wel met Amirtha trouwen. Delphine zou zeggen dat ik de dag moet plukken, gehoor moet geven aan mijn bevliegingen. En het zou toch zeker iets goeds zijn om haar kansen te bieden en als het niks wordt, zouden we in het Westen zijn en kunnen we uit elkaar gaan zonder dat het een grote schande is. Hypothetisch gezien, uiteraard.'

'O, Sam, doe niet zo gek. Dat zou ontzettend stom zijn. Ga haar nou maar zoeken.'

'Ja, dat weet ik.'

Ik heb het idee dat de hele ashram hun ruzie kan horen. Amber gaat niet. Sam stormt woedend weg en dreigt het gearrangeerde huwelijk door te zetten. Amber blijft een hele dag en nacht op haar bed liggen zonder tegen iemand te praten.

Ondertussen geef ik me dankbaar over aan de routine. Ik ben gewend geraakt aan de genoegens van een strakke dagindeling en ik wil geen voet buiten de ashram zetten tot het tijd is om terug naar huis en mijn jongens te gaan. Ik verlang niet eens naar een biertje omdat ik het idee niet kan verdragen dat ik om vijf uur word gewekt door Maya's bel met ook maar een spoortje van een kater. Elke dag verloopt volgens hetzelfde stramien. Ik loop naar de meditatie en luister met een half oor naar Delphine die zegt: 'De geest van Gaia is verstoord en de godin van de Aarde is boos', of 'Amber heeft een heel krachtig gouden aura', afhankelijk van welke werkgroep ze het laatst heeft bijgewoond.

Ik zit een uur stil in kleermakerszit en de stilte en solidariteit is beter dan welke drug ook. Het lukt me met geen mogelijkheid om mijn hoofd leeg te maken en te mediteren zoals het hoort, dus ik benut die tijd door te denken aan mijn jongens, om ze mentale boodschappen te sturen, en me erop te richten om zo kalm mogelijk te worden zodat ik op een gegeven moment in staat ben om naar huis te gaan en nieuwe afspraken te maken over ons leven. Kennelijk heb ik het vermogen ontwikkeld om na te kunnen denken zonder gek te worden. Als ik in paniek dreig te raken, doe ik mijn ogen open en kijk ik naar Anjali.

Iedereen vergaat van de honger tegen de tijd dat het ontbijt wordt geserveerd en net als iedereen stort ik me op het eten. Ik grijp puri's en chapatti's en de restanten van het avondeten van de dag ervoor uit alle gastenverblijven, gevouwen in stukken brood en met yoghurt eroverheen gegoten.

Samen met Amber en Delphine wandel ik terug naar het gastenverblijf waar we een douche nemen met emmers koud water en onze tanden poetsen met mineraalwater. Dan ga ik naar yoga. Daar buig ik me drie uur lang in allerlei houdingen en ontleen ik een pervers genoegen aan de pijntjes en stijfheid, en dwing ik me elke keer een stukje verder te gaan. Ik ben vreemd afhankelijk van de chagrijnige Enid, al haat ik haar nog steeds.

Sinds ik me heb overgegeven aan yoga met de redenatie dat ik dit moet zien als een soort tijdelijk militair opleidingskamp, heb ik gemerkt dat de andere mensen in de kamer uit alle macht de beste proberen te zijn. De Zwitserse Daniella en de Duitse Helga proberen heel regelmatig, en heel nadrukkelijk, om elkaar de loef af te steken met op hun hoofd staan. Ze kijken naar elkaar, vastbesloten om niet als eerste omlaag te gaan. Ze blijven tijden staan tot Enid zegt dat ze moeten ophouden. Als ze naar beneden gaan, ben ik de enige die gniffelt om de vaginale scheetjes. Alle anderen kijken onschuldig naar het plafond en niemand trekt een meesmuilend gezicht.

Ik lunch in het bezoekerscentrum met wie er ook maar toevallig in de buurt is. Zelfs mijn lunch is een routine geworden. Ik neem iets wat een 'bord gezond' heet en ik eet alles wat erop ligt. Er is altijd rijst en een of andere groentecurry en altijd een ongerijmd, westers, veganistisch bijgerecht. Ik vind het het fijnst als dat koude pasta is, omdat dat me eraan herinnert hoe ver ik van dat andere leven vandaan ben waarin ik lunchte met koude pasta uit de koelkast. De middagen zijn weer gevuld met yoga, maar Enid vindt het goed dat ik eerder wegga om naar het Kindercentrum te gaan. We zijn bezig met onze opvoering van de berenjacht en de kinderen tekenen posters die we overal in de ashram zullen ophangen.

'Je moet het volgende week doen,' heeft Ellie me verteld. 'Op dit moment is het verloop bij de kinderen heel groot. Dat weet jij ook.' Dus de kinderen spelen de ene keer het gras, de sneeuw of de modder, gekleed in toevallig geschikte kledingstukken die ik heb geleend van wie ik maar kon vinden in de ashram. Kamatchi, die een boom speelt in het grote, donkere bos, draagt een T-shirt van Nick met een plaatje van een boom erop met daaronder de woorden 'red de bomen'. Het valt tot over haar knieën en ze is er hartverscheurend trots op. Ik hoop dat ze het mag houden van Nick.

Het avondeten is om zeven uur in het gastenverblijf en ik zorg ervoor dat ik dicht genoeg bij Nick zit om met hem te kunnen bekvechten, want wij zijn het officiële amusementsprogramma geworden.

Nick is zo grof tegen me dat ik hem bijna aardig begin te vinden. Gisteravond noemde hij me 'een veel te bevoorrechte, arrogante kolonist die denkt dat ze alles beter weet'.

Ik moest zo hard lachen dat ik bijna niet meer uit mijn woorden kwam, maar ik wist nog net te zeggen: 'Maar in elk geval ben ik niet dik en weet ik redelijk zeker dat ik niet naar zweet ruik.'

Alles is simpel. Ik wist niet dat het leven zo eenvoudig kon zijn. Geestelijk heb ik het gevoel dat ik in kristalhelder water zwem, mezelf opfris en krachten opdoe. Ik maak me geen zorgen om Max, want ik kan toch niks doen zolang ik hier ben. Ik pieker niet eens over de jongens, zelfs niet over Joe, omdat ik zeker weet dat ik door deze levensstijl een iets betere moeder voor hen word. Slechts af en toe wijd ik een kortstondige gedachte aan Jim Trelawney. Ik voel me volmaakt tevreden.

In het begin is Amber heel opgelaten dat ze niet met Sam is meegegaan.

'Jullie vinden me maar zielig,' zegt ze keer op keer tegen Delphine en mij, als ze weer tevoorschijn komt.

'Niet waar,' zeg ik. 'Ik wil ook nergens heen. Ik wil zo lang mogelijk op deze gekke plek blijven.' Ik ben tot de slotsom gekomen dat het op een vreemde manier allemaal met Anjali te maken heeft. Alles wordt gekleurd door haar aanwezigheid, zelfs als ze er niet is.

'Ik vind je ook niet zielig,' stemt Delphine in. 'Want je volgt je hart, en dat is goed.'

Drie dagen achtereen voeren we datzelfde gesprek, tot ze ons allebei onderzoekend aankijkt, lacht en zegt: 'Goed, nu geloof ik jullie. Denk ik. Nou, poe, wie had kunnen denken dat je je prettig kunt voelen als je elke dag om vijf uur opstaat?'

'Het is net zoals die mensen die elke dag in zee zwemmen,' zeg ik. 'Als jij dat elke ochtend deed, zou je je er ook lekker bij voelen. Denk ik.' Al is het hier aanhoudend droog en wordt het elke dag iets vochtiger, water is de enige metafoor die ik kan bedenken voor mijn gevoelens. Het leven hier reinigt me. Ik begrijp waarom mensen hier voor altijd willen wonen, waarom Ellie is gebleven: het is angstaanjagend anders dan alles in Londen.

'Ja,' zegt Amber. 'Het dorp. Ik bedoel, een interessant antropologisch experiment, maar zeg nou zelf, wat had ik er gemoeten zonder het uur meditatie om de dag te beginnen?

Zonder wakker te worden gemaakt door een krankzinnige vrouw met een bel?'

'Je kunt altijd zelf om vijf uur opstaan en een uur mediteren.'

Ze snuift. 'Ja, vast.'

'Nee, ik weet het. Ik hou mezelf telkens voor dat ik hier mee door blijf gaan in Londen. Daar komt natuurlijk helemaal niks van. Dat is het ergste van alles. Het vooruitzicht dat alles weer wordt zoals het vroeger was.'

Een paar dagen na Sams vertrek, vroeg in de avond, zitten we op een pol prikkend gras aan de zijkant van het Vredige Toevluchtsoord en kijk ik naar Amber die een joint rookt die ze net heeft gerold. Maya zit op de veranda, maar ze werpt ons alleen een toegeeflijke glimlach toe.

'Waarom roept reizen "veel emoties" bij je op?' vraag ik.

Ze verslikt zich in de rook. 'Pardon?'

'Er is een reden waarom je zo gespannen was toen ik je leerde kennen. En nu ben je ontspannen omdat je op een veilige plek bent. Hoe komt dat?'

Ze kijkt recht voor zich uit en blaast rook uit haar neus.

'Krijg je als dertiger soms een griezelig inzicht in mensen?'

'Delphine heeft me haar glazen bol geleend,' vertel ik haar. 'Daar heb ik het in gezien. Of Sam heeft er iets over laten vallen, maar is er verder niet op ingegaan.'

Met een glimlachje kijkt ze me aan. 'Aha. Eh... Ja, je zou kunnen zeggen dat ik een paar angsten onder ogen heb moeten zien. Inderdaad.'

Het gras prikt door mijn dunne broek heen.

'Ik ook,' beken ik.

'Nee.' Ze schudt haar hoofd. 'Geen gewone reisangsten. Jij hebt je kinderen achtergelaten om deze kinderen te helpen, en daar zit je natuurlijk mee. Maar ik... Nou, ik heb een stiefbroer, Alex. Ik geloof dat ik het een paar keer over hem heb gehad. Zijn vader is met mijn moeder getrouwd toen hij elf was. Hij is tien jaar ouder dan ik.'

'En?'

Ze staart in de verte. 'Hij was aan het reizen.'

'Wat is er gebeurd?'

'Gewoon een ongeluk. Hij zat in een taxi in Pakistan. Gewoon iets wat dagelijks gebeurt.'

'Is hij omgekomen?'

Ze leunt achterover op haar handen en haar dunne jurk fladdert wat in de wind. Opeens kijkt ze me met een glimlach aan. 'Nee. Gelukkig niet. Hij raakte gewond. Hij is thuis. Zwaar gewond, bedoel ik. Hij is helemaal verlamd. Hij kan zelf niks. Nou ja, hij is er nog altijd en mentaal is hij even normaal als anders en ik ben stapelgek op hem. Maar om te zien wat hem is overkomen... Ik weet niet of dat het nemen van risico's wel waard is, maar hoe kun je leven zonder ooit risico te nemen?'

'O, Amber.'

'Ik zou nooit zijn gegaan als Sam er niet was geweest. Mijn moeder en stiefvader wilden niet dat ik zou gaan, maar dat hebben ze niet gezegd. Ik geloof wel dat ze het prettig vonden dat Sam erbij was. Ik wist dat het dom was. Dit is een gigantisch continent en in Groot-Brittannië gebeuren elke dag ongelukken. Ik volg niet dezelfde route als Alex of zo, en zelfs dan... Maar toch was het moeilijk. Omdat ik wist dat hij in India was geweest, hij heeft me kaarten gestuurd toen hij er was, en nu ben ik er en hij... Nou, zijn wereld is veel kleiner geworden. Hij gaat nergens heen.'

'Wat vond hij dat je moest doen?'

Ze lacht. 'Daarom ben ik uiteindelijk gegaan. Alex wilde dolgraag dat ik ging. Hij kon het idee niet verdragen dat ik thuis zou blijven vanwege hem. Hij zei dat ik het voor hem moest doen, dat ik voor hem moest leven. En hij heeft mijn ouders overgehaald. Ik probeer hem om de paar dagen een kaart te sturen. Je hebt vast wel gezien dat ik ze op de post doe.'

Ik sla een arm om haar heen en knuffel haar. 'Hij is vast heel trots op je.'

Ze grijnst. 'Hij zegt van wel. Het enige waar we het nooit over hebben is de toekomst. Maar als mam en John niet meer voor hem kunnen zorgen, wordt dat mijn taak. Dus ook al heeft hij dat niet gezegd, ik weet dat hij wil dat ik mijn avonturen nu beleef. Zolang het nog kan. En dat vind ik best.'

'Hoe lang geleden is het gebeurd?'

'Negen jaar.'

'Dat is toen ik ook aan het reizen was.'

'Er werden mensen vermoord, maar wij dachten dat Alex niks zou overkomen. Tenslotte was hij een sterke, grote man. Nou ja, dat was hij tot er een taxi de stoep op reed.'

'Hoe oud is hij?'

'Nu? Vierendertig. Toen was hij vijfentwintig. Ik word volgend jaar vijfentwintig.'

We zitten een poosje zwijgend naast elkaar. Ik vraag me af of ik haar mijn eigen verhaal moet vertellen, maar omdat ik de gedachte niet kan verdragen dat ik daar voortaan door gekenschetst zal worden, doe ik het niet.

'Maar je bent nu hier. Dus je doet het prima.'

'Wat, me verstoppen in een ashram? Voor alles terugdeinzen? Te bang zijn om naar een leuk dorp te gaan waar ze ons zouden hebben verwelkomd als helden, alleen omdat ik niet durf? Wist je dat ik elke keer dat ik echt iets moet doen, een lijstje voor mezelf maak? Soms staat erop: ga ontbijten, doe een was, wees gelukkig. Het is gewoon zielig.'

'Niet waar. Dat zijn prima ambities.'

'Toen we klein waren, kwam hij om het weekend bij ons. Ik keek ontzettend tegen hem op. Ik streepte de dagen tot zijn volgende bezoek af op een lijstje.' Ze kijkt me aan. 'Ik wil je graag aan hem voorstellen.'

'Dan kom ik toch naar Schotland als we terug zijn. Met mijn jongens.'

We glimlachen naar elkaar. Er lopen mensen rond, maar niemand komt naar ons toe. Ik zie Melinda op het beton zitten, haar enkels achter haar oren.

'Heb jij ook broers of zussen?' vraagt Amber.

Ik knik. 'Halfbroers en -zussen. Twee zussen, twee broers, allemaal uit mijn vaders tweede huwelijk.' De rest van het verhaal laat ik achterwege. 'Ze zijn fantastisch. Mijn familie.' Terwijl ik het zeg, merk ik dat het waar is. Ik dacht dat ik heel eenzaam was in Londen, maar dat was niet zo, niet echt. Dat is een grote familie, hoe je het ook bekijkt. De lucht wordt drukkend en het dreigt te gaan regenen.

'Je moet iets doen aan de situatie met Sam,' zeg ik. 'Iedereen heeft je gehoord. Je beschuldigde hem ervan het dorp te willen binnentrekken als de Belangrijke man uit het Westen en dat alle jonge meisjes in een rij moesten gaan staan zodat hij er eentje kon uitkiezen. Heb je hem nog gebeld? Of zelfs maar ge-sms't?'

'Hij heeft ook stomme dingen gezegd,' zegt ze overdreven nonchalant. 'Hij kan me bellen wanneer hij wil. Ik heb mijn mobieltje. Dat van hem werkt daar niet.'

'Bel de dorpstelefoon. Vraag naar de belangrijke man uit het Westen.'

'Ja, zie je het voor je? Hij is daar op bekend terrein, iets wat hij ons maar al te duidelijk heeft gemaakt. Hij zal helemaal vol zijn van zijn familie. Ik laat hem wel een poosje met rust. Dan kan hij besluiten wat hij wil doen met zijn kindbruidje.'

Ik overweeg om wat meer aan te dringen. 'Wat jij wilt,' zeg ik in plaats daarvan.

'Jeetje, wat ben jij toch kalm. Eigenlijk zou ik samen met jou die yoga moeten gaan doen.'

'Ja, nogal wiedes, dom kind.'

'Misschien doe ik dat wel. Maar nu Sam weg is, moet ik hier niet in mijn eentje bij de pakken neer gaan zitten. Ik kan zelf ook wat ondernemen. Voor een dag of twee om te bewijzen dat ik dapper kan zijn. Om mezelf te laten zien dat ik het kan. Misschien ga ik naar Mamallapuram.'

Ik knijp even in haar arm. 'Als je wilt, mag je best hier blijven, Amber,' breng ik haar in herinnering. 'Het is prima om een toevluchtsoord te vinden. Of ga inderdaad ergens heen. Vraag Anjali maar of je iets kunt doen voor het KC. Of ga gewoon ergens heen in je eentje met een boek. Dat is het fijnste gevoel ter wereld.'

De volgende dag huppelt Delphine naar ons toe, en heeft ze haar met de Tricolore uitgedoste rugzak om.

'*Allez les filles,*' zegt ze. 'Ik ga er vandoor. *A très bientôt.*'

Ik sta op en zoen haar op de wang. Ze trekt me tegen zich aan met verbazend sterke armen. 'Ga je naar de cashewvelden?'

Opgewekt schudt ze haar hoofd. 'Deze keer niet. Ik had een droom dat ik naar Madurai moet gaan. Een echte, slapende droom. Ik heb het aan Anjali gevraagd en zij zei dat ik moet gaan als het aan mijn ziel trekt. Ik denk dat ik later nog wel terugkom. Deze plaats heeft goede energie.'

'O. Oké. Nou, we zullen je missen.'

'Ik weet zeker dat we elkaar weer zullen zien.'

Als ze weg is, kijken Amber en ik elkaar lachend aan.

'Ik vind haar fantastisch,' zeg ik, 'maar ik ben dolblij dat ik geen twintig meer ben. Het zou me te veel worden om voortdurend naar de plaats te gaan waar mijn ziel naartoe wordt getrokken.'

'Ja, mij ook.'

Ik knijp mijn ogen tot spleetjes. 'Maar ik zou denken dat jouw ziel naar Sam wordt getrokken.'

'Nee, hoor.'

'Je was ontzettend sikkeneurig toen ik je voor het eerst ontmoette. Kwam dat door het dorp?'

Ze knikt. 'Ik heb die brief gevonden op onze eerste dag in

Chennai. Ik wachtte tot hij mij erover zou vertellen. Elke dag die verstreek, werd ik een beetje bozer. En ik voelde me schuldig vanwege Alex en het werd me allemaal te veel. Weet je, elke keer dat we in een riksja stapten, stond ik doodsangsten uit en bleef ik maar denken dat een paar seconden voldoende is om je hele leven voor altijd te veranderen. Ik zag onze riksja telkens onder de wielen van een vrachtwagen belanden. De kans dat dat gebeurt is toch al groot, dat weet je zelf ook. En Sam toonde niet echt veel begrip. Hij zat de hele tijd maar te mekkeren over dat stomme dorp van hem.'

'Denk je dat jullie uit elkaar zijn?'

'Denk jij dat?'

'Nee. Maar misschien moet je inderdaad een paar dagen in je eentje ergens heen gaan en daarna jullie problemen oplossen. Jullie waren gewoon met heel andere dingen bezig. En het is toch vrijdag?'

'Ik geloof het wel.'

'Dan begint de voorjaarsvakantie.'

'Wat gaat je gezin doen?'

'Max heeft de hele week vrij genomen. Ze gaan van alles doen. Ik geloof dat ze morgen naar Legoland gaan. Met...' Ik slik moeizaam en zorg ervoor dat ik heel opgewekt zeg: 'een paar vrienden.'

Ik zie ze voor me: Max, Sarah en hun vier kinderen. Veel te gezellig, misselijkmakend gezellig.

'Waarom komen ze niet hier?' vraagt Amber. 'Ze kunnen jou toch komen opzoeken? Ik weet dat de tickets niet goedkoop zijn, maar als hij in de City werkt...'

Ik probeer redenen aan te voeren. 'Het is veel te lastig voor Max, die vlucht met twee kinderen.'

'Hij zou zich best redden.'

'En het is te veel voor de kinderen om heen en weer te vliegen. Ze hebben maar een week vrij.'

'O, dat zou prima gaan, dat weet je best.'

Ik denk nog wat na en zoek de beslissende reden.

'Ik wil niet dat hij dat doet,' zeg ik. 'Want dan moet ik weer afscheid van ze nemen, of ik moet met ze meegaan naar huis.'

Het is een leugen, maar eentje waarmee ik geen gezichtsverlies leid.

Amber pakt een tas in en gaat met de bus naar Mamallapuram. Ook al wil ze maar drie dagen wegblijven, toch voel ik me heel erg alleen.

Ik stel me voor dat Joe om me huilt. In gedachten zie ik Toby die me in stilte mist, op een manier die wellicht nog hartverscheurender is. Ze moeten allebei wel moederliefde zoeken bij Sarah. Ik besluit om Lola te bellen en te vragen wat zij denkt dat er aan de hand is.

Ik slenter naar het KC als iemand van achteren op me af rent en een hand op mijn arm legt. Ik draai me verwonderd om en zie dat het Anjali is. Ik zie haar elke dag tijdens de meditatie en af en toe in het Kindercentrum, maar ik praat bijna nooit met haar. Hoe jong ze ook is, ik heb net zo veel ontzag voor haar als alle anderen.

'Dag, Tansy,' zegt ze.

Max zou hierheen kunnen komen. Als mijn schatjes nu kwamen, zou ik klaar voor ze zijn.

Ze zouden me zien zoals ik nu ben: beter en kalmer dan ooit tevoren.

Als ik nu naar huis ga, zal Max het me kwalijk nemen dat ik zijn aangename leventje met Sarah kom verstoren. Hij zal het vreselijk vinden dat ik hun vakantieplannen kom verpesten.

Ik kijk naar Anjali's gezicht. Ik heb nooit geloofd dat mensen een aura hebben, maar deze vrouw heeft wel een bepaald charisma. En op een schaal die ik nog niet eerder heb meegemaakt. Het is overweldigend.

'Wat is er?' vraagt Anjali. 'Gaat het wel, Tansy?'

Ik kijk in haar heldere, donkere ogen.

'Ja, hoor,' mompel ik. Haar huid is zo glad dat ik hem eventjes aan wil raken. 'Niks aan de hand.' Van dichtbij zorgt deze vrouw ervoor dat ik wil smeken of ik de hele dag naast haar mag lopen, eten en drinken voor haar mag halen als ze erom vraagt en haar koelte mag toewuiven met een kleine, zelfgemaakte waaier. Zij geeft de ashram vorm; de kalmte en rust die ik elke dag voel, stralen direct van Anjali af.

Ze schudt haar hoofd.

'Ik hoop dat je hier wat spirituele steun vindt,' zegt ze. 'Uit wat Ellie me heeft verteld, heb je iets nodig. Ik wil je bedanken voor je hulp met Tara.'

Daar moet ik om glimlachen. 'Geen probleem. Ze is een schatje.'

'En je bent weergaloos met de kinderen. Ze zijn gek op het berenstuk.'

'O, Amber en ik beleven er evenveel lol aan als zij.'

Ze raakt mijn arm aan. 'We waarderen alles wat je doet. Dat wilde ik je even vertellen.'

'O, maar wat ik doe, stelt niks voor. Als ik nog iets anders kan doen... Ik bedoel, ik ben hier gekomen omdat ik dacht dat jullie me nodig hadden. Ik wil echt heel graag meer doen. Als ik ooit nog iets kan doen, hoef je het maar te vragen.'

Bedachtzaam kijkt ze me aan. 'Echt waar? Zou je alles willen doen?'

Ik voel me dom, groot, roze en veel te gretig. 'Alles,' verzeker ik haar. 'Ellie heeft een keer laten doorschemeren dat ik zou kunnen helpen met de families van de kinderen, ze bij elkaar brengen, dat soort dingen.'

'Ja,' zegt ze. 'Nou, als je dat soort dingen graag wilt doen, zal ik je aanbod in gedachten houden. Dank je wel.'

Later zitten Ellie en ik in haar Tardis groene thee te drinken. Ik ben nog opgewonden door mijn ontmoeting met Anjali, maar ik doe mijn best om niet te analyseren hoe dat komt. Ellie praat over de opvoering van de kinderen, als ik haar onderbreek.

'Verkoop je drugs?' vraag ik. Ik weet zeker dat ze dat op kleine schaal doet. Iedereen lijkt te roken. Iedereen lijkt er via Ellie aan te komen.

Ze snuift. '"Verkoop ik drugs"? Ben jij ineens de rechter?'

'Nee. Sorry. Ik wil gewoon niet dat je iets doet waar je problemen mee kunt krijgen.' Ik zwijg even. 'Vind jij dat ik alcoholist ben?'

Ellie lacht: 'Is dit soms het spelletje "twintig paranoïde vragen"?'

'Nou, vind je dat?'

'Nee. Maar...'

'Wat?'

'Nou, voor je hier kwam, heeft Max me gemaild. Dat weet je al. Hij zei dat hij bang was dat je...' Ze zet een diepe stem op en spreekt met een Engels accent om Max na te doen: '"Een alcoholprobleem of drankafhankelijkheid" had. Nou moet je weten dat ik dat laatste als het alcoholisme van de rijken beschouwde, maar eigenlijk vind ik nu dat hij gelijk had. Volgens mij kun je zonder drank prima functioneren en dronk je alleen maar vanwege het leven dat je thuis leidde. En omdat je ergens woont waar het zo gemakkelijk te verkrijgen is en algemeen wordt geaccepteerd. Omdat je je leven tot in het diepst van je ziel saai vindt zodat je maatregelen moet nemen om je realiteit te veranderen.'

'Godverdomme. Draai er vooral niet omheen, zeg.' Ik voel de razernij in me opwellen. Ik knijp mijn ogen dicht en span al mijn spieren, maar ik kan het niet tegenhouden. Het stroomt over. 'Heeft Max dat tegen je gezegd?' Mijn stem wordt harder. 'Dat zegt hij zomaar tegen jou, maar niet tegen mij? Hij vertelt jou achter mijn rug om zulke dingen, die niet eens waar zijn? Wat denkt hij wel niet? Wat bezielt hem?'

Ellie onderbreekt me door haar kleine hand op mijn arm te leggen.

'Hé,' zegt ze. 'Leef gewoon je leven. Zoals je nu doet. Ga ervandoor met die leraar als je dat wilt. Blijf hier, neem een hut. Help ons met de kinderen zo veel als je wilt en zo lang je wilt. Neem je eigen kinderen mee hiernaartoe. Maar dóé iets. Bedenk wat voor leven je wilt. Ga niet alleen terug naar Max omdat dat het gemakkelijkste is. Zorg dat het anders wordt. Anders kun je over vijf jaar best wel eens je moeder zijn. En je weet precies hoe dat is.'

Tot ze over mijn moeder begon, kon ik haar volgen. Nu keer ik me tegen haar.

'Ik zal nooit mijn moeder worden,' snauw ik. 'Jij weet niks over haar. Flikker op, Ellie.'

Ik storm naar buiten en sla de deur heel hard dicht. Ik hoop dat het hutje in elkaar zal storten. Blindelings ren ik terug naar het gastenverblijf. Ik wil haar nooit meer zien.

30

Mijn achterdocht dreigt de overhand te krijgen. In gedachten zie ik Max en Sarah in het zwembad bij ons in de buurt. Vreemd genoeg is dat gevuld met fonkelend blauwgroen water. Max hangt aan de rand van het bad en kijkt op naar Sarah die voor hem staat in een piepkleine, roze bikini. Ze grijnst naar hem. Hij kijkt haar met open mond aan, een blik vol aanbidding in zijn ogen. Ze doet haar handen achter zich en maakt met een plagende blik haar bovenstukje los.

Ik doe mijn ogen open. Ik lig op mijn bed, alleen in de kamer, en het is donker. Ik hoor dat alle anderen buiten de avondmaaltijd gebruiken. Het licht is uit en ik weet dat de plafondventilator niet beweegt, want anders zou ik hem horen. Dat betekent dat er een stroomstoring is.

Mijn ogen zijn gezwollen en ik ben bang. Ik haat Ellie om wat ze heeft gezegd, maar het ergste is dat ze gelijk had. Sarah en ik waren hard op weg om in onze eigen moeder te veranderen. We versterkten elkaars gedrag. We speelden een heel gevaarlijk spel en nu speelt ze een ander soort gevaarlijk spel met mijn echtgenoot, een man die duidelijk een voorliefde heeft voor semi-alcoholische vrouwen met mentale problemen.

En Max. Trouweloze Max die net deed alsof hij mijn beste vriend en zielsverwant was, heeft me in het geniep zitten afkraken tegenover Ellie. Ik zie hem voor me, op zijn werk waar hij snel een mailtje over 'drankafhankelijkheid' naar mijn vriendin typt, waarna hij naar huis gaat om mij van de jongens te verlossen en me een drankje in te schenken. Hij is een leugenachtige zak en ik weet dat onze relatie nooit meer zo zal worden als vroeger.

Ik vraag me af of ik hier met de jongens kan gaan wonen en Max kan achterlaten met zijn geliefde baan en hypotheek. Dat zou ik zo doen. Het zou goed zijn voor Toby en Joe, behalve dan de onbeduidende bijkomstigheid dat ze hun vader zouden missen. Maar Max zou het nooit goedvinden dat ik ze meeneem. In de rechtszaal zou hij de rechter alles over mijn drinkgedrag vertellen tot ik ze kwijt ben. Ik weet dat hij dat zou doen als het echt nodig is, om bestwil van de jongens. Omdat hij denkt dat ik een 'drankprobleem' heb.

Ik leg mijn hoofd weer op bed. Kon ik me maar een toekomst voorstellen, iets wat duidelijk, eenvoudig en ondubbelzinnig is. Ga ik terug naar Londen en laat ik alles weer worden zoals het was? Of wordt het dan alleen erger omdat ik de waarheid heb gezien en weet dat ik een beter mens kan zijn dan ik thuis was? Of verscheur ik ons gezin door te eisen dat we met zijn allen in India gaan wonen? Ik kan mezelf echt nergens zien over vijf jaar.

Ze komt binnen zonder te kloppen. 'Goed, mevrouw Harris,' zegt ze. 'Opstaan. Maya zegt dat je het avondeten hebt overgeslagen. Ze zei dat je restjes mag zoeken in de keuken, maar ik heb een beter idee.'

'Donder op, Ellie,' mompel ik in het kussen.

'We gaan uit. We gaan in Pondi eten. Ik trakteer. Om mijn verontschuldigingen aan te bieden. Ik denk niet altijd na, en soms komen de dingen er niet zo lekker uit. Je doet geweldig werk voor ons en Anjali heeft me de mantel uitgeveegd toen ik zei dat ik je van streek heb gemaakt.'

'Flikker op, ik wil helemaal niet gaan eten in Pondi. Ik zoek wel wat als ik er zin in heb.' Ik til mijn hoofd op van het kussen. 'En ik doe helemaal geen goed werk. Wat ik doe, kunnen honderd andere vrijwilligers ook. Ik heb geen idee waarom je hebt gevraagd of ik wilde komen.'

'Ja, je gaat nu mee.'

'Nee.'

'Jawel.' Om haar vastberadenheid te tonen, pakt Ellie de fles water die naast mijn bed staat en houdt hem voorzichtig schuin boven mijn hoofd. Ik slaak een gil, ga rechtop zitten en duw haar van de rand van het bed af. Ze belandt op de grond, klein en schattig, en kijkt lachend naar me op.

'Kom je dan?'

Misschien moet ik hier gewoon voor onbepaalde tijd blijven en me overgeven aan de routine. Max kan de jongens af en toe hierheen sturen om me op te zoeken. Iedereen zou denken dat ik een zenuwinzinking heb gehad en het leven zou gewoon doorgaan.

Terwijl ik Ellie gedwee volg over het pad dat naar de parkeerplaats voor de Grote Zaal leidt, praat ik tegen haar achterhoofd. Dat is makkelijker.

'Ze zat elke dag in dezelfde stoel,' zeg ik. 'Met een fles whisky. Ze ging alleen de deur uit om meer drank te kopen en iedereen, echt iedereen, lachte haar uit, en ze lachten mij ook uit omdat ik bij haar woonde. In de slijterij waren ze dol op haar, vonden ze haar enig. Ze zei altijd dingen als: "er komen namelijk een paar vrienden borrelen", en dan zeiden zij: "natuurlijk, mevrouw H". Ze maakte zich altijd op voor ze naar buiten ging, maar haar handen trilden zo dat ze op een groteske clown uit een avant-gardefilm leek. Ze piste in haar broek als ze in haar stoel zat. Dat heeft ze ook een keer in de slijterij gedaan. Dat vond ik leuk. Dan hadden ze haar maar geen alcohol moeten verkopen.'

Ellie blijft staan en ik bots bijna tegen haar op. Vervolgens loopt ze verder.

'Jezus,' zegt ze. Ze kijkt naar mij en wendt dan haar blik

weer af. 'Daar had ik geen idee van. Waarom heb je me dat niet verteld?'

Ik lach, al is het niet grappig. 'Waarom zou ik?'

'Tansy, het spijt me. Ik dacht dat ze gewoon van een borreltje hield en dat haar lever het toen heeft begeven. In dat geval zul jij natuurlijk nooit zo eindigen als zij. Dat neem ik allemaal terug.'

Ik knijp mijn ogen stijf dicht. Ik wil vragen wanneer we naar het Kindercentrum kunnen afbuigen, zodat ik iemand kan knuffelen, dicht tegen me aan trekken, iemands haar strelen, de troost van een ander lichaam voelen. Ik doe het bijna, maar verander dan van gedachten. Ik kan die arme kinderen niet als teddyberen gebruiken.

31

Het wordt donker als we de stad binnenrijden. Er waren geen riksja's, dus Ellie en ik zitten in een oude Ambassador-taxi die met de hand zwart is geschilderd, net als de taxi die me een maand geleden van het vliegveld naar Chennai heeft gebracht, een heel leven terug. Ik staar uit het klepperende open raampje. Er schieten schemerige flitsen van Indiaas leven voorbij. Mannen schreeuwen in lompe mobiele telefoons. Een oude vrouw zit gehurkt op de stoep naast een petroleumfornuis en schudt aan een koekenpan. Twee jonge vrouwen lopen druk in gesprek naast elkaar, lachen en kijken op hun mobieltjes.

Als bij toverslag piept mijn telefoon, vanwege een sms'je. Ik hou hem in het licht om het te lezen.

'ben je nog @ sekte?' staat er.

Onwillekeurig maakt mijn hart een sprongetje. Op dit moment is het veel eenvoudiger om aan Jim te denken dan aan Max. Ik antwoord gelijk. Tenslotte is hij duizenden kilometers bij me vandaan. Ik heb nog nooit zo veilig met hem kunnen flirten als nu.

'ja,' schrijf ik. 'het is fantastisch. geen sekte. zit in riksja naar pondi. geniet. x'

Ellie stelt geen vragen en ik zeg niks.

Elke keer dat ik hier kom, hoe vaak dat ook is, zal ik het gevoel hebben dat ik Max' reis afmaak, de reis die hem niets kan schelen. Ik steek mijn gezicht uit het raampje en adem diep in, een mengeling van duizenden geuren.

'Le Club,' kondigt de chauffeur aan, sneller dan ik had verwacht.

'Je zult de Club leuk vinden,' zegt Ellie vrolijk. 'En daarna de Rendez-Vous. Daar zul jij niks aan vinden, maar ik wel.'

'Australische mensen klinken ontzettend grappig als ze Franse woorden zeggen,' flap ik er uit. 'Ik weet niet waarom. Dan klinken jullie zo ongelooflijk onontwikkeld.'

'Ach, wie kan dat nou wat schelen?'

'En waarom zal ik de "Rondee-vjoe" niet leuk vinden?'

Ze lacht. 'Daarom niet.'

De Rue Dumas is breed en mooi, een koloniale Franse straat die slaperiger en kalmer is dan je van een Indiase weg zou verwachten. De huizen erlangs zijn voornamelijk wit, en ze zien er allemaal groots uit, met uitzondering van een pension dat in hallucinogene kleuren is geschilderd en tegenover het café ligt. Ellie neemt me mee naar een bar waar ze alcohol schenken, alsof ze me wil testen: met zijn donkere houten lambrisering en tropische inrichting, kon het evengoed een vijfsterrencomplex in Maleisië zijn als een café in Pondicherry. Als het stil is, kan ik golven op het stenige, dichtbij gelegen strand horen breken.

We bestellen gin-tonic.

'Drink jij dan echt?' vraag ik aan Ellie.

'Soms. Maar ik ben tegenwoordig een heel goedkope date, geloof me.'

'Grappig. Jouw leven is echt totaal veranderd. Eddy en jij wisten er wel raad mee. Ik herinner me je verhalen over de Australische pub in Parijs. En je bent naar Brighton geweest en zo dronken geworden dat je de zee helemaal niet hebt gezien. Jij kon mij altijd prima bijhouden. Ik wist nooit hoe je dat deed met dat kleine lichaam van je.'

'Nou, die tijd is voorbij. Dat is een ding dat zeker is.'

'Ik neem wat jij ook neemt,' besluit ik. 'Want ik moet toegeven dat het me moeite kost om te stoppen als ik eenmaal begin. Ik kan wél helemaal niks drinken. En ik kan enorme slemppartijen hebben. Maar iets daartussen kan ik niet. Ik zou het graag met mate kunnen.'

'Dan doen we het vanavond met mate. Een gin-tonic, hier. Een biertje of zo in het restaurant. Water. Klaar.'

'Afgesproken.'

Ik glimlach naar haar en ben al mijn boosheid vergeten. Tenslotte zijn we in Pondicherry. In een bar. Ellie en ik samen. Dat is een zeldzame traktatie.

'Weet je, jij pakt de zaken slim aan,' zeg ik tegen haar.

Het drankje is koud en heerlijk. Het ijs rinkelt als ik het glas schuin houd. De citroen heeft de vloeistof precies zuur genoeg gemaakt. Er is niks volmaakter dan een gin-tonic in India, denk ik.

'Slim in welke opzichten?'

'In heel veel opzichten, maar ik dacht vooral aan het celibatair zijn.'

'Waarom denk je dat ik dat ben?'

Ik staar haar aan. 'Nou, daar ben ik gewoon van uitgegaan. Ik bedoel, volgens Maya is er geen seks in de ashram. En jij hebt nooit iets gezegd over...'

'Volgens Maya is er geen alcohol in de ashram. En volgens haar zijn er ook geen drugs. Hoe dan ook, Maya is niet de juiste persoon om het over het celibaat te hebben.'

'Is er dan iemand?'

'In de loop der jaren zijn er meer dan genoeg geweest. Vorig jaar heb ik het uitgemaakt met een Franse knul, Pierre. Hij woonde een poosje in de ashram en daarna is hij vertrokken. Dat vond ik niet erg. En ja, er is nu ook iemand. Iemand die veel gaver is dan Pierre.'

'O, wat leuk! Wie dan?'

'Dat vertel ik je nog wel een keer.'

Tegen de tijd dat we in de Rendez-Vous komen, ben ik een beetje duizelig van die ene gin-tonic. Nog een teken hoe nuchter ik de afgelopen weken ben geweest: meestal heeft een drankje totaal geen effect op me. Nu struikel ik een beetje op de trap. We worden naar een dakterras gebracht en komen terecht in een druk geroezemoes, afkomstig van tafeltjes die duidelijk vol zitten met toeristen. Dit zijn toeristen van ver: roze mensen. Ze eten pasta en pizza. Ellie kijkt me aan en we beginnen allebei te lachen.

'Jij vindt dit natuurlijk vreselijk,' zegt ze. 'Ja, toch? Jij bent slechts voor een beperkte tijd weg van huis en het laatste waar je zin in hebt is een middelmatig verwesterd menu met dure, maar slechte wijn en knoflookbrood. Daar heb ik toch gelijk in?'

Ik overweeg het te ontkennen.

'Inderdaad,' zeg ik.

'Vreemd genoeg bevalt het ons hier prima. Een paar mensen uit de ashram gaan hier af en toe heen. Op mijn onbehouwen Australische manier is het voor mij een echte traktatie. Je kunt het meisje wel uit Australië halen...'

We kiezen een tafeltje bij een halfhoog muurtje, met de donkere straat onder ons. Het is pikkedonker buiten, en het lijkt eerder middernacht dan half negen. Ik heb helemaal geen zin in spaghetti of knoflookbrood. Niet hier in Pondicherry. Er staan een paar Indiase gerechten op de kaart, niet uit Zuid-India, van het soort dat we thuis bij afhaalrestaurants halen.

'Een biertje, dus?' vraag ik.

'Of een glas wijn? Dat vind ik lekkerder dan bier, want pils valt me altijd zwaar op de maag.'

'Tuurlijk.'

'Witte? Van rode krijg ik hoofdpijn.'

'Weet je, ik drink alleen maar witte. Nooit rode. Rosé als het niet anders kan. Champagne. Maar geen rode. Ik ben heel kieskeurig. Zodat mijn kloteman kan...'

'Genoeg!'

'Waarom?' Ik kijk haar aan. 'O, oké.'

Ik probeer mijn voortdurende verwarring aan de kant te zetten. Max heeft bijna nooit iets gezegd over mijn drankgebruik. Als ik echt een alcoholiste ben, zoals hij tegen Ellie heeft gezegd, heeft hij me de kans gegeven om dat te worden. Ik stel me met enige angst het gesprek voor dat hij met Lola en papa moet hebben gevoerd.

Max is niet dom. Als hij vindt dat ik een probleem heb, dan heeft hij waarschijnlijk gelijk, hoe vervelend ik de manier ook vind waarop hij het heeft opgelost. Ik wil niet opnieuw de zware drinker, de drankverslaafde, worden die ik in Londen was. Mijn moeder dronk wijn uit theekopjes, net als ik.

Ik duw het glas van me af. Ik weet niet zeker of ik sterk genoeg ben om terug te gaan naar Londen zonder weer te gaan drinken.

Ik word afgeleid door een bekende figuur die naderbij komt. Een klein persoontje die met een uitdrukkingsloos gezichtje tussen twee volwassenen loopt die haar allebei bij de hand houden.

'Tara!' roep ik. Ik kan het niet helpen. Ik sta op en loop naar haar toe. Ze kijkt op en er verschijnt een brede glimlach op haar gezicht.

'Gaan op berenjacht,' zegt ze. Ik til haar op en geef haar een kus. De volwassenen die bij haar zijn, vermoedelijk de familie uit Kasjmir, lijken nogal overdonderd.

'Sorry,' zeg ik. Ik probeer haar neer te zetten, maar ze laat me niet los. Ik heb geen idee hoeveel Engels haar familie spreekt, dus ik spreek zo duidelijk mogelijk tegen hen, zonder dat ik de juiste hindi-woorden paraat heb. 'Ik heet Tansy,' zeg ik. 'Ik kom uit Engeland. Ik ken Tara uit de ashram.'

'O, ik snap het,' zegt de vrouw. 'Hoi. Ik ben Gita en dit is Sanjiv. Wij komen uit Liverpool. Leuk je te ontmoeten.'

Ik draai me om en zie dat Ellie naar ons toe komt.

'Ik dacht dat jullie uit Kasjmir kwamen,' zeg ik snel. 'Dat heeft Ellie me verteld. Tara's familie uit Srinagar.'

'O, ja,' beaamt de vrouw. 'We komen uit Liverpool, maar we hebben besloten om terug te keren naar onze wortels en naar huis te gaan. Sanjivs familie komt oorspronkelijk uit Kasjmir, dus daar hebben we ons gevestigd. We hebben een hele reis gemaakt om de kleine Tara op te halen, maar...' De vrouw kijkt naar haar en klopt even op haar hoofd. 'Dat was wel het minste wat we konden doen.'

'Ze boft maar.'

Ellie staat naast me. 'Nou en of. Leuk om jullie te zien, jongens. Hoi, Tara. Alles goed met je, liefje?'

Tara knikt en verbergt haar gezicht. Ik zet haar neer, maak haar vingertjes los van mijn kleding en geef haar een kus. Ze blijft vlak bij me tot Gita haar handje pakt en haar meeneemt naar een tafeltje aan de andere kant van het restaurant waar de ober staat te wachten; de stoelen zijn al voor ze naar achteren geschoven en de menukaarten liggen klaar. Over haar schouder kijkt ze me aan.

'We gaan een grote vangen,' zegt ze. Ik werp haar een kushandje toe.

'Kasjmir is te gek,' zegt Ellie als we weer gaan zitten. Er ligt een staalharde blik in haar ogen. 'Er is zo veel meer dan alleen het conflict, al is dat natuurlijk het enige wat iedereen erover weet. Ik ben er nog nooit geweest, maar misschien komt dat er op een goede dag nog van.'

'Je hebt me nooit verteld dat ze uit Liverpool komen.'

Haar ogen worden groot. 'Sorry. Ik wist niet dat ik jou van alle bijzonderheden op de hoogte moest houden die met het reilen en zeilen van het Kindercentrum te maken hebben.'

'Nee, natuurlijk hoef je dat niet.'

Ik kijk haar een poosje aan en vraag me af wat er aan de hand is. Dan neem ik nog een slokje middelmatige wijn en kan het me niks meer schelen. Tara heeft mensen die voor haar zorgen. Ze heeft haar directe familie verloren onder de meest tragische omstandigheden, en nu heeft ze weer een thuis. De rest is bijzaak.

'Er is een theorie dat Jezus in Kasjmir is beland,' vertelt Ellie. 'Dat hij daar is gestorven.'

'Hij is toch aan het kruis gestorven?'

'O, jij weet ook niks! Hij heeft de kruisiging overleefd en ik weet niet meer hoe het verhaal daarna precies ging, maar hij is naar Kasjmir gegaan. Daar is een graf waarvan veel mensen denken dat het van hem is.'

'Sommige mensen zeggen dat hij naar Cornwall is gegaan,' werp ik tegen. 'Dat heb ik een keer in de krant gelezen.'

'Nou, dat is niet waar. Waarom zou hij naar Cornwall zijn gegaan? Hij is naar Kasjmir gegaan omdat daar zo veel mooie heldere meren zijn en prachtige boten en zuivere lucht. Dat zeggen ze.'

'Nou ja, hij kon natuurlijk kiezen. Hij was immers de zoon van God en zo. De wereld lag aan zijn voeten.'

Ik laat het onderwerp verder met rust en we beginnen herinneringen op te halen aan vroeger. Op dit moment is dat het veiligste onderwerp voor ons.

'Het is grappig,' zegt ze terwijl ze het laatste stukje van haar pizza pakt en dubbelvouwt, 'maar er was gewoon iets anders aan die maanden. Kijk, Eddy en ik waren al eeuwig onderweg. We hadden in dat smerige pand in Londen gewoond. We waren door Europa gesjeesd alsof we door de nazi's op de hielen werden gezeten of zo. We stopten alleen zo'n beetje om de dag om lazarus te worden in Australische of Ierse pubs. We waren in Maleisië en Singapore geweest. Maar die maanden, tien jaar geleden, waren heel anders. Als ik eraan terugdenk, krijg ik tot op de dag van vandaag zin om weg te gaan.'

'Echt waar? En waar zou je dan heen willen?'

Ze glimlacht. 'Fantasiereizen. Ik merk dat ik die de laatste tijd steeds vaker heb. Dat heb jij vast ook gedaan. Ik ben echt heel tevreden in de ashram, maar op een goede dag ga ik misschien een maand of twee een tocht maken. Dan zal ik direct India verlaten, daar kun je donder op zeggen, en als eerste teruggaan naar Nepal. Ik zou een bus naar de bergen nemen en wekenlang over de paden wandelen. Ik zou het koud hebben. Het lijkt me fijn om het koud te krijgen. Ik zou langs de rand van de bergen lopen en naar de besneeuwde toppen in de verte kijken. Kun je je dat voorstellen? Dat je het koud hebt?'

'Het idee van de bergkoninkrijken spreekt me wel aan,' zeg ik. 'Bhutan. Ladakh.'

'Ja, precies!' En binnen de kortste keren hebben we een koude reis gepland, alleen voor ons tweeën.

'Ik had kunnen weten dat jullie hier zaten.'

Anjali staat naast het tafeltje. Ze valt in deze omgeving heel erg uit de toon. Het restaurant lijkt op de een of andere manier te onbehouwen voor haar. Toch ben ik ondanks mezelf opgewonden.

'Hallo,' zeg ik te luid. 'Wauw, dit is een echt trefpunt.'

Ze gaat op de stoel naast Ellie zitten. 'Ik was op bezoek bij iemand in Pondi en ik herinnerde me dat Ellie had gezegd dat ze je hier mee naartoe zou nemen.'

Ellie kijkt haar met grote hondenogen aan, en ik weet zeker dat ik net zo kijk.

'Wat is er aan de hand?' vraagt Ellie. 'Wij hadden het net over de goeie ouwe tijd.'

'Ja. Heel intrigerend, Tansy. Ellie heeft verteld over de tijd die jullie elders in Azië hebben doorgebracht. Dat was nogal dramatisch.'

'Veel te dramatisch,' zeg ik snel. 'Wil je iets drinken?'

Ze lacht. 'Nee, dank je. Alcohol doet op geen enkele manier iets voor me.' Ze pakt Ellies waterglas, een verbazend intieme handeling, en drinkt het helemaal leeg. Haar keel is perzikachtig en kwetsbaar. 'Zeg, Tansy. Ben je gelukkig?'

Ik giechel. Die vraag is te groot. 'Ja,' zeg ik. 'Althans, ik denk van wel.'

Ze wendt zich tot Ellie. 'Ellie, ik heb goed nieuws. Helga heeft de familie van Kamatchi en Haniska gevonden, in Engeland. We moeten de kinderen in Londen zien te krijgen, en dan kunnen ze daar worden opgehaald.'

Ellie fronst haar wenkbrauwen. 'Oké. Dat moet wel lukken, denk ik. Als alle papieren in orde zijn. Maar dat is zeker goed nieuws. Dat heeft Helga goed gedaan.'

Ik buig me voorover. 'Als er kinderen naar Londen gebracht moeten worden en ze hebben hun paspoort en zo?' zeg ik. 'Dan kunnen ze wel mee op mijn vlucht.'

Anjali glimlacht naar me. 'Maar Tansy, jij vertrekt voorlopig toch nog niet? En dat zou ik bovendien nooit van je vragen. Het is een grote verantwoordelijkheid.'

'Natuurlijk zou ik dat doen. Zolang alle papieren kloppen en dat soort dingen meer.'

'Je zult ongetwijfeld wat tijd moeten doorbrengen bij de douane om de situatie van de kinderen uit te leggen.'

'Maar alles is toch legaal? Ik wil over ongeveer veertien dagen naar huis. Ik wil heel graag helpen. Dat heb ik al eerder gezegd.'

'Je mag natuurlijk zelf alle papieren controleren voor je vertrekt.'

'Dat is fijn. Maar ik zou toch geen wetten overtreden?'

'Nee, nee,' zegt Anjali. 'Integendeel.'

'Nou, laat mij het dan doen.'

Ze grijnst. 'Dank je! Dat stellen we erg op prijs. Weet je, we hopen dat je nog eens terugkomt. Bij het Kindercentrum kunnen we je hulp goed gebruiken op een meer permanente basis.'

'Maar ik doe er niks.' Het verbijstert me dat er telkens wordt beweerd dat ik geweldig ben. Maar Anjali is nog niet uitgesproken.

'En nog iets,' zegt ze. 'Voor in de tussentijd. Aangezien je echt wilt helpen. Zou je een keer voor ons naar Mamallapuram willen gaan? Ik weet dat het backpackersleven je aantrekt. Wil je overwegen om er een paar dagen heen te gaan om een pakje papieren op te halen voor het Kindercentrum? Zoals je weet, hebben we veel kinderen uit Mamallapuram en we letten er zorgvuldig op dat al hun papieren in orde zijn. Om je de waarheid te zeggen hebben we daar een dagtaak aan.'

Ik grijns. 'Moet ik naar Mamallapuram?'

'Als je het niet erg vindt.'

'Mamallapuram is toch dé backpackersstad?'

'Jazeker.'

'Natuurlijk wil ik dat! Dolgraag. Amber is er vandaag naartoe gegaan.'

'Wij zullen een taxi regelen om je te brengen en je weer op te halen. Morgen, als het kan. Ik zal zorgen dat de taxi je direct na het ontbijt komt halen. Ik zal Enid tot bedaren brengen, en zij zal een uitzondering maken en je je laatste twee dagen yoga laten doen als je terug bent.'

'Dank je,' zeg ik glimlachend.

Ellie pakt Anjali's hand en knijpt erin. Anjali kijkt haar aan. Ze werpen elkaar een intieme glimlach toe. Ik kijk naar hun verstrengelde handen. Ellie kijkt op naar mij, glimlacht vaagjes en wendt haar gezicht af.

Ik werp een blik op de donkere straat onder ons. Er rijden een paar riksja's voorbij en een man wankelt van de ene kant van de straat naar de andere.

32

Het eerste wat ik doe nadat ik me heb ingeschreven in het pension is een boek pakken en een eethuisje opzoeken. Dat is een fluitje van een cent, want het stikt er hier van. Ik heb gezworen om geen alcohol te drinken terwijl ik hier ben, tenzij ik mezelf kan vertrouwen om het met mate te doen. Van koffie, *chai* en fruitlassi's mag ik echter zo veel drinken als ik wil. Ik raak helemaal opgewonden bij de kans op cafeïne. Dat moet toch zeker een stimulerend middel zijn dat geen kwaad kan? De koffie in het pension was vreselijk: slap instantspul. Ik snak naar een latte.

'Ja, mevrouw! Kleren, mevrouw? Mooie tas, mevrouw?' roepen mannen bij verschillende kledingstalletjes als ik langsloop. Ik glimlach naar ze en ze grijnzen terug. Mijn mobieltje piept omdat ik een sms'je heb. Dat lees ik wel als ik ergens zit.

'Straks misschien,' zeg ik tegen de stalhouder, en ik bekijk hun waren zonder vaart te minderen. Dit zijn de kleren waar ik naar heb verlangd: veel goedkoper dan de fairtradekleding die op de ashram wordt verkocht. Ze zijn simpel en ruimvallend en vormen een soort uniform. De meeste trekkers die ik om me heen zie, dragen ze.

Ik leg mijn benen op een stoel, bestel een mangolassi en leun achterover, in de schaduw, om naar de langslopende mensen te kijken. Hierna zal ik koffie bestellen. Ik heb al voorpret bij de gedachte.

Dit is waarom ik hierheen ben gegaan: voor de mensenmenigte, voor de vrouw met de armbanden over haar arm die me aandachtig bekijkt en die me zal aanschieten zodra ik hier wegga. Ik ben naar India gegaan voor de geur van de zee, voor de kruiden van de gerechten die worden bereid in dit restaurant en de aangrenzende, voor de rode aarde die naar de kant van de weg is geveegd, voor de mensen die op elkaar gepakt wonen, de gebouwen die boven op elkaar staan, de rekken met losse, gemakkelijk zittende kleding en geborduurde tassen. Ik ben hierheen gegaan voor de geluiden: het voortdurende geklink van de beitels van de beeldhouwers op steen. De in de verte ruisende zee die tussen twee hoge gebouwen door te zien is. Het geroezemoes van gesprekken, de hindi-muziek in de verte. Ik ben hier gekomen voor het leven.

Er zijn hier heel veel volwassenen: twee stellen met grijs haar lopen langs met een man die overduidelijk hun gids is. Een paar vrouwen met een lichaamshouding die aan de ashram doet denken – de kaarsrechte rug van de yogafanatici – slenteren langs en zien er verlicht uit. Er sjokt een jongere vrouw voorbij, rugzak om, blik recht vooruit. Of ze komt net aan of ze gaat weg.

Ik lees mijn sms'je.

'wat doe je nu? is vakantie en ik heb veel zin om naar je toe te komen. jx'

Ik sms terug: 'zit in café in mamallapuram. geniet. maar jij moet niet naar me toe komen.'

En er zijn overal kinderen. Ik zie een paar westerse kinderen die er blij, doorvoed en niet ziek uitzien, en honderden plaatselijke. De Indiase kinderen zijn magerder, maar op het eerste gezicht lijken ze gelukkig. Ik voel me een echte expert wanneer ik ze vergelijk met de bewoners van het Kindercentrum en mijn eigen stevige knulletjes. Deze hebben minder ingevallen wangen dan die uit het Centrum, maar ze zijn lang niet zo mollig als mijn kleine Joe.

Hij schrijft terug: 'prachtige stad. geniet ervan! maak je geen zorgen, ik stalk je niet. x'

Tien minuten lang kijk ik naar drie jongens en een meisje die met een oud fietswiel spelen. Deze straat loopt enigszins af, naar de zee. De kinderen proberen om de beurt om het wiel helemaal naar het zand te rollen zonder dat het omvalt.

Van Anjali moest ik me ontspannen en genieten van de stad voor ik het pakje op ga halen. Dat doe ik graag. De vele uren yoga en meditatie hebben me energie gegeven op een manier die ik niet voor mogelijk had gehouden.

Net als ik een fles water wil bestellen, piept mijn telefoon weer.

'gaan naar longleat. kom naar huis, we missen je. m,t,j. s,l,rx'

Dat doet Max met opzet; me inpeperen dat hij gezinsdingen doet met een andere vrouw. Hij wil me laten zien dat ze alle drie zonder me kunnen. Ik trek een gezicht en zet de paranoia van me af. Ik zit in een stadje aan de Golf van Bengalen. Ik heb mazzel dat ik niet naar safaripark Longleat hoef. Ik ben blij dat ik hier ben.

Ik loop naar het strand en ga op het zand staan. Het water voor me is grijs en de golven zijn angstaanjagend hoog. Op het strand ligt een rij fel beschilderde vissersboten, sommige met de naam van een liefdadigheidsorganisatie op de zijkant. Een groepje lachende mannen loopt langs de waterkant terwijl ze tegen het water schoppen. Langs het strand, aan de rechterkant, steekt de Kusttempel uit, een oeroude overlevende van eeuwen vol rukwinden en tsunami's.

Ik heb het gevoel dat ik miljoenen kilometers van Longleat ben. Het is nogal verontrustend om mezelf zo ver van mijn oude leven tegen te komen en me opnieuw bezig te houden met het bestaan van Jim Trelawney. Het is heel gemakkelijk om daaraan toe te geven, om zijn mooie open gezicht en zijn ondeugende blik voor me te zien. Hij is ongecompliceerd omdat hij buiten de werkelijkheid staat. Een deel van me wil mijn grenzen oprekken; erachter komen of hij werkelijk hierheen zou snellen om de vakantie met mij door te brengen. Al zou ik dat natuurlijk nooit doen. Ik sta aan de rand van de branding en besluit verstandig te zijn. Hoe vervelend ik het ook vind om tussen de gloednieuwe vissersboten op dit idyllische strand te staan en naar een mobieltje te staren, toch haal ik het tevoorschijn en ik schrijf:

'eigenlijk moet ik dit gesprek nu beëindigen. sorry.'

Ik verstuur het en feliciteer mezelf omdat ik me verstandiger tegenover Jim heb opgesteld dan ooit tevoren.

Ik doe mijn schoenen uit en stap in het ondiepe water. Het klotst rond mijn voeten en spoelt ze schoon.

De zoom van mijn rok wordt nat en zwaar.

'spelbreker,' sms't hij terug. 'en ik ben nog wel op het vliegveld.'

De wind blaast mijn haar in mijn gezicht. Ik kijk omlaag naar het strand, naar de oude Kusttempel die boven het water uitsteekt en eeuwenlang stormen en tsunami's heeft doorstaan.

'ik hoop echt dat je een grapje maakt,' schrijf ik, en daarna doe ik de telefoon uit en berg hem op.

De backpackers slaan geen acht op me, net zomin als de jonge mannen die over het strand lopen. De vrouw die kettingen verkoopt van sandelhout haast zich naar me toe en loopt met me mee.

'Ketting van sandelhout,' zegt ze. 'Heel mooi. Honderd roepie, ik geef u vier ketting. Oké, vijf. Vijf ketting. Oké, zes. Zes ketting.'

Ik duik een internetcafé in en log in op mijn e-mailaccount. Er zijn een paar korte berichtjes met familienieuws van Max, met drie meegestuurde foto's. Op twee ervan staat Sarah. Op de tweede draagt ze een hesje waarvan Max niet kan weten dat zij dat heeft omschreven als haar 'sexy' hesje. De aanblik ervan bezorgt me koude rillingen, want ik weet precies wat dat betekent.

Het is een soort vest met een lage V-hals dat ze een fatsoenlijke aanblik geeft door er een wit T-shirt onder te dragen.

Als ze het draagt, doet ze haar schouders naar achteren en zegt ze: 'Vanavond wil ik vrijen'. Volgens haar werkt het altijd bij Gav.

Maar Gav is er niet. En ze draagt het bij een uitstapje naar het Science Museum met mijn echtgenoot.

Ik schrijf het kortst mogelijke mailtje naar Sarah.

'Hoi S,' typ ik met trillende vingers. 'Max heeft me foto's gestuurd. Fijn dat jullie er allemaal zo gelukkig uitzien. En zie ik daar je "sexy hesje"? Is Gav dan terug? India fantastisch, ik kom binnenkort terug, waarschijnlijk met een stel wezen op sleeptouw die bij hun tantes en ooms in Londen gaan wonen. Tot binnenkort, heel veel liefs. T x'

Ik lees het niet eens meer door voor ik het verstuur. Dat kon ik echt niet voorbij laten gaan zonder er iets van te zeggen. Vol twijfel schiet ik het dichtstbijzijnde restaurant in. Overal waar ik ben, kijk ik of ik Amber zie. Vroeg of laat moeten onze wegen elkaar kruisen.

Boven aan de trap is een plank propvol schoenen: versleten leren sandalen, felgekleurde plastic Crocs, canvasschoenen die gympies werden genoemd toen ik klein was en vreemd genoeg ook een paar bontlaarzen. Ik schop mijn sandalen uit.

Bij het zien van de zaak blijf ik stokstijf staan. Dit is nou precies waar ik naar op zoek was. Het is de belichaming van een reizigersrestaurant. In het midden van de ruimte en naast het balkon staan een paar tafeltjes terwijl er langs de randen, waar het dak omlaag gaat en de hoogte wordt beperkt, lage tafels met vloerkussens staan. Op de betonnen vloer liggen rieten matten. Aan het plafond hangen papieren lampenkappen met de afbeelding van Boeddha en vaag Tibetaans aandoende motieven. Een boekenplank vol sleetse paperbacks, een scrabblespel en een paar speeltjes vervolmaken de ambiance. Eindelijk dan toch: dit is echt backpackersgebied.

Ik loop naar een tafeltje waar ik tussen de bovenkant van de lage muur en het dak de straat kan zien. Op de menukaart staat Kingfisher-bier, maar ik slaag erin om een grote koffie te bestellen.

Het restaurant wordt bevolkt door een mengeling van de gebruikelijke bezoekers, van serieuze yogi-aanhangers tot verstandige beeldhouwfanaten en goed geklede Indiërs. Ik kijk omlaag naar de straat waar zich allerlei taferelen afspelen. Terwijl ik toekijk, vangt een man in de kledingwinkel aan de overkant mijn blik en hij roept naar me.

'Dag, mevrouw. Heel mooie tas?'

Dit is wat ik wilde. Een voortdurend verschuivende reizigersstad waar ik me ergens aan de rand van zou bevinden. Niet dronken. Niet trappelend van ongeduld omdat ik elders wil zijn. Gewoon ergens zitten en me zorgen maken om Max en Sarah.

Nu weet ik dat mijn intuïtie het al die tijd bij het juiste eind had. Tot voor kort zou ik hebben gedacht dat Max me nooit zou bedriegen. Maar nu weet ik dat hij andere mensen achter mijn rug om over mijn drinkgedrag heeft verteld. Hij heeft Ellie dingen verteld die hij nooit tegen mij zou hebben gezegd.

En hoe kan ik hem vertrouwen terwijl ik Jim Trelawney heb gezoend? Als ik eraan denk hoe gemakkelijk grenzen kunnen worden overschreden, slaat de schrik me om het hart.

33

Alexia's gedachten

We vliegen er morgen heen! Ik kan nauwelijks typen van opwinding. We zijn gepakt en gezakt. Het beste is nog wel, en ik begon eraan te wanhopen dat het ooit zou gebeuren, dat ik in de koffer kleren heb voor mij, voor Duncan en voor Saskia! Ja, ik heb een paar pakjes voor haar gekocht bij Gap en wat gewonere dingen bij Target en als we terugkomen heeft ze die aan. Ik hoop dat de maat goed is. Al is ze vier, ik heb kleertjes gekocht voor jongere kinderen omdat ik vermoed dat ze kleiner is dan Amerikaanse kinderen. Mijn kleine Indiase godin.

Sommige zijn roze, sommige niet, al heb ik gemerkt dat het knap lastig is om kleren te vinden die niet roze zijn. Ik vind niet dat kleine meisjes de hele tijd dezelfde kleur moeten dragen, dat wordt zo saai. Ik geloof dat felle kleuren haar goed zullen staan.

Allerlei mensen hebben gezegd hoeveel ik ben veranderd. Iedereen in de stad weet nu van Saskia. Ik geloof dat bijna iedereen de foto heeft gezien die ze me hebben gestuurd. Een paar klanten uit de winkel hebben zelfs om een afdruk van die foto gevraagd en als ze dat doen, ga ik altijd even naar achteren, log in op mijn e-mailaccount en print er ter plekke eentje voor hen uit.

Als de anonieme H dit leest: ik weet niet hoe ik je moet bedanken voor het contactadres van het KC. Ik weet dat ik dit de laatste keer ook al heb gezegd, maar ik moet het gewoon blijven zeggen. Had ik je e-mailadres maar. Na alles wat we de afgelopen tien jaar hebben meegemaakt, was het KC een verademing. Al ben ik niet religieus, ik heb kort geleden zelfs gebeden en God gedankt, of Boeddha of Krisjna of gewoon de universele geest des levens (daar mag mijn zus Dee graag over praten) voor het feit dat ik dit blog ben begonnen en dat een van de weinige mensen die het heeft gelezen me in contact kon brengen met iemand die mijn dromen uit kon laten komen.

Het KC heeft alle bureaucratische zaken bijzonder efficiënt geregeld, en dat is elke cent meer dan waard. Het enige wat wij hoeven te doen is haar ophalen. Ze zal een volledig medisch dossier hebben, al het papierwerk zal in orde zijn en ze zal klaar zijn om te vertrekken.

Ze hebben ons verteld dat we moeten zeggen dat we haar familie vertegenwoordigen en niet dat we haar echte familie zijn als een buitenstaander vragen stelt, maar dat is volgens hen alleen om de roddelaars de mond te snoeren. De dame van het KC zegt dat veel mensen vinden dat Indiase baby's naar Indiase families horen te gaan en om problemen te voorkomen zullen wij net doen alsof we niet haar nieuwe familie zijn. We zullen zeggen dat ze bij haar neven en nichten in de VS gaat wonen. Dat hebben we er graag voor over.

Op hun aanraden zullen we een paar dagen met haar doorbrengen in India, zodat we elkaar kunnen leren kennen.

Heb ik al gezegd dat ik opgewonden ben? Ik heb het huis versierd voor haar komst; overal hangen ballonnen en er is een vaandel waar 'Welkom Saskia!' op staat. Mam zegt dat het stom is om de ballonnen nu al op te hangen omdat ze leeg zullen lopen, maar toen glimlachte ze en zei dat ze op de dag dat we terugkomen even zal langsgaan om een paar nieuwe voor haar kleindochtertje op te hangen.

Duncan is net binnengekomen om te zeggen dat hij een taxi heeft besteld voor vijf uur 's ochtends. We hebben heel veel vluchten: van hier naar La Guardia, naar Delhi, naar Chennai en dan drie uur in een taxi. Maar ik hoef vast niet te zeggen dat het dat allemaal meer dan waard zal zijn.

Reacties: 2

Alexia! Je hebt nooit verteld dat je een blog hebt. Gekke zus van me. Hoor eens, in een eerder bericht schreef je dat ik heb gezegd dat je een Amerikaanse baby zou moeten adopteren. Vergeet dat alsjeblieft. Het spijt me. Heel veel succes, lieverd, en heel veel liefs. Kom veilig terug met mijn nichtje. Ik hou van je. Deannaxxx

Hallo. Je hoeft me niet te bedanken. Ik ben blij dat voor jou alles net zo goed zal aflopen als voor ons. In gedachten zullen we bij je zijn op je reis. Heel veel geluk en veel liefs voor jullie allemaal, H.

34

Als ik eenmaal uit de buurt ben van de drie straten die de Khao Sanweg hadden kunnen zijn, verandert Mamallapuram in een stad van beeldhouwers. Er moeten honderden mannen zijn die druk met hamer en beitel een stuk steen bewerken, allemaal in hun eigen werkplaatsje terwijl hun waren, variërend van kleine stenen olifantjes tot enorme goden die met een hijskraan verplaatst moeten worden, buiten op de stoep uitgestald staan. Er zijn winkeltjes waar je warme dranken en willekeurige artikelen kunt kopen, er zijn etenskraampjes en er zijn mensen van alle leeftijden, van alle rangen en standen, die doen wat ze moeten doen en mij nauwelijks een blik waardig keuren. De lucht is dik van het steenstof.

Ik geniet ervan. Ik zou eeuwig in dit stadje kunnen rondlopen.

Ik slenter in de richting van de Tempel van de Vijf Ratha's en doe mijn best om niet aan Max te denken.

Net als ik denk dat ik er bijna ben, duikt er een man naast me op.

'Hallo,' zegt hij. 'Gids?'

'Nee, dank je,' zeg ik lachend.

'Heel goedkoop?'

'Nee. Sorry.'

De man blijft dicht naast me lopen, voor het geval ik van gedachten verander. Hij heeft een mooie glimlach en ik zie dat hij alleen zijn werk doet.

'Geniet van uw bezoek,' zegt hij na een poosje, en hij loopt naar een groepje bijzonder rijk uitziende mannen en vrouwen die uit een auto met vierwielaandrijving stappen. Ik heb aan een blik genoeg om twee vrouwen met een St.-Tropez-kleurtje, kapsels van tweehonderd pond en casual kleding van Gucci te herkennen. Ze worden vergezeld door twee mannen die Ralph Lauren dragen. Alle freelancegidsen in de buurt komen tegelijk op hen af.

'Sukkels,' mompel ik opgewekt.

Ik koop een kaartje voor het tempelcomplex en loop het hek door, waarbij ik me een weg moet banen langs een rij ongewoon opdringerige schoenverkopers.

Ik lach als ik Amber voor een beeld van een olifant zie staan. Het kon ook niet anders, dit is maar een kleine stad. Terwijl ik op haar af loop, bekijk ik haar. Haar mond vormt een strakke streep, haar ongekamde haar hangt los en wappert in de hete wind. Haar schouders zijn gekromd en ze lijkt helemaal in zichzelf verdiept.

Ik kijk in de reisgids en ga naast haar staan.

'Dit is een van de grootste olifantenuitbeeldingen uit de Indiase geschiedenis,' zeg ik. Ze snakt naar adem en draait zich om, waarbij ze een hand tegen haar borst drukt.

'O, Tansy!' weet ze na een paar tellen uit te brengen. 'Sorry. Je liet me schrikken. Wat fantastisch om je te zien. Wat doe jij nou buiten de ashram?'

'Ik moest iets regelen voor Anjali en Ellie,' zeg ik trots. 'Maar eerst heb ik wat vrije tijd. Hoe gaat het?'

Ze kijkt naar de zanderige grond. 'Goed. Beter nu jij er bent.' Opeens begint ze te glimlachen. 'Is die olifant niet gaaf?'

Ik laat mijn hand over de warme stenen poot gaan. 'Hij is heel groot,' zeg ik nogal overbodig. 'En glad.' Ik wijs op de tempel erachter. 'Ben je hier al lang? Wat is dat?'

'Dat is de strijdwagen van Arjuna Ratha,' zegt Amber parmantig.

'Wat schitterend. Jezus, daar zou ik wel in willen wonen.'

'In een tempel? Dat lijkt me niet erg comfortabel.'

'O, ik heb niet veel nodig,' verzeker ik haar. 'En al deze goden zouden voor me zorgen. Ze zouden me nectar te eten geven en me laten rusten op zijden sierkussens en ligkussens gevuld met ganzendons.'

Ze lacht. 'En wat zou je dan doen? Daarin wonen?' Ze steekt haar hoofd binnen de tempel en komt al snel weer tevoorschijn. 'Je zijden kussens zouden beschimmelen en het ganzendons zou samenklonteren. Er zouden vast niet veel mensen op bezoek komen. Al geloof ik dat je al wel een paar bezoekers hebt.'

'Wie dan?'

'De familie Rat.'

Na een poosje kijken we niet meer in het boek, maar dwalen we rond terwijl we de vijf strijdwagens bekijken, allerlei hoekjes onderzoeken en het warme zand onder onze voeten voelen. Dit complex ligt naast de zandduinen en is blootgelegd door de Britten.

'Goh,' zeg ik. 'Hebben wij dit echt gevonden?'

'Het schijnt zo.'

Met een glimlach zeg ik: 'Dat is het eerste positieve wat ik heb gehoord. Gelukkig maar. Toe, Amber. Ga nog eens bij die olifant staan, dan neem ik een foto van je.'

Met zijn tweeën bekijken we alle bezienswaardigheden. Het leukste vind ik een rots die Krisjna's Boterbal heet. Die is gigantisch en rond en lijkt elk moment van de steile helling af te kunnen rollen. Het ziet er hachelijk uit, maar hij zit stevig op zijn plaats. Ik poseer terwijl ik net doe alsof ik hem met een vinger optil en daarna gaat Amber op haar rug liggen en laat hem op haar voeten rusten, terwijl ze voor de ogen van een groepje bijzonder geïnteresseerde tieners zorgvuldig haar eerbaarheid beschermt door haar rok tot op haar knieën te houden. Alle andere toeristen nemen dezelfde foto. Ik zie dat een kleine blonde westerse me kritisch observeert en als ik naar haar glimlach, grijnst ze en rent ze weg om een gezette man in te halen.

Er springt een aap op me af die probeert mijn tas weg te graaien. Ik slaak een kreet. Amber gilt met me mee en een gezin dat even uitrust op het strand moet hartelijk om ons lachen. De aap springt op en neer, zijn enge kinderlijke hand uitgestoken terwijl hij onvervalste 'aah aah'-geluiden maakt tot iemand medelijden met ons krijgt en hem wegjaagt.

'Ach, eigenlijk zijn die apen niet zo erg,' zegt Amber als het beest achter een rots is verdwenen.

'O, jawel,' roep ik. 'Ze kunnen op je springen en je bijten en ze kunnen hondsdolheid hebben. Ik hou niet van dieren met zulke eigenschappen.'

Die middag lopen we over een met kreupelhout begroeid terrein naar het strand waar we twee tienerpaartjes passeren die zich vermoedelijk aan het zicht van hun ouders hebben onttrokken. Ze laten elkaar los als wij naderen en beginnen te giechelen.

Ik heb vakantie van mijn vakantie en ik ben met een vriendin. Ik heb in geen uren aan Max en Sarah gedacht.

Op de terugweg slaan we een zijstraat in. Boven ons hebben zich wolken samengetrokken en de lucht is vochtig. We komen voorbij een berg afval waar een piepklein paadje heel plotseling een hoek maakt.

'Jeetje, wat een stank,' zegt Amber.

'Nou.'

Ze blijft staan. 'Moet je zien! Varkens!'

Drie zwarte biggetjes snuffelen door het vuil en eentje is er bijna in begraven.

'Ze eten het op,' zeg ik. Opeens herinner ik me dat weer over varkens, maar ik was het vergeten.

'Ik eet nooit meer varkensvlees,' zegt Amber. 'Echt nooit meer.'

'Je bent wat je eet,' stem ik in. 'Varkens eten poep. Wij eten varkens. Daarom... Ja, laten we maar geen varkensvlees meer eten. Daarom is het waarschijnlijk verboden bij zo veel godsdiensten.'

We lopen door. Ik kijk omhoog naar de hemel. Het gaat zeker regenen. De vochtigheid hangt in de lucht. We lopen een steegje in waarvan ik hoop dat het uitkomt op de straat waar mijn pension staat. De eerste regendruppels vallen op het moment dat ik me realiseer dat dit een ander achterafstraatje is dan ik dacht.

We passeren een vrouw met vier kinderen, de jongste van Toby's leeftijd. De kinderen staren en giechelen, maar de vrouw kijkt ons aan en wendt dan haar blik af. Wij zijn niet interessant. Nadat we voorbij zijn, zegt een van de kinderen: 'Hallo!'

Als ze weg zijn, kijkt Amber me met tranen in haar ogen aan.

'Ik kan dit echt niet, Tansy,' zegt ze. 'Neem jou nou. Jij bent precies zoals ik graag zou willen zijn. Ik heb mijn relatie verpest. Ik kan mijn eigen gezelschap niet eens een paar uur verdragen. Ik kan helemaal niks. Ik denk dat ik maar naar huis ga.'

Ik leg een hand op haar schouder. 'Hé,' zeg ik. 'Jij kunt heel veel. En die vaardigheden die je in mij meent te zien, zijn slechts een illusie. Hoor eens, ik zal je een paar dingen vertellen.'

Door de regen lopen we langzaam terug naar de straat waar de cafés zijn en ik vertel Amber over Max, Sarah, en Jim en mij. Ik zet alles voor haar op een rijtje en daarna pakken we een pilsje.

35

Het is een grote luxe om om acht uur wakker te worden. Ik heb drie uur langer geslapen dan in de ashram en ik heb het gevoel dat ik ben platgewalst. Ik rek me uit in mijn eenpersoonsbed en denk loom terug aan de vorige avond, waarna ik bij mezelf naga of ik sporen van een kater heb.

Ja, die zijn er: ik heb drie biertjes gehad en ik voel me behoorlijk brak. Ik besluit dat dat goed is, want dat wil zeggen dat mijn tolerantieniveau is gedaald. Ik vraag me af of drie grote flessen bier een slemppartij is. Formeel gezien waarschijnlijk wel, maar het is heel anders dan de manier waarop ik vroeger dronk. Amber en ik zaten in het restaurant aan het strand te praten en te lachen terwijl we grote vissen aten die eerder die dag waren gevangen in het water dat rechts van ons klotst en spat. Nu ik voor haar niet langer op het voetstuk sta waar ze me op had gezet toen ze hoorde dat ik met weeskinderen werkte, zijn we op de een of andere manier echte vriendinnen geworden. We hebben grapjes gemaakt over poep-etende varkens en onze onbeholpen manier van omgaan met relaties. We hebben het niet over de toekomst gehad. We leefden voor het moment, de avond in India, aan het strand. Tot mijn vreugde vroeg Amber of ze vandaag mijn taxi terug naar de ashram mocht delen. Ik geloof dat we hebben afgesproken om over een half uur te gaan ontbijten in restaurant Yogi.

In het halfduister spring ik uit bed en strompel naar de douche waar ik emmers water over mezelf heen giet. Ik trek de minst gekreukte kledingstukken uit mijn rugzak aan, een blauwe broek en een bloes van wit katoen. Ik zet mijn telefoon aan om Max een kort berichtje te sturen.

Die begint wild te piepen zodra hij een signaal heeft gevonden. Er zijn vijf sms'jes van Jim.

'ik zou je zijn komen opzoeken, hoor,' staat er in het eerste. 'als je het me gevraagd had.'

'en toevallig was ik wel op het vliegveld,' staat er in het tweede.

'maar op weg naar Lanza, niet India – surf ahoy,' in het derde.

'ps – heb het gerucht gehoord dat Max en jij uit elkaar zijn?' staat er in het vierde. 'als dat waar is, hoop ik dat alles goed is met jou. ik wilde dit niet zeggen, maar ik zie mezelf als een vriend, dus ik moest wel. alles goed met toby? en je jongste zoontje? spijt me voor je. J x'

En in het laatste staat: 'vermaak me prima in de branding. kom gerust langs op Lanza als je op de terugweg bent.'

Ik staar naar de telefoon. Dan klik ik op Jims nummer. Tot mijn verbazing neemt hij op, en hij klinkt heel versuft.

'Huh?' zegt hij.

'O, sorry,' zeg ik. 'Is het midden in de nacht bij jou? Dan had je je telefoon uit moeten zetten.'

'Ja. Hoi.'

'Welke geruchten?'

'Eh... School. Moeders. Je weet wel.'

'Nee, dat weet ik niet. Ik hoor het nu namelijk voor het eerst. Heb je dat alleen geschreven om mij over de rooie te laten gaan?'

Ik hoor zijn hersens bijna kraken. 'Ja. Ja, precies.'

'Nietes. Wie heeft dat gezegd? Sarah?'

'Nee. Sorry. Het spijt me echt. Dat had ik niet moeten zeggen.'

Op de achtergrond klinkt een andere stem. 'Wie is dat?' vraag ik. 'Hebt u gezelschap, meneer Trelawney?'

Hij lacht wat kleintjes. 'Dat mag toch zeker wel?'
'Ja natuurlijk, jij schaamteloze flirt. Hoor eens, het spijt me. Ga maar weer gauw slapen. Sms me morgenochtend maar een verklaring. Ik wil namen, data en citaten. Goed?'
'Ja, hoor.'
Ik hang op, brandend van boosheid en beverig van onzekerheid.

De taxi komt om twaalf uur en ik heb opdracht gekregen om langs het weeshuis te gaan, de formulieren op te halen en dan door te rijden naar de ashram.

Ik weet eigenlijk niet zeker of ik op dit moment wel zin heb om daar weer naartoe te gaan. Nu ik een dagje vrijheid heb genoten en met trekkers ben opgetrokken, wil ik hier blijven. En daarna wil ik mijn vlucht naar huis veranderen en naar mijn knulletjes gaan. Ik wil Toby en Joe, mijn echte kinderen, in mijn armen sluiten. Ik wil alles doen wat in mijn vermogen ligt om mijn relatie met Max te laten slagen, want als op school het gerucht de ronde doet dat we uit elkaar zijn, staan de zaken er kennelijk nog beroerder voor dan ik dacht.

36

Alexia's gedachten

Nou, mijn denkbeeldige lezer, ik praat jou bij in een internet-café in Chennai, wat dezelfde stad is als Madras. Ik kan alleen maar zeggen: 'Wauw!' India is nog veel intenser dan ik me had voorgesteld.

Dit zijn mijn indrukken tot nu toe: de hitte is minder erg dan ik had gevreesd, maar het kan wel heel vochtig zijn. Er zijn ontzettend veel mensen! Ze zijn echt overal, bezig met hun dagelijkse leven. De mensen die wij hebben gesproken zijn heel aardig, al heb ik het gevoel dat we nogal opvallen en soms zien we mensen naar ons staren. Alles is hier behoorlijk primitief. We konden onze ogen niet geloven toen we een bus onze taxi zagen inhalen. Die zat echt propvol! Er waren letterlijk drie keer zo veel mensen aan boord als er in de VS zouden zijn geweest. Thuis zou het absoluut niet zijn toegestaan om zo veel mensen in een bus te vervoeren.

Vandaag hebben we wat bezienswaardigheden bezocht (en wat geuren geroken!). We zijn naar de kathedraal gegaan, wat een waar toevluchtsoord voor ons was. Het is een groot wit gebouw waar tot mijn verbazing de overblijfselen liggen van de Heilige Thomas de apostel (de ongelovige Thomas). Duncan en ik zijn geen regelmatige kerkgangers, maar die kerel kan ik me nog herinneren van de zondagsschool. Hij ligt in een crypte en we hebben onze schoenen uitgetrokken en zijn in de rij gaan staan om zijn laatste rustplaats te bekijken. Er was een mooi standbeeld van hem, boven een versierd graf in een ondergronds kamertje, dat wordt verzorgd door nonnen in bruine habijten. Er hingen bordjes met STILTE erop en het was echt een oase van vrede. Het was er zelfs zo vredig dat ik Saskia Thomas zou noemen als ze een jongetje was.

Ik vind het fascinerend om Saskia's moederland te leren kennen. Nu kan ik haar over de Heilige Thomas vertellen. Ik zal haar tot in de kleinste details kunnen vertellen dat we naar India zijn gegaan om haar op te halen. Ik kan haar vertellen over de snorrende gemotoriseerde kleine riksja's die wij niet hebben genomen omdat Duncan per se met echte taxi's wil. Zelf zou ik het wel leuk vinden om een keer een riksja te nemen, om te voelen hoe het is met de wind in je haren. En het eten: ik kan haar vertellen dat ik een Indiase curry wilde eten en dat haar pappie naar Pizza Hut wilde, en dat hij zijn geluk niet op kon toen hij er vanochtend vroeg eentje zag toen we in de taxi zaten. En ik zal het verhaal vertellen van ons compromis, dat we hebben geluncht in een heel mooi Indiaas restaurant en dat Duncan vergat om voorzichtig te zijn en zich te goed deed aan curry, en 's avonds hebben we gegeten in Pizza Hut, wat ons aan thuis deed denken. Ik hoop dat we haar ook kunnen leren om allebei lekker te vinden.

Ik bewaar alles voor haar plakboek: de tickets, de rekening van Pizza Hut, het schrijfpapier van het hotel, alles.

We zijn hier maar voor één nachtje. We hebben een redelijk goed hotel met een echte badkamer en stromend water, een normaal toilet en een goed bed. Dat verbaasde ons, ik geloof dat we allebei verwachtten dat het bed een plank op de grond zou zijn en het toilet een gat in de grond. Maar hoe knus het ook is, ik geloof niet dat ik zal kunnen slapen. Want morgen gaan we naar het Centrum en zullen we ons dochtertje voor het eerst ontmoeten. Het idee dat ze daar is, op slechts een paar uur afstand bij ons vandaan, is bijna niet te bevatten.

Reacties: 1

Het spijt me dat ik je belachelijk heb gemaakt. Zeg tegen je man dat hij zich een keer moet laten gaan. En HEEL VEEL SUCCES! In gedachten zijn we allemaal bij jullie, letterlijk de hele stad. Zorg goed voor elkaar. Ik hou van jullie. Dee xxx

37

Het weeshuis is in een steeg, weggestopt in een deel van Mamallapuram dat op slechts een paar minuten loopafstand van de backpackerswijk ligt, maar het lijkt wel een andere wereld. Het ziet er precies zo uit als de gebouwen eromheen: afbrokkelend, maar ondanks alles staat het nog overeind. De steeg is benauwd, smal, claustrofobisch. Hij ruikt naar rioolwater.

De vrouw staat glimlachend in de deuropening met een baby in haar armen.

'Welkom,' zegt ze. 'Ben jij Tansy?'

Ze is mager en heeft een donkere huid. Haar mond fonkelt door de glimmende vullingen. Ze draagt haar lange haar in een vlecht die bijna tot haar middel komt. Ze lijkt halverwege de twintig, maar iets in haar ogen doet me vermoeden dat ze veel ouder is. Amber staat een paar passen achter me.

'Bén jij Tansy?' vraag ze nogmaals, heel snel, terwijl ze naar Amber kijkt. Er vallen een paar regendruppels uit de lage, volle hemel. Daar ben ik blij om, ik hoop dat het een deel van de stank zal wegspoelen.

'Ja,' beaam ik. 'Ik ben Tansy. Ellie en Anjali hebben me gestuurd. Dit is Amber, zij komt ook uit de ashram.'

'Dag, Amber,' zegt de vrouw. 'Welkom.'

Een kralengordijn scheidt een donkere kamer van de treurige buitenwereld. Op een verschoten zwart bordje naast de deur staat: HET TEHUIS VOOR BLIJE KINDEREN.

Omdat ik gewend ben geraakt aan het comfortabele Kindercentrum in de ashram, omdat ik geen kinderen in nood heb gezien in de straten van Chennai of Pondicherry en omdat ik mezelf tegenwoordig beschouw als iemand die goed is in de omgang met arme kinderen, moet ik bij de eerste aanblik van dit tehuis kokhalzen. Het is een klap in mijn gezicht, een volledig onverwachte afdaling in de krochten van de hel.

De kamer is klein en zo donker dat het lang duurt voor mijn ogen zich hebben aangepast. De muren zijn van ongeverfd gipsplaat. Ik tel negen gezichtjes die naar ons opkijken, maar ik weet dat zich meer kinderen in de schaduwen schuilhouden. Een paar tellen staart iedereen alleen maar. Ik probeer mijn schrik te verbergen en strijk mijn haar achter mijn oren. Ik ben me bewust van Amber die naast me ineenkrimpt van afschuw, maar ik kan niet naar haar kijken.

De kinderen, zo te zien allemaal meisjes, beginnen te glimlachen. Eentje, een klein meisje dat ik op ongeveer vier schat, loopt naar me toe en pakt mijn rok met beide handjes stevig beet. Ze glimlacht naar me en zegt heel zorgvuldig: 'Hallo.' De anderen volgen haar voorbeeld. Sommigen gaan naar Amber. Ze drommen om ons heen en proberen onze handen en kleding beet te pakken. 'Hallo,' zeggen ze. 'Hallo. Hallo. Hallo. Hallo.'

'Hallo,' zeg ik tegen hen. Ik doe mijn best om de wanhoop op hun gezicht te negeren, plus het feit dat geen enkel kind ter wereld zou hoeven te smeken om zorg, zoals deze meisjes doen. 'Hallo, allemaal,' zeg ik, en ik slik mijn gal weg. 'Hoe gaat het met jullie?'

Ze knikken allemaal glimlachend naar me.

'Heel goed, dank u,' zegt een van de oudere meisjes. De anderen herhalen haar woorden. Ze duwen elkaar opzij in hun pogingen bij ons te komen. 'Heel goed, heel goed, heel goed.' Een meisje slaat haar benen om de mijne heen zodat ik haar wel moet beetpakken om te voorkomen dat ze achterovervalt. Ze grijpt me beet, springt omhoog en slaat haar benen om mijn middel. Ik til haar op.

De baby's dragen geen luier. Ze hebben tot op de draad versleten kleding aan en in de kamer hangt een verschrikkelijke stank. Er staat geen enkel meubelstuk.

'Zijn dit weeskinderen?' vraag ik aan de vrouw.

Haar hoofd gaat knikkend heen en weer. 'De meesten wel. Een paar hebben ouders die niet voor hen kunnen zorgen, die hen een keer per week of zo komen opzoeken. Veel van de oudere kinderen zijn tsunami-wezen, snapt u? Deze stad is zwaar getroffen. Wij zijn lang het enige tehuis niet.'

Ik kijk naar de kleine meisjes, de hoopvolle gezichtjes. Een meisje, van ongeveer twee, rent naar me toe en slaat haar armpjes strak om mijn knieën. 'Mama,' zegt ze. Het meisje in mijn armen, dat ongeveer van Joe's leeftijd is, verstevigt haar greep met haar knieën.

Opnieuw stel ik me de enorme golf voor die over de stad sloeg en willekeurige mensen meesleurde.

'Zijn dit allemaal meisjes?' vraag ik.

Ze knikt. 'We hebben hier een paar jongens. Dit zijn lang niet alle kinderen. Drie jongens. Iets meer dan veertig meisjes. Over het algemeen geldt dat weesjongens worden opgenomen door verre familie, maar meisjes niet.'

De meisjes stralen een soort vertwijfelde hoop uit, vermoedelijk omdat ze denken dat Amber en ik een van hen mee zullen nemen naar een leven vol onvoorstelbare rijkdom en liefde.

Hoe hard ik ook klaag over het moederschap, ik zou een van deze meisjes een thuis kunnen bieden. Ik kan best nog een kind in mijn aangename leventje passen. Wat zal er anders van hen worden als ze ouder zijn? Een leven op straat, een leven van verkrachting en prostitutie en niets. Helemaal geen leven. Elke kans om hen hier weg te krijgen is de moeite meer dan waard. Wat dan ook.

De vrouw spreekt Tamil tegen de meisjes en ze zwermen dichter om ons heen en grijpen onze handen en kleren.

'De meisjes geven jullie wel een rondleiding,' zegt ze. 'Dan pak ik alles wat jullie nodig hebben.'

'We hebben geen rondleiding nodig,' protesteer ik, maar de meisjes hebben me stevig beet en duwen me, met honderden magere, harde vingertjes, naar de volgende kamer.

Een meisje houdt allebei mijn handen vast en verschillende anderen hebben mijn kleren beet terwijl het kindje dat ik heb opgetild zich als een babykoala met armen en benen aan me vastklampt. Waar we ook gaan, ik word aan alle kanten beetgepakt door kleine handjes.

Elk vertrek is nog erger dan het vorige. Ik zie dat de vrouw haar best doet, maar eigenlijk kan hier niemand wonen, laat staan kinderen. De menigte groeit tot alle bewoners van het kindertehuis om ons heen staan. Ieder kind probeert zo dicht mogelijk bij ons te komen. Ze duwen en trekken elkaar aan de kant. Vertwijfeling en hoop hangen als statische elektriciteit in de lucht. De slaapkamers zijn volgepropt met stinkende matrassen, dicht tegen elkaar aan. Misschien is er een matras voor elke zes kinderen.

De tegenstelling tussen dit tehuis, dit piepkleine huis voor vijftig kinderen, en de luxe voor de backpackers die een stukje verderop leven in omstandigheden die veel van hen waarschijnlijk als primitief beschouwen doet me rillen. De hopeloosheid van de situatie waarin deze meisjes zich bevinden maakt me aan het huilen. Ik denk aan Toby en Joe, aan alles wat ze eten, het dak boven hun hoofd, de drie pond die Max' tante hun elk jaar voor hun verjaardag stuurt. Thuis zou ik nauwelijks de moeite nemen om dat bedrag op te rapen als ik het laat vallen, maar hier zou het gemakkelijk al deze kinderen kunnen voeden.

Ik kan een, of twee, van deze kinderen uit dit leven halen en hun iets onwaarschijnlijks bezorgen. Hoe de wet ook is, met een beetje smeergeld zou ik het voor elkaar krijgen. Nu snap ik waarom Ellie en Anjali doen wat ze doen. Ik voel instinctief dat ik op de ashram moet blijven om hen te helpen. Als hier zelfs maar één kind vandaan gehaald wordt, zou het de moeite meer dan waard zijn. Het doet er niks toe of de wet af en toe wordt overtreden, en ik vermoed dat dat van tijd tot tijd gebeurt. Ik denk aan Ellies filosofie over 'aardse wetten' en ik begrijp ineens precies wat ze bedoelt.

'Hebben veel van deze kinderen een kans om geadopteerd te worden?' vraag ik aan de vrouw als ze terugkomt. Een heel klein meisje hangt aan haar jurk en met een 'tut, tut'-geluid maakt ze haar vingertjes los.

Ze schudt haar hoofd. 'Nee. In India moet een weeshuis op de Cara-lijst staan. Een vergunning hebben voor adoptie. Anders is adoptie illegaal. Adoptie van hier is zeker niet legaal.'

Ze geeft een map met formulieren aan Amber. 'Dit zijn de papieren die je nodig hebt.'

Ik draai me om om te vertrekken als ze een van de meisjes optilt die het afgelopen half uur mijn been hebben omklemd. Ze houdt haar voor me. Ik kijk naar het meisje. Ze is klein en mooi, haar gelaatstrekken lijken op die van een pop. Met haar grote bruine ogen kijkt ze me strak aan.

'En hier,' zegt de vrouw, 'is het andere deel van je zending. Dit is Sasika.'

38

De terugrit naar de ashram in de auto leggen we grotendeels in stilte af.

'Dus je had geen flauw idee?' vraagt Amber nogmaals.

'Nee,' zeg ik. 'Absoluut niet. Ze wisten dat ik het niet erg zou vinden om een kind op te halen. Ik heb nota bene gezegd dat ik er wel eentje wil meenemen naar Londen.'

'Gek, hè,' zegt Amber peinzend. 'Vreemd, bedoel ik. Om je zo een klein kind in de maag te splitsen.'

Ik slaak een zucht en kijk naar Sasika. 'Ergens is het wel logisch. Ze zouden natuurlijk geen taxi voor me hebben betaald als ik alleen wat papieren moest ophalen. Die hadden ze net zo goed op de post kunnen doen. Maar waarom hebben ze nooit iets over haar gezegd? Arm ding. Ik bedoel, het is fantastisch dat we daar een kind kunnen weghalen. Echt geweldig. Het beste wat ik ooit in mijn leven heb gedaan.'

Het wordt donker en het regent zo hard dat de taxi met een slakkengangetje vooruit komt.

Ik streel Sasika's zachte hoofdje. 'Goed, we hebben het tot nu toe niet over toekomstplannen gehad, maar wat ga jij nu doen?'

Ze glimlacht en zucht dan diep.

'Wist ik het maar. Zo lang mogelijk terug naar Anjali, denk ik. Ik heb Sam vanochtend een sms'je gestuurd, maar ik geloof niet dat hij het heeft gekregen. We hebben al geconcludeerd dat ik het niet red in mijn eentje.' Ze haalt iets uit haar zak en geeft het aan mij. 'Kijk, zo rottig voelde ik me voor jij kwam.'

Ik hou het op bij het raampje zodat ik het in de schemering kan lezen terwijl ik Sasika's hoofdje ondersteun met mijn linkerhand. Het is geschreven in paarse inkt, op een gelinieerd velletje papier dat uit een opschrijfboekje is gescheurd.

DINGEN OM TE DOEN, staat er in een krullerig, slordig schrift.

ONTBIJT IN CAFÉ, BOEK MEENEMEN.
TEMPELS BEZOEKEN, ZOVEEL MOG.
ECHTE KOFFIE.
OP STRAND WANDELEN.
ZELFVERTROUWEN HEBBEN.
NIET WORDEN LASTIGGEVALLEN OF AFGEZET.
GELUKKIG ZIJN.
MET IEMAND PRATEN.

Met een glimlach kijk ik haar aan. 'En?'

Ze lacht. 'Het meeste. Dat weet je. Maar het is toch godverdomme triest dat ik het moet opschrijven. Op mijn eerste avond heb ik een boek meegenomen en ben ik een biertje gaan drinken in Moonrakers. Ik voelde me vreselijk uit de toon vallen. Een tafeltje verderop zat een groepje vreselijke Engelsen, dat uit een jeep met airco was gestapt, met nepkleurtjes en designerkleding. Ik wist dat ze naar me keken en over me praatten.'

'Die heb ik ook gezien,' zeg ik. 'Bij de Tempel van de Vijf Ratha's.'

'Ja, daar waren ze ook. Nou, ze waren echt afschuwelijk. Ze deden heel onbeschoft tegen de ober, "schrijf het goed op, want als je het verkeerd doet, betaal ik niet. Heb je dat begrepen?" Dat soort dingen. En ik dacht: ik geloof niet dat ik de echte wereld leuk vind. Gek hè, om buiten de ashram te zijn? Ik wil dat stuk over die berenjacht opvoeren. En voor kinderen als Sasika zorgen.'

Sasika is veel lichter dan Toby of Joe. Zelfs nog lichter dan Tara. Ze slaapt en haar hoofd valt op mijn schoot. Ik ben ontzettend blij dat ze in het Kindercentrum gaat wonen, een comfortabele plek waar altijd genoeg eten is. Ik streel haar haar en denk erover om haar mee naar huis te nemen.

'Maar goed,' zegt Amber. 'Ik heb dus een sms'je gestuurd dat hij niet zal krijgen. En vanochtend heb ik de openbare telefoon gebeld. Ik wist dat ik niet anders kon. Na een hele poos nam er iemand op en ik vroeg naar hem en ze hadden geen flauw benul wat ik wilde. Dus ik stond daar heel hard 'Sam' te gillen. En er werd van alles teruggezegd wat ik niet begreep. Toen heb ik maar weer opgehangen. Dat was alles. Bepaald geen doorslaand succes.'

Ik glimlach naar haar. 'Toch was het goed van je.'

'Denk je dat hij te horen zal krijgen dat er een gillende buitenlandse heeft gebeld? Zal hij dan raden dat ik het was? Denk je dat de man die opnam me probeerde te vertellen dat Sam niet kon komen omdat hij bezig was met zijn eigen bruiloft?'

'Dat laatste niet, natuurlijk. Die eerste twee wel.'

Het is pikdonker als we bij de ashram aankomen. We zijn zeker te lang in het weeshuis gebleven en daardoor hebben we het laatste daglicht gemist.

Ik zal Nicks zaklamp moeten lenen en Sasika direct naar het Kindercentrum brengen. In gedachten bepaal ik wat haar rol zal zijn in de opvoering van de kinderen. Ik wil Ellie zo snel mogelijk vragen waarom ik een nieuwe bewoner voor het KC moest ophalen. Ik kan haast niet wachten om te vragen of ik meer bij hun werk betrokken kan worden. Vergeleken bij wat zij doen, is al het andere onbelangrijk.

Dit meisje is minder op haar hoede dan Tara was. Sasika draagt dezelfde versleten kleding als de andere meisjes in het weeshuis. Ze heeft een sterke lichaamsgeur, maar ze stinkt niet echt. Ze is kwetsbaar en teer en ik wil haar ten koste van alles beschermen.

De harde regendruppels stuiteren op de weg alsof ze van rubber zijn. Ik hoor de stromen water aan weerskanten van de weg, al hou ik mezelf voor dat het erger klinkt dan het is.

We rijden op de weg naar de ashram waarbij water uit enorme plassen opspat. Plotseling zie ik een auto langs de weg geparkeerd staan. Nadat we er voorbij zijn gereden, trekt hij op en rijdt achter ons aan, met de lichten uit. Bij het Bezoekerscentrum stopt de taxichauffeur om ons eruit te laten. Alles is rustig en ik ben opgelucht.

We zijn onmiddellijk doorweekt, alsof we onder een emmer water staan die maar leeg blijft stromen.

'Hé, Sasika,' zeg ik heel vrolijk. Ik trek haar onder de beschutting van een boom. 'We zijn er. Goed, laten we naar het Kindercentrum gaan zodat jij je kunt installeren.'

'Tansy?' vraagt Amber. 'Laten we naar het gastenverblijf gaan. Nick heeft heel veel zaklampen. Hij haalt ze altijd tevoorschijn in de hoop dat mensen ze willen lenen. En dan kunnen we op de fiets gaan. Sasika kan wel op het stuur zitten. Je weet wel, zoals je thuis nooit zou doen.'

Sasika rilt in haar armoedige kleren. Mijn lange rok kleeft direct tegen mijn benen en mijn haar is plat en plakt tegen de zijkanten van mijn gezicht. Ik haal mijn rugzak uit de achterbak.

Dit is mijn eigen schuld, omdat ik de taxi heb laten wachten. Ik had Ellie moeten waarschuwen of er op zijn minst voor moeten zorgen dat Sasika door iemand werd opgewacht.

We lopen samen door de regen, over de parkeerplaats. Ik glibber op mijn slippers en mijn voeten zitten meteen onder de modder. Ik moet Sasika stevig vasthouden, want ik ben bang dat haar handje uit de mijne zal glijden. Het pad naar het gastenverblijf is beter: wel modderig, maar verstevigd met zo veel stenen dat het min of meer begaanbaar is. We lopen naast elkaar. Er zijn natuurlijk geen fietsers of motorrijders buiten. Er is helemaal niemand. Het enige wat ik hoor is het roffelende geluid van de regen die op het pad valt, op de brede bladeren klettert en in de plassen spettert. Na een paar minuten zijn we buiten het bereik van de lantaarn die het modderige parkeerterreintje verlicht en worden we volledig omhuld door de duisternis.

'Ik ben in een plas gestapt,' zegt Amber. 'Heel smerig. Mijn voet is helemaal slijmerig.'

'Gadver.'

We stappen verder door de regen.

'We zijn er bijna,' zeg ik na een poosje, want dat kan niet anders. We blijven lopen. Ik ben gespannen en snak naar eten en een bed, naar Ellie en Anjali. Ik wil de leiding over dit vreemde avontuurtje maar wat graag uit handen geven.

Links van ons zie ik een vaag lichtschijnsel. 'Kijk,' zeg ik. Ik wijs erop, maar weet dat het gebaar tevergeefs is. Mijn arm raakt Amber tegen haar hoofd of schouder. 'Sorry.'

'Geeft niet.'

'Maar kijk. Dat moeten de lampen van het gastenverblijf zijn. We zijn in elk geval op het juiste pad.'

Het terrein buiten het Vredige Toevluchtsoord is slecht begaanbaar, want normaal is het een open stuk met aangestampte aarde waar fietsen en motoren staan. Het is me nooit opgevallen dat het in het midden afloopt, maar nu zie ik dat dat het geval is, want tussen ons en het zwakke licht, glinstert een meer van modderig regenwater. Het is onmogelijk om er omheen te komen.

'We kunnen er niet overheen,' zeg ik tegen Amber, terugvallend op het verhaal over de berenjacht.

'We kunnen er niet onderdoor,' beaamt ze.

'O, nee,' zeggen we heel stompzinnig in koor. 'We moeten er doorheen!' We lachen net wat te hard.

Mijn voeten verdwijnen meteen onder water. Ik probeer naar voren te lopen, erdoorheen, en hijs mijn rok op met mijn ene hand terwijl ik Sasika steviger beetpak met de andere. Het water komt tot halverwege mijn schenen. Bij elke stap heb ik het gevoel dat ik zal struikelen en in het water zal belanden, samen met het kleine meisje dat aan me is toevertrouwd.

Vlak bij me hoor ik gespetter en een zware ademhaling als Amber er ook doorheen waadt.

'Gaat het?' vraag ik na een poosje.

'Ik heb me wel eens beter gevoeld.'

We komen bij de poort die toegang geeft tot het plein van het gastenverblijf. Het gedempte licht is verblindend. Ik kijk naar de lange tafel in het eetgedeelte en besef geschokt dat het nog helemaal niet zo laat is. Er zitten mensen die het laatste beetje van hun curry opeten, zonder veel aandacht te schenken aan de stortregen buiten het overdekte gedeelte. Ik kijk naar het eten op de bijzettafel, en ik ben blij dat ik weer thuis ben.

Helga is de eerste die me ziet.

'Tansy!' zegt ze. 'En een klein meisje! Is ze voor het KC? En daar hebben we Amber ook. Hallo. Jeetje, jullie zijn doornat, maar het is fijn om jullie te zien.'

'Fijn om jou te zien, Helga.' Ik geef haar een zoen op haar wangen. 'Het spijt me. Ik ben echt doorweekt, en jij nou ook. Ben je niet in Chennai?'

'Nee, zoals je ziet. Misschien ga ik daar morgen heen.'

Nick kantelt zijn stoel naar achteren. 'Ze gaat weg om een pakje op te halen en ze komt terug met een derde kind! Nou, jij laat er geen gras over groeien.'

'Je zou het niet begrijpen,' zeg ik tegen hem. 'Waar ik ook ga, de mensen komen vanzelf naar me toe. Nee, jij zou het echt niet begrijpen.'

'Je bent gewoonweg onweerstaanbaar.' Zijn haar is nat van het zweet en zijn gezicht glimt. Er verschijnen grote zweetplekken op zijn vaalwitte T-shirt.

'Jij ook,' verzeker ik hem.

Grinnikend zegt hij: 'Hoe zit dat met het kind?'

'Dat gaat naar het Kindercentrum. We zijn wat later terug dan de bedoeling was. Misschien moet ik haar er meteen maar even heen brengen.'

Helga schudt haar hoofd. 'O, nee, we kunnen haar vannacht wel hier houden. Laat het arme wicht maar bij ons slapen.'

De regen wordt nog harder en ik weet dat Helga gelijk heeft. Het kleine natte meisje in mijn armen begint te kronkelen en zodra ik haar neerzet, rent ze naar de tafel, totaal niet onder de indruk van alle onbekenden die naar haar kijken. Ze kijkt naar het eten tot degene die het dichtst bij haar is – Melinda, de vrouw met het touwhaar die nog nooit een woord tegen mij heeft gezegd – haar een chapatti geeft. Als ik Sasika zie eten, merk ik pas hoeveel trek ik heb.

'Tansy,' zegt Helga. 'Wie staat daar achter je?'

Ik maak een sprongetje van schrik en draai me vlug om.

'Niemand,' zeg ik, maar zodra de woorden over mijn lippen komen, zie ik een vage beweging. Er komt iets of iemand aan. Er klinkt gespetter als ze door de plas lopen, gevolgd door een dof geluid.

'Wie is daar?' roep ik. 'Ellie? Anjali?'

Ik loop naar Amber en ga voorzichtig op de stoel naast haar zitten. Sasika klimt op mijn schoot. Ik hou haar stevig vast. Ambers zijden jurk is kletsnat. Ik heb het ijskoud.

'Ik moet toegeven,' zegt Nick tegen een man die ik nog nooit heb gezien, 'dat de riolen van Los Angeles heel fascinerend zijn.' Dan doet zelfs hij er het zwijgen toe. Hij kijkt naar ons. 'Wat is er?' vraagt hij.

Ik ben gespannen, bang voor wat daarbuiten ook maar kan zijn.

'Er komt iemand aan,' zeg ik. Iedereen kijkt om zich heen. Door de regen is het moeilijk om iets te horen.

Nick houdt zijn hoofd schuin.

'Er kwám iemand aan,' zegt hij. 'Jij.'

'Nee.'

Het lijkt wel alsof niemand meer ademhaalt. Dan klinkt er een plons en een zuigend geluid. Ook al zijn wij daarnet op dezelfde manier binnengekomen, toch huiver ik en druk Sasika dicht tegen me aan. Zij steekt haar handje uit naar Helga's bord en pakt een handvol okracurry. Een dwaze tel lang wens ik dat mijn jongens iets als okracurry zouden eten.

'Is dat Ellie?' Tot mijn ergernis trilt mijn stem.

De geluiden komen dichterbij. Dan verschijnen er twee mannen. Het zijn Indiase kerels, van halverwege de dertig en ze kijken kwaad.

'Ha,' zegt de dikkere van de twee, en hij kijkt naar de etenstafel. Ze praten een poosje zachtjes met elkaar en dan klapt de dikke in zijn handen.

'Dames en heren,' zegt hij hard. 'Wij zijn op zoek naar Ellie. Waar is Ellie?'

Er kijken zo veel gasten naar mij, dat hij dat ook doet.

'Ik heb geen idee waar Ellie is,' zeg ik tegen hem.

'Er is me verteld dat ik haar hier kan vinden. Of wie dan ook van het Kindercentrum?'

'Nou, ik werk soms in het Kindercentrum,' zeg ik. 'Net als Amber en Helga. Kan het niet tot morgenochtend wachten? Dan is iedereen er.'

'Uw naam, alstublieft,' blaft hij me toe.

'Wie bent u?'

'Hoe heet u?'

Ik heb geen zin om antwoord te geven, maar uiteindelijk doe ik het toch. 'Tansy,' mompel ik. 'En u?'

'Dank u wel. Goedenavond.'

We staren elkaar aan. Sasika klautert over drie mensen heen tot ze op mijn schoot zit. Ik kijk fronsend naar de duisternis waar de mannen net in zijn verdwenen en ik vraag me af of ik Ellie moet vertellen dat een stel onaangename personen naar haar op zoek is.

39

Om vijf uur is de lucht kalm en zwaar en is de grond bezaaid met plassen. Het regent niet meer, maar er hangt wel een elektrische spanning in de lucht. Sasika ligt te slapen aan de ene kant van mijn bed met een vredige uitdrukking op haar gezichtje en een gelijkmatige ademhaling. Ik kijk een poosje naar haar en verbaas me over de volmaaktheid van haar krullende wimpers, haar roze wangetjes en de complexiteit van haar oortjes. De foto's van Toby en Joe staan naast het bed, en mijn jongens kijken opgewekt naar haar. Max is er niet bij. Ik heb met zijn foto onder mijn kussen geslapen, want de gedachte dat hij naar me zou kijken, kon ik niet verdragen.

Ik trek een laken over haar heen, kleed me zachtjes aan en volg iedereen naar buiten voor de meditatie.

Anjali is er niet: tot mijn teleurstelling wordt de meditatie geleid door iemand anders, een man die ik nog nooit heb gezien. Ik zit er een uur en denk aan mijn kinderen en zoals gewoonlijk probeer ik een compromis te bedenken voor Max en mij. Zou ik hem kunnen vergeven als hij echt een affaire heeft gehad en kunnen we een Indiaas dochtertje opnemen in ons disfunctionele gezinnetje?

Na het ontbijt, maar voor de yoga, brengen Amber en ik Sasika naar het Kindercentrum. Het meisje loopt dicht bij mij terwijl ze met grote, nieuwsgierige ogen om zich heen kijkt.

We houden allebei een van haar handjes vast en worstelen ons een weg door de benauwde lucht. Elke stap kost moeite en elke beweging lijkt te veel. Ik loop als John Wayne en probeer te voorkomen dat mijn dijen langs elkaar schuren. Amber ziet er gespannen en bezorgd uit.

De man die de deur van het Kindercentrum opent komt me bekend voor, al heb ik hem nog nooit gesproken. De bovenkant van zijn hoofd is helemaal kaal en hij heeft een zwarte snor.

'Hallo,' zeg ik. 'Hoe staan de zaken ervoor?'

Hij fronst zijn wenkbrauwen. Weer wens ik dat ik de moeite had genomen om Tamil te leren.

'Dit is Sasika,' voeg ik eraan toe. 'We hebben haar opgehaald uit Mamallapuram.'

Hij knikt bruusk.

'Hé, moet je zien,' zeg ik tegen Amber. Ik wijs op een eigengemaakte poster voor het beroemde toneelstuk over de berenjacht.

'Dinsdagavond. We hebben nog drie dagen om te oefenen.'

De man staart naar Sasika. Zij kijkt op naar hem, haar gezichtje hartverscheurend gretig om te behagen. Met een effen gezicht wendt hij zijn blik af.

'Het Kindercentrum zit vol,' zegt hij. 'Anjali en Ellie niet aanwezig. Kom morgen terug.'

'Maar dit is Sasika,' leg ik uit. 'Anjali heeft me gevraagd om haar in Mamallapuram op te halen. Jullie verwachten haar. En ik heb ook alle benodigde papieren. Bovendien werk ik hier. Waar zijn de kinderen?'

'Geen plaats,' zegt hij. 'Komt u later maar terug.'

En hij doet de deur voor mijn neus dicht.

Josiane, een Franse vrouw van mijn yogacursus, gaat bij Sasika zitten en tuttelt een beetje met haar om.

'Dag, klein soldatenmeisje!' zegt ze. 'Hallo, hartje. Dag prachtig, lief meisje.'

Sasika siddert van plezier. 'Hallo,' zegt ze.

Josiane beseft onmiddellijk dat ze een vergissing heeft gemaakt. '*Bonjour!*' zegt ze. '*Bonjour, bonjour, bonjour! Bonjour ma petite. Bonjour ma grosse. Bonjour mon coeur. Bonjour!*'

'*Bonjour*,' herhaalt Sasika. Josiane klapt in haar handen.

'*Bravo*,' roept ze uit. Het is vast moeilijk om Frans te zijn en je taal te beschermen tegen de nietsontziende opmars van het Engels.

Helga komt erbij, en ze neemt Sasika op schoot en zingt een Duits liedje voor haar.

'Weet jij misschien waar Ellie en Anjali zijn?' vraag ik aan haar. 'Of waarom het Kindercentrum dicht is?'

Ze kijkt heel behoedzaam. 'Ik heb ze gisteren allebei nog gezien,' zegt ze. 'In het Kindercentrum. Er leek iets aan de hand te zijn. Ik geloof dat ze er later vandaag weer zijn. Soms neemt Ellie de kinderen mee naar Pondi. Maak je niet druk.'

Als ik terugkom van de ochtendyoga geniet Sasika van haar beroemdheid. Ze kijkt stralend naar de menigte en herhaalt alles wat tegen haar wordt gezegd, want ze heeft ontdekt welke reactie dat oplevert. Iemand heeft op de grond een slaapplek voor haar gemaakt, want de bedden hier zijn te smal om te delen. Ze heeft een nestje van twee dekens om op te slapen, een hard kussen, geschonken door een van de stoere Duitsers die zulke dingen niet nodig hebben, en een laken. Amber springt op als ze me ziet aankomen.

'Hé, Tansy,' zegt ze. 'Sam heeft gebeld. Hij wil dat ik naar hem toe ga. En ik denk dat ik dat ga doen.'

'Nou, reken maar. Loop je even met me mee? Ik wil wat kleren kopen voor Sasika en ik moet Max een e-mail sturen.'

'Mooi zo! Je moet je problemen echt oplossen. Net als ik. Zullen we Sasika meenemen?'

Ik kijk naar het meisje dat haar publiek vermaakt.

'Ze heeft het hier prima naar haar zin en ik heb al veel te lang geen contact met het thuisfront gehad.'

'Oké.'

'Helga?' Helga kijkt vragend op. 'Kun jij even op Sasika passen? Ik ga wat kleren voor haar kopen en e-mails versturen. En ik wil ook even bij Ellies huisje langsgaan om te kijken of ze daar is. Ik heb haar al drie keer ge-sms't, maar ze heeft niet gereageerd. Maar je weet maar nooit. Volgens mij is haar telefoon meestal niet opgeladen omdat ze dat in het internetcentrum moet doen. Ik heb niet zo veel zin om Sasika overal met me mee te slepen.'

'Natuurlijk.'

'Kun je haar misschien ook even douchen? Daar mag je mijn shampoo wel voor gebruiken.'

'Ja, prima.'

Voor ik inlog op mijn e-mailaccount, doe ik eerst alle andere dingen. Bij de veel te dure boetiek koop ik twee prijzige outfits voor Sasika. Het zijn *salwaar khameezes*, eentje van blauw satijn en de ander van donkerroze katoen. De winkel is leeg, op een blank stel na, dat hetzelfde kledingrek bekijkt als ik. De man blijft een beetje op de achtergrond en verplaatst zijn gewicht van de ene voet op de andere, overduidelijk erg verveeld terwijl de vrouw kleren pakt, ze omhooghoudt en peinzend bekijkt, en ze weer terughangt tot ze alle kleding voor kleine meisjes in de winkel heeft gezien. Ze is lang en ziet er gespannen uit. Haar lichtbruine haar is in een strakke bob geknipt en in haar ogen ligt een brandende blik. Ze straalt zo veel energie uit dat ik het alleen door naast haar te staan al warm krijg.

'Sorry,' zegt ze met een Amerikaans accent. 'O, het spijt me echt. Ik zoek iets voor mijn dochtertje.'

'Ze zijn mooi, hè?' zeg ik beleefd.

'Hebt u een dochtertje?'

'Nee, ik heb twee zoontjes. Ik zoek iets voor het dochtertje van een vriendin van me.'

De vrouw knikt en draait zich om om verder te zoeken.

Max heeft me twee mailtjes gestuurd. Mijn vingers beven als ik ze open.

'We hebben een heerlijke dag op Longleat gehad,' schrijft hij in het eerste. 'Sarah en de meisjes zijn meegegaan, dus konden we iedereen in haar zevenpersoonsauto laden en om de beurt rijden.'

Vreemd genoeg zorgt dat beeld ervoor dat er een traan over mijn wang biggelt. Dit is wat hij verdiend: iemand die grappig, energiek en leuk is. Iemand die graag dingen met het hele gezin doet. Iemand die tijd heeft om moeder en vrouw te zijn, die de moeite neemt om strakke kleding voor hem te dragen. Een paar tellen lang vergeet ik met opzet dat Sarah haar eigen problemen heeft en ik stel me voor dat ze allemaal gelukkig zijn zonder mij.

Ze zingen kinderliedjes en luisteren in de auto naar de cd van Charlie en Lola.

Ze kopen een gezinskaartje en genieten van de belevenissen die ervoor zullen zorgen dat ze voor altijd een band met elkaar hebben.

Max' tweede mailtje is een zorgvuldig niet-emotionele herinnering dat ik had gezegd dat ik elke dag zou schrijven.

'Dat weet je toch nog wel?' schrijft hij. 'Je hebt het beloofd. Ik weet dat je mailt, maar ik zou het veel fijner vinden als het minder sporadisch was.'

Zodra ik dat lees, zie ik zijn teleurgestelde gezicht voor me. Ik weet dat hij zich stiekem zorgen maakt dat ik ben ontvoerd door rovers of dat ik ben beroofd of dat ik ergens hulpeloos in een vies bed lig, geveld door dysenterie.

'Oké,' schrijf ik. 'Ik ga even niet overal op in, maar ik moet je echt vertellen over een meisje dat Sasika heet. Ellie en Anjali (dat is Ellies minnares, heb ik je dat al verteld?) vroegen of ik haar uit een weeshuis wilde halen. Of liever gezegd, ze vroegen of ik wat papieren wilde ophalen, maar toen ik daar kwam, bleek dat zij bij het pakketje hoorde. Ik heb geen idee waarom ze het me niet direct hebben verteld, maar goed.

Ze doen nogal geheimzinnig en op dit moment zijn ze nergens te bekennen. Gisteravond waren er een paar mannen op zoek naar Ellie en blijkbaar dachten ze dat ze in het gastenverblijf was. Onbeschofte horken. Maar goed, ik zorg nu voor Sasika tot ze voldoende ruimte hebben in het Kindercentrum. Ik weet niet precies wat er aan de hand is, maar het zal allemaal wel duidelijk worden.

En je moet niet lachen, Max, maar ik wil haar mee naar huis nemen. Ik weet natuurlijk ook wel dat dat niet zo gemakkelijk gaat. Het is volkomen onrealistisch. Of eigenlijk mag je best lachen, als je wilt. Maar het komt erop neer dat hier een aanbiddelijk meisje is dat snakt naar aandacht. En wij kunnen haar een thuis bieden, waar al twee broertjes zijn. Zo eenvoudig hoort het te zijn, zelfs al is het dat niet.

En ik weet dat ik niet van baby's hou, maar ze is vier. Een vierjarige kan ik wel aan. O, en ik meen het echt.'

De dag verstrijkt in een statische waas. Na een paar dagen geen yoga te hebben gedaan, ga ik naar een sessie en merk dat het een ware marteling is. Mijn spieren protesteren en verkrampen en er komt geen einde aan de tijd. Het lijkt een eeuwigheid te duren. Ik denk aan Sasika en vraag me af of Amber erin is geslaagd om het KC weer binnen te komen. We moeten onze voorstelling op poten zetten. Het lijkt erop dat ik het echt leuk vind om zoiets met kinderen te doen. Toby en Joe zouden verbaasd zijn als ze dat horen. Te verbaasd.

Voor het avondeten zit ik in kleermakerszit op de veranda te mediteren, met mijn ogen dicht. De meeste mensen in het gastenverblijf doen hetzelfde, omdat stilzitten de enige manier is om de vochtige hitte te verdragen.

Sasika speelt in een hoekje met een houten puzzel van Fairtrade die ik voor een absurd hoog bedrag voor haar heb gekocht. Ik had dat geld beter naar het weeshuis kunnen sturen en haar een kartonnen doos kunnen geven. Ze klaagt niet dat ze zichzelf moet vermaken en wendt zich vrolijk tot iedereen die haar aandacht schenkt, met een glimlach die zo gretig is dat de tranen me keer op keer in de ogen springen.

Ik probeer tevergeefs om mijn gedachten af te sluiten. Elke keer dat ik denk dat mijn hoofd leeg is, vult het zich weer met kinderen. Ik blijf denken aan de verantwoordelijkheden van het moederschap en aan de redenen waarom ik het fijn vind om even niet bij mijn kinderen te zijn, en hoe graag ik naar ze terug wil. Het is heel bevrijdend en bedwelmend om alleen verantwoordelijk te zijn voor mezelf en een deel van me heeft het gevoel dat ik pas net lekker op dreef kom. Een ander deel heeft het gevoel dat ik mijn geluk op de proef stel door zo lang weg te blijven. Ik denk aan Toby: zal ik een onbekende voor hem zijn als ik weer thuiskom? Zal hij naar me glimlachen?

Ik zie Joe's lieve gezichtje voor me en vraag me af of hij me de rest van zijn leven zal haten. Daarna gaat alles verkeerd.

Het begint met iemand die naar adem snakt en een kreet slaakt. Een Amerikaanse stem roept: 'Dat is Saskia!'

Ik doe mijn ogen open. Alle anderen doen hetzelfde.

De vrouw uit de kledingzaak rent over de binnenplaats. Ze lijkt de kluts kwijt en vreemd genoeg stelt me dat gerust (want deze plek oefent een grote aantrekkingskracht uit op mensen die de kluts kwijt zijn), tot ik zie dat ze een sprintje trekt naar het meisje dat aan mij is toevertrouwd.

Het gedrag van deze vrouw zorgt ervoor dat ik naar Sasika ren, het meisje optil en beschermend met mijn rug naar de vrouw toe ga staan. Amber reageert op dezelfde manier en ze gaat tussen de vrouw en mij in staan. De man rent op ons af en blijft naast de vrouw staan. Ik draai me half om en we kijken elkaar allemaal aan.

'Je begrijpt het niet,' zegt de vrouw, en de blik in haar ogen is zo intens dat ik haar zonder dat ik het wil blijf aanstaren. Ik probeer van haar weg te kijken, maar dat lukt me niet. 'Dat is Saskia.'

'Niet waar,' zeg ik. 'Dit is Sasika.'

'Nee. Hoor eens, ik heb geen idee wie je bent. Ben jij Ellie? Nee, toch? Ik ben Alexia Jones en dit is mijn man Duncan. We zijn...' Ze haalt diep adem en kijkt naar Duncan, die de draad van het verhaal oppikt.

'Wij vertegenwoordigen Sasika's familie,' zegt hij kordaat. 'We zijn gekomen om haar mee te nemen naar een goed thuis in de VS, waar ze een tante en oom heeft en heel veel neefjes en nichtjes die graag voor haar willen zorgen. Heel graag. Dat is allemaal al afgesproken. Maar mevrouw, als u ook maar iets te maken heeft met het KC dan weet u dat we hier te goeder trouw zijn.'

'Ik zorg voor Sasika uit naam van het KC,' zeg ik omdat dat waar is. 'Maar ik weet niets over kinderen die naar Amerika gaan.'

'Dan weet je niet veel. We hebben de papieren. Wie ben jij?'

Ik zeg bijna dat ik Ellie ben, alleen om te kijken wat hun reactie zal zijn.

'Het maakt niet uit wie ik ben,' zeg ik. 'Ik werk nauw samen met Ellie en ik heb Sasika gisteren meegenomen uit het weeshuis waar ze woonde, als je het al zo kunt noemen. Ellie is er niet en tot Anjali of zij terug is, ben ik verantwoordelijk voor dit meisje. Jullie begrijpen toch wel dat ik haar niet zomaar aan jullie kan geven?'

'We hebben de papieren,' zegt de vrouw en er lijkt iets te branden in haar blik. 'Duncan, laat haar de papieren zien.'

Uit een keurig rugzakje haalt hij een blauwe kartonnen map. Ik zie vellen papier, met gele post-itbriefjes erop en bepaalde zinsneden die met roze of geel zijn gemarkeerd.

'Nou,' zeg ik. 'Jullie zijn in elk geval goed georganiseerd.'

'Ja,' stemt Alexia in. 'In het dagelijks leven ben ik dat niet zo erg, maar bij zoiets belangrijks kun je geen risico nemen.'

Ik voel Sasika's handjes tegen mijn hals, waarmee ze mijn T-shirt stevig vasthoudt. Ik druk haar tegen me aan en geef een zoen op haar hoofd.

'Luister eens,' zegt Duncan. 'We moeten haar nu meenemen naar Pondicherry waar we vier dagen met haar blijven zodat we aan elkaar kunnen wennen. Daarna mogen we haar mee naar huis nemen. Ellie heeft haar paspoort.'

Ik verstevig mijn greep op het kleine meisje.

'Ellie kan haar paspoort niet hebben,' zeg ik tegen hem. 'Ellie heeft haar zelfs nog nooit gezien. En,' voeg ik eraan toe, 'ik heb niet de bevoegdheid om haar aan jullie te geven. Dat doe ik echt niet. Hoe vaak jullie het ook vragen. Dit slaat allemaal nergens op. Ellie en Anjali hebben hier de leiding. Niet ik. Het Kindercentrum is nogal onverwacht dichtgegaan. Het enige wat we kunnen doen is hier blijven en wachten tot ze terugkomen. En waarom moeten jullie eigenlijk vier dagen aan elkaar wennen als jullie haar alleen komen ophalen?'

De elektrische wolken hangen weer boven ons. De vochtigheid is ondraaglijk. Ik wil dat het gaat regenen.

Alle mensen kijken naar ons, maar iedereen blijft op afstand. Er is hier iets aan de hand, en het bevalt me niks. Ik mag deze mensen niet met hun wanhopige uitstraling. De hongerige blik waarmee de vrouw naar Sasika kijkt bevalt me niks.

We staren elkaar aan terwijl de tijd verstrijkt.

'Goed,' zegt Alexia na een poosje. 'Best. Maar bel Ellie of die andere vrouw dan, en zeg dat ze als de wiedeweerga...' Ze houdt op met praten en drukt haar gezicht tegen de schouder van haar man, overmand door verdriet.

Ik doe mijn best om vriendelijk te zijn.

'Jullie willen toch ook niet dat ik haar meegeef aan vreemden,' zeg ik. 'Nee, toch? Als alles inderdaad in orde is, zoals jullie zeggen, dan is dit slechts een tijdelijke hindernis.' Ik ben bereid om alles te zeggen, als ze me verder maar met rust laten.

'Je hebt vanochtend kleren voor haar gekocht,' zegt de

vrouw. Ze beschuldigt me ergens van. 'Die heeft ze nu aan.'

'En jij was kleren aan het kopen voor je "dochter",' breng ik haar in herinnering.

Wantrouwig nemen we elkaar op.

'Goed,' zegt Duncan. 'Best. Dat is logisch. We wachten gewoon op Ellie. Mogen we hier wachten? Kun je haar bellen?'

Ik kijk naar Amber, die tegen een muurtje leunt en naar ons kijkt en luistert. Ze haalt haar schouders op, pakt haar mobieltje uit haar tas en drukt op de toetsen.

'Ik stuur wel een sms'je,' zegt ze.

'Ja, natuurlijk,' zeg ik tegen hen. 'Blijf hier maar wachten. Het is een vrij land.'

Helga komt al snel met twee rieten stoelen aanlopen. Alexia gaat op de ene zitten en steekt haar armen uit naar Sasika.

'Ah, toe,' zegt ze tegen mij. 'Daarnet liet je iedereen met haar spelen. Dat heb ik zelf gezien.'

Ik klem het meisje wat steviger vast. Deze mensen willen me wat te veel. Ik heb geen zin om haar los te laten, maar toch zet ik haar op de grond. Ik ben hier niet alleen. Er kan haar niks overkomen.

'Kom, liefje,' zegt ze. Sasika kijkt om zich heen, ziet dat alle ogen op haar zijn gericht en loopt vervolgens langzaam en doelbewust naar Alexia die haar in haar armen neemt en haar op haar brede dij zet.

Het gebeurt zo snel dat niemand van ons zelfs maar ademhaalt. Er wordt hard op een fluitje geblazen. Geüniformeerde mannen rennen het bos uit.

We staren er allemaal een paar tellen naar. Het is een ongelooflijk surreële aanblik, het allerlaatste wat ik had verwacht te zien.

Als ze dichterbij komen, zie ik dat ze niet alleen echt zijn, maar dat ze handboeien en knuppels bij zich hebben. Ik deins een paar stappen terug.

Een van hen – een lange, magere man met een dun snorretje, ik schat dat hij zo'n vijftien jaar jonger is dan ik – kijkt naar mij. Hij is nog behoorlijk ver weg, maar kijkt me recht en vastberaden aan, en opeens weet ik heel zeker dat hij mij moet hebben. Ik zie de twee mannen die gisteravond naar het gastenverblijf kwamen naar me kijken, al wijzend en schreeuwend.

Ik draai me om en zet het op een lopen. Ik ren zo hard ik kan, harder dan ooit tevoren, regelrecht het bos in. En als ik daar ben, ren ik verder. Ik heb geen idee waar ik mee bezig ben, maar ik weet dat ik moet maken dat ik wegkom, en ik doe wat ik moet doen.

40

Mijn benen worden opengereten. Doornen boren zich in mijn huid. Er schrapen puntige dingen langs me heen die me snijden. Takken trekken aan mijn kleding en mijn haren. Ik blijf rennen. Mijn benen lijken precies te weten waar ze heen gaan, al heeft de rest van me geen flauw idee. Mijn adem gaat in korte, hijgende stootjes. Ik ren en ren.

Ik ben in een rare, onbekende wereld. Die ligt heel dicht bij de wereld van de ashram, maar is toch totaal anders: een parallel universum van scherpe punten en boomtoppen en geheimen en verstopplekken. Het is onmogelijk om te weten wat zich om de hoek bevindt en mijn benen worden kapotgescheurd met elke stap die ik zet omdat ik zelfs niet in de buurt ben van een normaal pad.

Er verstrijkt misschien een uur voor ik tot stilstand kom. De adrenaline giert nog door mijn lijf, maar als ik op een kleine open plek kom, word ik overmand door uitputting en angst en laat ik me op de grond zakken. Ik lig even stil en luister. Ik hoor het bloed stromen in mijn oren, ik hoor mijn onregelmatige ademhaling en het lawaai van de wind door de boomtoppen en een paar ondefinieerbare woudgeluiden. Wat ik niet hoor is de sterke arm van de wet die me achtervolgt.

De grond is oneffen en zompig, maar dat doet er niet toe. Ik lig op mijn rug en luister aandachtig. Niks.

Ik probeer te reconstrueren wat er zojuist is gebeurd. Zodra Sasika bij die Amerikaanse vrouw was, kwamen ze aanrennen. Ze stonden te wachten. Het had allemaal met Sasika te maken.

En die man en die vrouw kunnen Sasika's familie in de VS natuurlijk onmogelijk 'vertegenwoordigen'. Ze heeft helemaal geen familie in Amerika. Als dat wel het geval was, zou ze niet in dat gore tehuis wonen. Als ze een oom en tante en neefjes en nichtjes in Amerika had die voor haar wilden zorgen, dan moet hun zus of broer, Sasika's vader of moeder, door de tsunami zijn omgekomen. Dan zouden ze haar al veel eerder hebben gehaald. Niet nu. Die mensen kunnen onmogelijk de waarheid hebben verteld.

Ik ben misselijk. Waarom keken ze zo naar haar? Waarom stormde de politie op ons af zodra ze haar beetpakten? Wat waren ze echt met haar van plan?

Een deel van me wil geloven dat ze haar alleen wilden adopteren. In dat geval weet ik dat ze veel beter af zou zijn als in dat weeshuis, welke wetten ook zijn overtreden. Op die manier probeer ik het voor mezelf te verklaren, maar ik weet dat het niet klopt. Als deze mensen Sasika mee naar huis zouden nemen, dan hebben Ellie en Anjali dat geregeld. Maar zij hebben de Amerikanen niet eens ontmoet. Je kunt een kind niet met vreemden meesturen. Dat kan echt niet. Dat is geen adoptie, maar iets heel anders.

En die mensen uit Liverpool die snel hun verhaal aanpasten en zeiden dat ze in Kasjmir wonen. Dat kwam me toen al onwaarschijnlijk voor, maar ik heb er verder niet bij stilgestaan. Ik durf te wedden dat Tara nu in Liverpool is en zelfs nooit in de buurt van Srinagar is geweest.

Ik sta niet te lang stil bij mijn goedgelovigheid. Wat belangrijker is, is dat ik net voor de wetsdienaren op de loop ben gegaan. Dat is het domste wat ik had kunnen doen. In de ogen van de politie heb ik daarmee toegegeven dat ik schuldig ben. Ik knijp mijn ogen dicht en vervloek mezelf. Als ik was gebleven, zou de magere agent me hebben gearresteerd, maar dan had ik mijn naam in een paar tellen kunnen zuiveren. Tenslotte heb ik niet echt iets verkeerd gedaan.

Nu kan ik niet terug, want als ik dat wel doe, gooien ze me in de gevangenis. Ik heb de situatie duizend keer erger gemaakt. Ik heb het slechtst mogelijke gedaan.

Ik pluk blaadjes uit mijn haren. Als ik mijn telefoon had, kon ik Amber of desnoods Max bellen. Dan zou ik alles kunnen regelen. Helaas heb ik helemaal niks bij me.

Ik probeer te bedenken hoe het leven in een Indiase gevangenis is. Prompt zie ik mezelf in een cel terwijl ik er min of meer uitzie als Ethan terwijl Toby, Joe en Max door de tralies naar me kijken.

'Jezus nog aan toe,' zeg ik. Ik moet mezelf aangeven. Ik heb geen eten, geen water, geen plaats om heen te gaan, geen enkel plan.

Ik lig op de grond. Die is bobbelig, hard en hij prikt. Niet echt de magische open plek uit sprookjes, met een bed van mos. De bomen hebben zo veel bladeren dat ik de hemel niet kan zien. Ik probeer alles op een rijtje te zetten, maar dat lukt niet. Het slaat allemaal nergens op.

Zoals altijd wordt het plotseling donker. Het woud is vol lawaai, vol dierengeluiden en vogels die onverwachts tussen de bladeren door vliegen. Vlak bij mijn oor zoemen insecten. Alles is eng, vreemd en onbekend. Ik ben veel te ver van huis vandaan.

Ik begin te zingen, want als ik zelf lawaai maak, lijken de andere geluiden minder eng. Ik zing alles wat me te binnen schiet: 'The Wheels on the Bus'. 'Twinkle Twinkle Little Star'. 'Rock a bye Baby', het liedje dat ik voor mijn jongens zing voor het slapengaan.

'We gaan op berenjacht,' declameer ik uiteindelijk voor mezelf, maar het voornemen brengt me weinig troost.

Na een poosje val ik ondanks alles in slaap. Op de woudvloer dommel ik steeds weg, geplaagd door nachtmerries en telkens als ik wakker word, voel ik een wanhoop die ik niet eerder heb gekend.

41

Alexia's gedachten

Hallo, even een berichtje van Dee. Ik weet dat een paar mensen Alexia's blog volgen en toen ze me belde vanuit India, vroeg ze me om het blog namens haar bij te houden.

Ik ben haar zus. Ik heb haar steeds gezegd dat als ze wilde adopteren ze het in de VS moest doen of een draagmoeder moest zoeken. Maar zij wilde per se naar India.

Nu is het op een nachtmerrie uitgelopen, want toen ze haar kleine meid ging ophalen, is ze gearresteerd. Zowel Duncan als zij. Voor zover we nu weten, was het een illegale adoptie met vervalste papieren, en was het meisje slachtoffer van mensensmokkel. Nou vraag ik je, mensensmokkel? Voor mij houdt 'mensensmokkel' verkrachting en slavernij in, maar niet een nieuw thuis krijgen in het beste land van de wereld bij liefhebbende ouders die alles voor je willen doen.

Maar goed, ze zitten nu in de gevangenis in een plaats die Pondicherry heet. Iedereen hier in de stad is geschokt. Het is gewoon onmogelijk. We proberen een advocaat te regelen en we proberen de ambassadeur te bereiken om hen te helpen.

We kennen daar niemand, dus ik denk dat ik er het beste zelf naartoe kan gaan. Wat een aanlokkelijk vooruitzicht. Mam wil mee, maar dat gaat niet. Daar is ze te zwak voor.

Maar het bericht op dit blog is vooral bedoeld als waarschuwing voor alle kinderloze vrouwen die overwegen om naar India te gaan. Zodra we weten wat er aan de hand is, zal ik weer schrijven.

Dee.

42

Het wordt licht en ik hallucineer bijna, terwijl ik ernaar verlang om wakker te worden in mijn bed in Londen. Vanuit mijn ooghoeken zie ik telkens slangen, maar als ik mijn hoofd dan snel omdraai zijn ze er niet.

Van tijd tot tijd springen er apen door de bomen. Echte apen. Ik verstijf wanneer ik ze hoor of zie. Het is voor het eerst dat ik blij ben dat ik geen eten bij me heb. Ik snak naar adem als ik twijgen hoor breken. Na drie seconden, die een eeuwigheid lijken te duren, vliegt een grote vogel de open plek in.

Het ochtendgloren wordt feller. De lucht is fris. Ik sta als versteend. Als ik ga huilen, zal ik nooit kunnen ophouden. Ik hoor een aap aankomen en snak naar adem van afschuw. Hij loopt de open plek op en springt krijsend op en neer.

'O, sodemieter op,' zeg ik. Ik ren op het beest af en geef het een schop waarna het zich terugtrekt.

Ik lik regenwater van de bladeren en drink water uit de troebele plassen die ik tegenkom. In elk geval zal ik in de gevangenis eten krijgen. Ik heb geen idee welke kant ik uit moet, maar ik ga ervan uit dat het bos, dat tussen de ashram, de hoofdwegen en het strand ligt, niet al te groot kan zijn. Ik loop vermoeid in de richting waar ik vandaan meen te zijn gekomen. Ik wil bessen plukken en eten zoeken, maar dat durf ik niet, dus ondanks de brandende honger in mijn maag, eet ik niks.

Als ik de bosrand bereik, staat de zon hoog aan de hemel. Ik kan de ene voet nauwelijks meer voor de andere zetten. Ik sta op het punt van instorten.

Wanneer de bebossing dunner wordt, giert er nog zo veel adrenaline door me heen dat ik niet weet wat ik met mezelf aan moet. Mijn handpalmen tintelen, mijn maag trekt zich samen en al mijn door yoga getrainde spieren zijn gespannen, klaar om te vluchten. Ik ga het echt doen. Ik ga mezelf aangeven. Toby en Joe zullen een moeder krijgen die in een Indiase gevangenis zit. Ik hou me blijmoedig voor dat ze dan in elk geval iets hebben om over te praten, maar ik merk al vlug dat ik nog niet tot keihard cynisme in staat ben.

Dit soort verhalen lees je voortdurend. Meestal gaan ze over drugs, maar verder klopt het precies. De blanke persoon wordt gearresteerd en in de gevangenis gegooid waar hij met veertig mensen in een kleine cel zit. Vervolgens kwijnt hij jarenlang weg terwijl zijn familie pogingen doet om hem vrij te krijgen. Na een jaar of vijf waarin de familie zo veel mogelijk publiciteit heeft gegenereerd, stemt de Indiase overheid erin toe om hem uit te wijzen en mag hij de rest van zijn straf in eigen land uitzitten.

Ik ben op de plek waar het bos overgaat in het strand. Voor me ligt een weg. Een paar honderd meter naar rechts staat een politieauto langs de kant van de weg.

Ik wil de weg over rennen, op het zand gaan liggen en slapen. Ik wil mezelf onderdompelen in het water en alles wegwassen. Ik wil me ontzettend graag overleveren aan de politieman en hem smeken om me ergens heen te brengen waar ze drinkwater en een stukje droge vloer hebben. Maar ik doe het niet.

Er lopen een paar mensen op het strand: een paar jonge mannen en een vrouw met kind. Ik blijf op flinke afstand, zodat ze me niet zien.

'Ik moet mezelf aangeven,' mompel ik in mezelf. Het is heel moeilijk om een plan te maken, om te bepalen wat ik moet doen. 'Ik kan dit niet langer. Ik heb...' Maar ik krijg het woord 'kinderen' niet eens over mijn lippen. Ik vertrouw mezelf niet. In plaats daarvan streel ik hun foto's die nog altijd in mijn zak zitten. 'Ik moet verstandig zijn.'

In de verte, uit de tegenovergestelde richting van de politieauto, nadert het gedempte geluid van een automotor.

Er komt een in blauw en wit geschilderde bus aan. Ik doe mijn hand open en zie dat er een biljet van vijftig roepie in zit. Ik weet weer dat ik het gisterochtend in mijn zak heb gepropt, het wisselgeld van Sasika's kleding.

Ik loop naar de rand van de weg en houd de bus aan. Wanneer ik een blik opzij werp, zie ik dat de agenten niet eens naar me kijken. Ze zijn druk met elkaar in gesprek.

Op het dak van de bus zijn allerlei dozen en tassen vastgebonden. Ik hoor een kip kakelen. De chauffeur stopt meteen bij de aanblik van een blanke vrouw, zelfs voor een vrouw die de nacht hallucinerend in het regenwoud heeft doorgebracht. Ik zie dat alle passagiers met een ruk naar voren schieten.

Ik stap snel tussen de bescherming van de bomen vandaan en pers me aan boord. Ik geef de chauffeur vijftig roepie en loop door zonder op wisselgeld te wachten of te vragen wat de eindbestemming is. Ik wring me naar het midden van de menigte.

Ik kan niet uit het raam kijken, want de bus is veel te vol. Ik kijk niemand aan, want ik wil niet weten wat ze over me zeggen. Ik doe mijn best om niet op te vallen en begraaf mezelf diep in het gewoel. Er kakelt een kip. Een dier dat als een geit klinkt begint te mekkeren. Ik kan geen van beide zien. Ik versta geen woord van wat er om me heen wordt gezegd.

Met ingehouden adem kijk ik omlaag, wensend dat ik er Indiaas uitzag, terwijl ik in de menigte probeer op te gaan.

Ik had me gewoon moeten laten arresteren. Waarom ben ik zo stom geweest om het op een lopen te zetten alsof ik de leider van een criminele bende ben? Dat heeft alles duizend keer erger gemaakt. Ik ben niet helder genoeg om te bedenken wat er is gebeurd met het KC, op mijn plotselinge, korte inzicht van gisteren na.

De eerste seconden zijn het ergst: ik weet dat we langs de politie rijden. Als zij de bus aanhouden, zullen ze me binnen een seconde gevonden hebben. Ik buig mijn knieën een beetje en staar naar mijn roze gelakte teennagels in afgetrapte sandalen. Ik klem mijn kaken stijf op elkaar en concentreer me op nietsdoen. De seconden tikken weg. We hobbelen over de weg. Ik word tegen een man naast me en een vrouw voor me gesmeten. Ondanks mezelf waag ik het om even door de achterruit te kijken.

De politieauto staat nog steeds langs de kant van de weg. De ene politieman kijkt het bos in en de andere ligt te slapen op de motorkap.

Ik durf amper adem te halen. Tot nu toe gaat alles goed. Ik rijd bij de politie vandaan, het ongewisse tegemoet. Ik heb geen geld en ik weet niet wat er aan de hand is. De wereld staat wel goed op zijn kop wanneer deze situatie te verkiezen is boven het alternatief.

43

Alexia's gedachten

Hallo. Hier weer een berichtje van Dee.

Ik ben net bij Alexia op bezoek geweest. Ik heb een borrel nodig, maar nu blijkt dat er in deze plaats nauwelijks cafés zijn. Wat een ellendige plek.

Ik bedoel, als Amerikaan kun je natuurlijk in een redelijk goed hotel logeren, per auto reizen en alle half instortende gebouwen en de armoede negeren. Maar wanneer die auto voor de gevangenis stopt en je daar naar binnen gaat om je eigen zus te bezoeken, en die zus wordt beschuldigd van het kopen van een kind (en naar wordt beweerd met kwade bedoelingen), dan is alle aantrekkingskracht die deze plek misschien ooit bezat al snel verdwenen.

Een afgezant van het Amerikaanse consulaat hier in Chennai gaat regelmatig bij Alexia op bezoek en ze hebben een advocaat voor haar gevonden. Ik heb gezegd dat het de beste advocaat van heel India moest worden, waarop ze begonnen te lachen en zeiden dat die niet beschikbaar was in Chennai, maar dat ze wel de beste hadden die ze konden vinden. Lexy en Duncan zijn overgeplaatst van de kleine gevangenis in Pondicherry naar de grote gevangenissen hier. Ze zitten allebei in een ander gebouw, in verschillende delen van de stad. We hebben Dunc nog niet kunnen bezoeken, hoewel zijn gevangenis dichter bij het centrum ligt. Lex komt eerst. Duncan staat als volgende op mijn programma.

(Ha. De meeste mensen die naar India gaan, werken het volgende programma af: de Taj Mahal bekijken. Tempels bezoeken. Mystici en slangenbezweerders bekijken. Genieten van het strand en de palmbomen. Tapijten kopen. Mijn programma is dus heel anders: tegen de ambassadeur schreeuwen. Zus in de gevangenis bezoeken. Naar huis bellen. Blog bijwerken. Zwager in de gevangenis bezoeken.)

Ik heb tranen met tuiten gehuild toen ik haar zag. Nu huil ik niet meer omdat ik degene ben die haar uit deze situatie moet bevrijden.

Ze blijkt niet in een echte gevangenis te zitten. Hoewel ze in een cel zit met ongeveer twaalf andere vrouwen, die geen van allen ook maar een woord Engels spreken, is dit een politiecel. Ze blijft hier tot er wat paperassen zijn getekend en daarna gaat ze naar een echte gevangenis.

Ik heb haar samen met George bezocht. George is van het Amerikaanse consulaat en ik was blij dat hij erbij was. Hij was er al eens eerder geweest en hij kende een paar mensen daar. Hij voerde het woord want ik had het te druk met het onderdrukken van mijn misselijkheid, om nog maar te zwijgen over mijn godgloeiende woede, zodat ik volgens mij geen woord had kunnen uitbrengen. En we hadden de advocaat bij ons (die dus niet de beste advocaat van India is) en die doet allerlei beloften om haar vrij te krijgen, maar voorlopig zie ik hem daar nog niet erg zijn best voor doen.

Het gebouw zag er van de buitenkant nog niet eens zo verschrikkelijk uit, maar wel toen ik eraan dacht dat mijn grote zus daar gevangenzat. We moesten heel veel veiligheidsmaatregelen ondergaan en we zijn de ene na de andere gang door gelopen en door allerlei vergrendelde deuren gegaan en met elke stap werd de stank een beetje erger.

Toe we bij de cel kwamen, zag ik haar eerst niet eens. De hele muur bestond uit tralies, als je begrijpt wat ik bedoel, dus we konden alle vrouwen goed zien. Het waren allemaal Indiase vrouwen die wat met elkaar kletsten en zich gedroegen als een stel mensen dat niet veel omhanden heeft. Een van hen zat te plassen in de hoek met haar rokken om zich heen geslagen om het te verbergen. Ik zweer het, ze deed het niet eens op een pot: ik zag de plas vanonder haar wegstromen.

En toen, allemachtig. Daar in de hoek zat A. Naast de plassende vrouw.

Ze wiegde heen en weer en ze neuriede, echt waar. Vies. In zichzelf gekeerd.

Ik zag direct dat Alexia de hoop had opgegeven. Zij is niet in staat om een plek als deze het hoofd te bieden. Als ik daar zat, zou ik aan de tralies rukken en net zo lang schreeuwen tot ze helemaal gek van me werden en me zouden laten gaan. Ik zou in die cel moeten zitten, niet A. Al haar levenslust was verdwenen. Haar blik was leeg. Het was net een horrorfilm. Ik heb nog nooit zoiets griezeligs gezien. Toen ik haar riep, duurde het een hele tijd voor ze me hoorde. Een van de andere vrouwen liep naar haar toe en bleef haar porren tot ze opkeek.

George legde zijn hand op mijn schouder, een gebaar dat heel erg welkom was.

'We krijgen haar hier wel uit,' zei hij. 'Ik weet dat dit moeilijk is. We krijgen haar wel vrij.'

Ze werd naar een kleine kamer gebracht. Met handboeien om, godverdomme.

Ze was geestelijk amper aanwezig. Het was alsof ik helemaal niet met Alexia sprak. Ik bleef maar huilen, maar zelfs daar reageerde ze niet op. Ze keek alleen maar voor zich uit. Slechts een keer leek ik tot haar door te dringen, en toen keek ze me aan en zei ze heel zacht: 'Deanna, dit is de enige manier waarop ik het red. Dring niet verder aan.' Ik wist wat ze bedoelde, dus liet ik haar verder met rust.

De aanblik van mijn grote zus met handboeien om zal ik nooit ofte nimmer vergeten. Alexia is de conventioneelste, gewoonste, normaalste persoon die ik ken. Ze steekt zelfs nooit naast een zebrapad over.

George en Rajiv zeggen dat ze zullen proberen te ontdekken wat er in dat 'Kindercentrum' is gebeurd. Het ligt in een of andere godsdienstige gemeenschap en het is een grote zwendel, dat mag duidelijk zijn. Alle andere mensen zijn gevlucht, zelfs de vrouw die het kind aan Alexia gaf. Het hele kindertehuis is gesloten en alle kinderen zijn verdwenen.

Alleen mijn arme zus en haar man zijn er nog. Al deze ellende, enkel omdat ze een baby wilden.

George heeft gezegd dat hij me vanavond mee zal nemen naar een bar. Kun je je voorstellen dat er in deze stad amper alcohol wordt gedronken? Maar hij zei dat hij een paar leuke gelegenheden kende. Volgens hem kunnen we zelfs iets eten wat niet Indiaas is.

Nou, godzijdank.

Reacties: 3

Schat, vertel haar maar dat we voor haar bidden. Iedereen in de winkel, iedereen in de stad. We zijn er helemaal kapot van dat de adoptie zo ontzettend is misgegaan. Ik ken je, Dee, en jouw advocaten krijgen haar wel vrij. Ik wens jou, Alexia en Duncan alle kracht die jullie nodig hebben.
Mary

O, mijn god, ik heb een paar maanden geleden een reactie achtergelaten op Alexia's blog. Ik kon niet geloven wat ik net heb gelezen. Ik vind het echt verschrikkelijk voor jullie. Zijn de media erbij betrokken? Een beetje publiciteit zal ongetwijfeld helpen om haar vrij te krijgen.

Mijn man en ik hebben zojuist een klein meisje in China toegewezen gekregen. Jullie verhaal heeft er zeker voor gezorgd dat ik alle adoptiepapieren minstens drie keer zal doornemen met een plaatselijke advocaat voor ik haar mee naar huis neem.

Ik wens jou, Alexia en Duncan heel veel sterkte. Hou ons op de hoogte.
Janice

Dee, we rekenen op je.
Mam

44

Ik sta in de bus en schommel urenlang heen en weer. Na een poosje ga ik op de vloer zitten; die is misschien wel wat smerig, maar dat kan me niets schelen. Ik doe alsof ik blind ben voor alle mensen die afkeurend naar die vieze westerse vrouw kijken die de busetiquette overtreedt door op de grond te gaan zitten en veel te veel plek inneemt met haar dikke kont. Er stappen steeds meer mensen in en er stapt bijna niemand uit. Ik ben blij met de menigte omdat die me een veilig gevoel geeft. Maar na een paar haltes moet ik toch weer opstaan omdat er echt niet genoeg ruimte meer is.

Ik kijk niet uit het raam. Ik heb geen flauw idee waar de reis naartoe gaat en hoe lang hij zal duren. Terwijl het zonlicht recht in mijn ogen schijnt, vraag ik me af of we ergens zullen aankomen voor de avond valt. Ik kom namelijk liever in het donker aan want dan kan ik me makkelijker verbergen.

In gedachten laat ik mijn plan van aanpak keer op keer de revue passeren. Mijn instinct zegt me dat ik naar het zuiden ga. Als er zo veel mensen in de bus zitten, moeten we wel op weg zijn naar een redelijk grote stad. Als ik daar eenmaal ben, kan ik alleen nog te voet verder. Dus zal ik gaan lopen tot ik een telefooncel vind en van daaruit zal ik een collect call met Max aanvragen. Behalve dat heb ik geen idee van wat ik verder moet doen.

Ik merk dat we door de buitenwijken van een stad rijden. Uit het weinige wat ik tussen de hoofden van de mensen door kan zien, maak ik op dat het een stad is zoals elke stad in India. Het ziet er armoediger uit dan in Chennai, met huizen van golfplaat en jutezakken die dienstdoen als deuren. We rijden een tijdje door deze sloppenwijk en dan, wanneer ik er op de een of andere manier totaal niet op bedacht ben, stopt de bus. Iedereen komt luidruchtig in beweging en dromt naar de deur. Ik blijf als laatste achter en dan loop ik achter ze aan.

Ik ben in een stad. Ik probeer me de landkaart voor de geest te halen, en probeer een stad te bedenken die op zes uur rijden van de ashram ligt. Zou het Madurai kunnen zijn? Delphine is in Madurai. Mijn hart slaat even over van vreugde. Ik kan de herbergen afstruinen tot ik haar heb gevonden. De mensen zullen zich dat impulsieve Franse meisje met de kristallen en de dromen beslist herinneren. Ik haal mijn vingers door mijn haar, raak de verschillende sneeën, schaafwonden en bloeduitstortingen aan en vraag me af hoe erg ik eruitzie. Afschuwelijk; zo slecht heb ik er nog nooit van mijn leven uitgezien. Er zitten nog steeds twijgjes verstrikt in mijn haar.

Ik trek het naar achteren en draai het, bij gebrek aan een elastiekje, in een knot zodat het niet meer in mijn gezicht valt. Ik lik aan mijn vingers en boen op goed geluk mijn gezicht, in een onhandige poging om mezelf schoon te maken. Toby vindt het vreselijk als ik dat bij hem doe, maar op dit moment roept de gedachte aan mijn kinderen geen enkele emotie bij me op.

Ik sta in een busstation. Het is bijna donker. Ik loop op een man af die er enigszins uitziet alsof hij de leiding zou kunnen hebben.

'Pardon,' zeg ik met een klein stemmetje. Ik wijs naar de grond. 'Is dit Madurai?'

Hij kijkt me aan. 'Madurai?' herhaalt hij, en dan kijkt hij om zich heen. Daarna neemt hij me bij de arm en leidt me naar een andere bus. Hij praat snel met een man die op de trede van de bus een sigaret zit te roken. Ze knikken beiden.

'Nachtbus naar Madurai,' zegt de eerste. Hij haalt een mobieltje uit zijn zak, tikt nummer 11 in en laat het aan me zien. 'Madurai,' zegt hij, en maakt bewegingen alsof hij een auto bestuurt.

Dus ik ben niet in Madurai.

'Vertrekt deze bus om elf uur?' vraag ik. Ze knikken beiden. 'Waar zijn we nu dan?' vraag ik terwijl ik naar de grond wijs.

'Nachtbus naar Madurai.'

'Madurai – hoe ver hier vandaan?' probeer ik te vragen. Ik tik op de plek waar mijn horloge zou zitten als ik er eentje had. 'Madurai? Hoe laat?'

'Madurai.' Hij gebruikt zijn mobieltje opnieuw. '10.'

'Dus deze bus vertrekt om elf uur en komt morgenochtend om tien uur aan?'

Hij knikt. 'Madurai erg ver weg.'

'Waarvandaan dan?'

'Hier. Chennai.'

'Is dit Chennai?'

Ze kijken elkaar aan en beginnen zenuwachtig te lachen. Ze schuifelen langzaam bij me vandaan. De man die rookte in de bus gaat achter het stuur zitten. De andere verdwijnt in de menigte.

Ik probeer te bedenken wat ik het beste kan doen. Ik kan op zoek gaan naar een politieagent om mezelf aan te geven. Op een afschuwelijke manier zou dat verstandig zijn. Of ik kan een rustig plekje zoeken en op straat gaan slapen. Nee, dat gaat niet. Zover mag het niet komen. Ik moet blijven lopen, een telefoon zien te vinden en als ik een andere blanke tegenkom, zal ik bij hem of haar om tien roepie bedelen zodat ik wat eten kan kopen bij de stalletjes op straat.

Mijn gezichtsvermogen vertroebelt steeds meer. Alle van angst afkomstige energie, de kracht die ervoor zorgde dat ik in het bos bleef doorlopen, heeft me verlaten. Het voelt niet langer alsof ik hallucineer. Ik kan nergens heen waar de politie me zou kunnen vinden, want ik ben een vluchteling. Ik moet zo onopvallend mogelijk op zoek gaan naar een plek om me te verbergen en ik moet alles in het werk stellen om mezelf in veiligheid te brengen. Het stadium van uithongering ben ik al voorbij. Mijn maag verteert zichzelf.

Ik tast in mijn zak naar de foto van de jongens. Dat is het enige wat me nog op de been houdt. Hij is er niet meer. Hij moet ergens in het bos liggen. Mijn jongens. Dit geeft me het laatste zetje over de rand en ik begin te hyperventileren en hou op met lopen. Ik geef het op.

Maar ik mag het niet opgeven. Er is geen gemakkelijke uitweg. Als er nu een politieman voor me zou staan, zou ik mezelf dankbaar aangeven en hem vragen of hij me het land zou willen uitzetten. Ze zouden met me mogen doen wat ze wilden.

Mijn voeten lopen door, maar geestelijk ben ik er niet meer helemaal bij. De riksja's stoppen niet meer voor me. Ik loop rechtdoor terwijl ik mijn omgeving vaag en ongeïnteresseerd opneem. Ik loop over een drukke weg. Er zijn allerlei mensen die, net als eerst (maar nu anders), geen aandacht aan mij besteden. Ik kijk om me heen terwijl mijn wankele benen over de oneffen stoepen en straten lopen, koeien en etensstalletjes ontwijkend. Mijn benen trillen heftig en ik begin te struikelen.

Een eindje verderop staat een man die pakora's en andere dingen verkoopt. De geur raakt me als een stomp in mijn maag. Ik staar naar de snacks. Ze zien er vettig uit, maar ze ruiken naar hemelse nectar. Ik wacht even in de wetenschap dat zo'n snack bijna niets kost en me de energie zou geven om nog wat langer door te gaan. De eigenaar van het etensstalletje glimlacht en gebaart zwierig naar zijn koopwaar.

Ik blijf staren en schud dan mijn hoofd.

'Geen geld,' zeg ik tegen hem.

'Vijf roepie,' zegt hij. Ik schud mijn hoofd. Ik had op wisselgeld van de chauffeur moeten wachten. Ik loop bij hem vandaan en hij komt achter me aan en geeft me een gefrituurd stuk groente. Ik kan niet eens de juiste woorden vinden om hem te bedanken. Ik eet met kleine hapjes om er zo lang mogelijk mee te doen.

De mist sluit zich om me heen, dus ik zie niets anders dan de stoep direct voor me. Ik heb geen idee van wat ik doe, ik heb mezelf niet onder controle. Ik loop maar door omdat er toch niets anders is om te doen. Ik ben mijn jongens kwijt. Alles is zinloos geworden. Na een paar uur of na vijf minuten, zie ik een belwinkel.

Ik blijf een poosje buiten staan terwijl ik naar binnen kijk en een vrouw lachend een telefoongesprek zie voeren. Dit is wat ik moet doen. Het is het enige wat ik nog kan.

Ik zeg tegen het stuk pakora in mijn maag dat het me kracht moet geven, waarna ik diep ademhaal en een poging doe om naar binnen te gaan. Ik doe alsof ik niet dezelfde stinkende kleding aanheb die ik droeg toen ik ben gaan slapen in een moerassig bos, dat ik de politie niet probeer te ontlopen, dat ik me geen weg door het kreupelhout heb gebaand en dat ik niet in een willekeurige bus ben gestapt en hier ben beland. Ik probeer er niet uit te zien als iemand met wie een eigenaar van een etensstalletje zo veel medelijden had dat hij me dat ene stukje groente gaf dat me nu op de been houdt.

Ik maak mezelf zo groot mogelijk en zeg met mijn meest bekakte stem dat ik graag een collect call met Londen wil aanvragen.

De Engelse manier waarop de telefoon overgaat is zo troostend dat ik bijna instort. Nadat hij vier keer is overgegaan, weet ik dat Max niet zal opnemen. Na zes keer hoor ik mijn eigen stem, die me weken mee terugneemt en de kloof overbrugt. De man van de kiosk hangt onmiddellijk op en probeert me vijftig roepie te laten betalen voor de verbinding. Ik verontschuldig me en ren weg.

Als ik het Shiva Hotel zou kunnen vinden, kon ik in elk geval in het zwembad springen om mezelf te wassen. Ik heb geen flauw idee waar het is of hoe ik er moet komen. Het is bijna donker, maar in de stad maakt dat niet zo veel verschil als in de ashram.

Ik loop in wat ik denk dat de juiste richting is (het is in elk geval een richting en dat is beter dan stilstaan). Ik kom door straten waar het druk is en waar bedrijvigheid heerst en door andere die rustiger zijn. In de rustiger straten heb ik het gevoel dat ik opval, maar niemand besteedt veel aandacht aan me. Een paar bedelaars roepen naar me. Ik kijk naar ze en naar hun ledematen die vel over been zijn.

Na een poosje komt er een riksja die stapvoets naast me gaat rijden.

'Riksja, mevrouw?' vraagt de bestuurder.

'Ik heb geen geld,' zeg ik tegen hem. 'Ik bedoel, kijk eens goed naar me.'

'Waar moet u naartoe?'

'Naar het Shiva Hotel.'

Hij knikt. 'Oké, geen probleem. Veertig roepie. U betaalt me bij het hotel.'

Hoe verleidelijk het ook is, ik schud mijn hoofd.

'In het hotel heb ik ook geen geld.'

Dat verbaast hem. Ik stel me voor hoe ik bij de receptie van het hotel vraag of ze me veertig roepie willen lenen. Ik zie mezelf door hun ogen. Ze zouden er niet over peinzen. Ik probeer te bedenken of er iemand is die me geld zou kunnen lenen. Ik kan het proberen. Ik zou op de plekken waar veel mensen komen op zoek kunnen gaan naar backpackers om bij hen te smeken. Veertig roepie is vijftig penny. Als ik een van hen was, zou ik het mezelf geven. Tenminste, dat denk ik.

Ik kan geen rit van deze man aannemen zonder geld om hem te betalen. Ik ben verslagen. Een deel van me weet dat ik mezelf in de wielen rijd. Ik zou die rit wel aan moeten nemen en een manier moeten bedenken om te betalen wanneer ik aankom. Ik moet alles in het werk stellen om mezelf uit dit dal te halen.

De riksja-bestuurder kijkt me bedachtzaam aan.

'Ik breng u naar Shiva Hotel,' zegt hij. 'Geen geld, geen probleem. Onderweg stoppen we bij winkel. U kunt uw gezicht eerst wassen. U nu uitzien... alsof u niets kunt kopen.'

Ondanks alles barst ik in lachen uit.

'Je bent een genie,' zeg ik tegen hem. De energie komt ergens vandaan. 'Goed. Hoe lang moet ik blijven voor ze je provisie geven?'

Hij denkt er even over na. 'Vijftien minuten.'

'Afgesproken. Direct naar het Shiva dan.'

'Uitstekend.'

Ik ben verbaasd dat ze me binnenlaten in het prachtige warenhuis met handwerkartikelen, want ik begin mezelf te ruiken. Met behulp van de achteruitkijkspiegel van de riksja, en het verbaast me een beetje dat een riksja zo'n ding heeft, maak ik mijn gezicht zo goed mogelijk schoon. De chauffeur geeft me een elastiekje dat aan zijn achteruitkijkspiegel hing, en ik doe mijn haar in een heel strakke staart, waardoor ik er onmiddellijk minder uitzie als een wilde vrouw. Ik probeer mijn yoga-houding aan te nemen en de uitstraling te hebben van Margaret Thatcher op haar hoogtepunt. Mijn benen trillen nog steeds en ik verga van de dorst, maar ik weet dat dit me zal lukken.

Wanneer ik naar binnen ga, en de airconditioning me als een blok ijs raakt, kijk ik naar de groene klok boven de toonbank. Het is vijf over vijf. Ik moet hier tot tien voor half zes blijven.

Ik knik minzaam en bestudeer de tin-achtige sieraden, de rollen stof en de miniatuurolifanten. Ik blijf wat op de achtergrond; niemand zal vermoeden dat ik op de vlucht ben voor de politie en ik laat me willekeurige spullen tonen door het winkelpersoneel. Ik bekijk elk kraampje, ik bewonder alles wat me wordt getoond en ga zelfs zo ver dat ik naar de prijs van een vaalroze pashmina informeer. We beginnen onderhandelingen die ik afbreek om te vragen of ik morgenochtend terug mag komen met mijn man. Precies als er een kwartier is verstreken, ga ik er als een haas vandoor.

'Waar is uw man?' vraagt de bestuurder terwijl we door het verkeer naar het hotel rijden.

'In Londen. En mijn kinderen ook. Ik moet terug naar mijn kinderen. Ik moet India verlaten maar ik denk niet dat dat gaat.

'Hoe oud zijn ze?'

'Zes en drie.'

'Jongen, meisje?'

'Twee jongens.'

'U erg boffen.'

Het voelt als een klap in mijn maag.

'Ja. Erg boffen.'

'Waarom u geen geld?'

Hij heeft zich omgedraaid om die vraag te stellen. Ik wend mijn blik af.

Ineens krijg ik een inval. 'Zou u me in plaats van naar het hotel misschien naar de Kapaleeshwarar-tempel kunnen brengen?'

'Succes,' zegt hij, en hij komt vlak voor Ethan tot stilstand.

Die lijkt helemaal niet verbaasd om me in deze toestand te zien.

'Oooo,' zegt hij als ik naast hem ga zitten. 'Tegenwoordig gaat ze ongevraagd zitten. Ze maakt het zich gemakkelijk.' Hij heeft nog steeds allerlei tics en hij lacht om iets wat ik niet kan zien.

'Wat moet ik doen?' vraag ik hem. 'Jij kent deze stad. Jij redt je hier zonder geld. Ik moet mijn man zien te bereiken, maar die neemt de telefoon niet op en ik kan geen collect call aanvragen met een mobieltje. Ik heb drie dagen niet gegeten. Als ik niet snel water drink, val ik nog flauw. De politie zit achter me aan hoewel ik helemaal niets verkeerds heb gedaan. Maar ik heb wel dingen gedaan die stom zijn. Ontzettend stom.'

'Stom?'

'Ja. Maar goed. Ethan, waar haal jij je eten vandaan? Ik moet het weten. Ik moet deze enorme problemen zien op te lossen en zoals ik me nu voel, zal me dat niet lukken.'

Ineens kijkt hij me belangstellend aan. Ik buig me voorover en leg mijn hoofd heel even tegen zijn schouder. Hij slaat een arm om me heen en woelt door mijn haar.

'Heeft India je te pakken gekregen?'

'Nee, niet India. India is geweldig. Ik ben er gek op.'

'Ha,' zegt hij, en hij spuugt op de grond. 'Je weet niet wat je zegt.'

Ik denk er even over na. Ik moet toegeven dat mijn ervaring met India positief bevooroordeeld is, althans tot gisteren.

'Zou je denken?'

'O, Jezus. Mensen zoals jij. Jullie komen hier en denken dan dat jullie eventjes "India doen". Jullie gaan alleen om met blanken en zoeken naar bedelaars omdat ze in het beeld passen dat je van jezelf hebt, trots tussen de armen door lopend. Je hebt geen flauw benul hoe het leven in dit klotegat is.'

'Daar kun je best eens gelijk in hebben. Maar voor mij ligt de zaak nu een beetje anders.'

Hij schatert het uit. 'Weet je hoe ik dat weet? Omdat ik hetzelfde was. Alsjeblieft.' Hij steekt me zijn vuist toe. 'Pak aan. Dit is net die kloteparabel van de talenten.'

Ik hou mijn hand op. 'Wat bedoel je?'

'De Bijbel, schat. Pak aan en koop er eten en water voor. Laat het geld groeien.'

Het is een biljet van vijftig roepie dat vier keer is dubbelgevouwen. Ik vouw het open en staar naar Ethan.

'Ik kan geen geld van jou aannemen! Ethan, in godsnaam. Hoe kom je hieraan?'

Hij giechelt. 'Van jou. Ik heb er zo veel mogelijk bewaard. Je gaf me die eerste keer toch vierhonderdvijftig? Ik heb er vijftig bewaard. Dus eigenlijk is die al van jou. Betaal me maar terug wanneer je dat kunt.'

Ik glimlach. 'Net als in die sketch van Hancock. Waar hij 's ochtends bloed geeft en het 's middags weer terugkrijgt.'

Ethan knikt, waarschijnlijk honderden keren snel achter elkaar. We leunen nog steeds tegen elkaar aan. Ik hou mijn adem in, buig me verder naar hem toe en kus hem op zijn wang. Hij deinst terug en haalt zijn arm weg. Ik voel dat er mensen naar ons kijken, maar dat kan me niets schelen.

Tegen de tijd dat ik bij het hotel aankom, heb ik een flesje water gedronken en drie groente-samosa's gegeten, maar ik ben wanhopig. Ik heb maar vijf roepie over en ik verga nog steeds van de honger. Ik denk terug aan de Saravana Bhavan en ik wens uit alle macht dat ik de derde portie curry in een servetje had gewikkeld en dat ergens op het terrein van het hotel had verstopt.

Hoe dan ook, het staat me vrij om over het terrein te lopen zonder dat iemand van de hotelleiding doorheeft dat ik geen gast ben, laat staan dat ik geen cent heb en op de vlucht ben voor de politie; enkel en alleen omdat ik blank ben.

Ik zit op de binnenplaats bij mijn oude slaapkamer en leun tegen het gebouw terwijl de duisternis me omhult. Tegen de muur van het gebouw zie ik een oud flesje mineraalwater staan. Er zit nog een centimeter vloeistof in. Ik ruik eraan: het is geen urine, dus drink ik het op. Het is heet, maar het is water. Mijn lichaam schreeuwt ineens om meer, veel meer.

Ik zal backpackers als doelwit kiezen. Ik zal iemands telefoon lenen en Max een sms-je sturen.

Er is niemand bij het zwembad, dus ik trek snel mijn stinkende kleding uit en ga in mijn ondergoed het zwembad in. Het water voelt zalig. Ik zwem onder water heen en weer en kom er opgefrist weer uit. Ik heb geen zin om mijn stinkende kleren weer aan te trekken, dus ik spoel ze eerst even uit, in de hoop dat ze snel zullen drogen. Als ik loop, druip ik na.

De duisternis valt en alle lichten gaan aan. Er staat een stel westerlingen op het pad dat naar het restaurant leidt. Ik verzamel al mijn krachten en loop op ze af. Ik hou een beetje afstand zodat ze in het schermerlicht niet zullen zien hoe vreemd ik eruitzie.

Ze zijn diep met elkaar in gesprek en spreken een taal die Scandinavisch klinkt. Ze zijn rond de vijftig en ze hebben vriendelijke gezichten.

'Pardon,' zeg ik terwijl er nog water op de grond druipt. 'Spreken jullie Engels?'

Ze draaien zich allebei om.

'Ja,' zegt de man, die grijzig haar heeft dat rommelig, piekerig en toch aantrekkelijk is, en die een rond brilletje draagt. 'Natuurlijk,' voegt hij eraan toe. Ze kijken me ongegeneerd nieuwsgierig aan, en met iets wat op walging lijkt.

'Goed. Nou, het spijt me dat ik u lastigval. Waar moet ik beginnen? Ik ben in India.' Er springen tranen in mijn ogen, en ik kijk wild om me heen, er ineens van overtuigd dat de politie hier is. 'Ik ben bijna gearresteerd door de politie die volgens mij dacht dat ik betrokken was bij kinderhandel, maar dat hadden ze mis en toen moest ik hiernaartoe om hulp te halen en mijn man te bellen...' Ik word afgeleid door de sceptische blikken die ze elkaar toewerpen. Ik weet dat ik als een raaskallende gestoorde vrouw klink. Ik ben de belichaming van iemand die te lang heeft gereisd, die waandenkbeelden heeft en wanhopig is. Ik geloof mijn eigen verhaal niet eens, hoewel het mij is overkomen. 'Ik heb wel geld en spullen, maar die liggen nog in de ashram, en als ik terugga, brengen ze me naar de gevangenis. Dus eigenlijk heb ik een heel klein bedrag nodig voor wat eten, en als u een telefoon hebt, dan moet ik een paar sms'jes versturen. Is dat mogelijk? Zou iets van dat alles mogelijk zijn?'

Ze kijken elkaar gegeneerd en met grote ogen aan. Ik ken die uitdrukking. In Londen heb ik heel vaak dit soort verhalen moeten aanhoren. Ik ben in het verleden weggelopen bij zielige verhalen terwijl ik aannam dat de persoon die zo tekeerging het geld nodig had om drugs te kopen. Dat zou ik nu ook denken, als ik mezelf zou tegenkomen.

De vrouw graait in haar tas.

'We kunnen u wel wat roepies geven,' zegt ze. Ze geeft me een biljet van vijftig roepie, het derde biljet van vijftig roepie dat me vandaag redt. Dat is genoeg voor het eten en drinken dat ik nodig heb.

'Dank u wel!' weet ik nog uit te brengen. Ik doe mijn best om mezelf in de hand te houden. 'Ontzettend bedankt!' Ik huil zonder mijn tranen te verbergen.

'Als het waar is wat u zegt, moet u contact opnemen met de Britse ambassade.'

'Dat weet ik.'

Ik ren de receptie in. Nu ik een beetje geld heb, durf ik de mensen daar te benaderen. Max moet nu zo langzamerhand thuis zijn. Dat móét gewoon. Als hij dat niet is, ben ik verloren. Als hij de telefoon niet opneemt, ga ik terug naar Ethan om naast hem op de stoep te slapen.

'Kan ik hier een collect call aanvragen?' vraag ik. Ik druip niet langer, maar ik ben nog wel erg nat.

'Goedenavond, mevrouw.'

'Goedenavond. Kan ik hier een collect gesprek aanvragen?'

De man klakt geërgerd met zijn tong. 'Daarvoor moet u bij de telefooncel zijn,' zegt hij.

'Is er ook één in het hotel?' Ik weet het antwoord al.

'Nee, mevrouw.' Hij gebaart vaagjes naar de overkant van

de weg en verder, langs een aantal kuilen, en onder het viaduct door.

'Dit is een noodgeval. Ik zit diep in de problemen. Ik moet mijn man in Engeland en de Britse consul bellen. Alle gesprekken zijn collect, dus ik zou graag van deze telefoon hier gebruikmaken.' Ik wijs naar het grote toestel dat zwart en glanzend achter de balie staat. Het is een ouderwets toestel met een draaischijf. 'Het zal u geen cent kosten.'

'Het Britse consulaat accepteert misschien geen collect calls,' werpt hij tegen.

'Maar mijn man wel,' zeg ik tegen hem, 'dus dan kan hij het consulaat bellen, als hij dat wil.'

'Dit is een zakenlijn. Die is constant in gebruik.'

Ik staar nadrukkelijk naar de telefoon en probeer het toestel te dwingen om niet over te gaan. En inderdaad, het rinkelt niet. Ik kijk de man aan met opgetrokken wenkbrauwen. Hij zucht en wenkt me naar zijn kant van de balie. Hij duwt de telefoon zo ver mogelijk naar me toe. Ik tel zes zware boeken met aantekeningen, gemaakt met vulpen. Overal liggen stapels paperassen. Alles aan deze plek is geruststellend, maar ik hou mezelf voor dat ik hem niet moet vertellen dat ik me schuilhoud voor de politie. Hij zou ze meteen bellen, want hij staat zeker niet aan mijn kant.

Hij draait een nummer en geeft me vervolgens de hoorn.

'Internationale telefonist,' zegt hij. 'Het gesprek is gratis.'

Ik laat de telefonist een gesprek met Londen aanvragen en probeer Max met alle energie die ik kan opbrengen te dwingen om op te nemen. Daar richt ik al mijn concentratie op. Alles hangt hiervan af. Dit is de belangrijkste tweesprong van allemaal: als hij opneemt, komt alles goed. Als hij niet opneemt, komt het niet goed. Tegen de tijd dat de telefoon vier keer is overgegaan weet ik dat ik verloren ben. Zo groot is ons appartement nou ook weer niet. Het is nog steeds vakantie: hij is vast ergens heen met Sarah. Nadat de telefoon zes keer is overgegaan, schakelt het antwoordapparaat in. Opnieuw word ik begroet door mijn eigen stem, achtduizend kilometer verder naar het westen en een miljoen jaar geleden. Ik wacht tot Max opneemt, maar dat doet hij niet. Dat gaat ook niet als hij niet thuis is.

Ik weet dat de centralist me niet zal toestaan om een bericht achter te laten, want hoewel het mijn eigen stem is aan de andere kant van de lijn, kan ik geen collect call aanvragen vanaf deze kant van de lijn. Ik hang op voor hij terugkomt.

'Niemand thuis,' zeg ik. Ik ben misselijk. Ik weet dat ik op dit moment alles kwijt ben. Ik kan Ellie, Anjali of Max de schuld geven, maar de waarheid is dat ik me dit zelf heb aangedaan. Er is geen weg meer terug: ik ga mezelf aangeven en daarna zal ik in de gevangenis belanden of moet ik proberen mijn kostje op straat bij elkaar te scharrelen. Dan liever de gevangenis.

Vroeger dacht ik vaak dat ik ongelukkig was. Pas nu het te laat is, zie ik in dat ik geen idee had hoe gelukkig ik eigenlijk was. De man kijkt me aan met een blik die op medeleven begint te lijken, waarschijnlijk omdat de tranen over mijn wangen stromen. Ik negeer ze, en probeer op veilige afstand van hem te blijven, want over een minuut zal hij verder kijken dan mijn blanke huid en doorhebben dat ik uitschot ben. Ik leun tegen een muur en begin te snikken.

'Ik zal uw ambassade bellen, mevrouw,' zegt hij. Hij pakt een groot telefoonboek. Misschien is dit wel het ergste wat me kan gebeuren, maar het is misschien ook de enige oplossing.

'Nee,' zeg ik. 'Laat maar.' Ik kan niet helder denken, maar ik ben beter af bij Ethan dan achter de tralies. Ik ga op straat slapen, en dan zie ik wel wat er gebeurt.

Eerst denk ik dat ik het me inbeeld. Dan hoor ik de stem opnieuw.

'Tansy?' klinkt de stem vragend. De stem klinkt me zo bekend in de oren, dat ik me een fractie van een seconde afvraag of het die van mij is.

Hier is niemand die mijn naam kan zeggen. Geen mens ter wereld weet dat ik hier ben.

Hij zegt het opnieuw: 'Tansy!'

Ik haal mijn handen van mijn gezicht. Ik heb het me niet verbeeld.

Het is niet mijn eigen stem, en ook geen stem die uit India komt.

Langzaam en vol ongeloof kijk ik op. Ik sta achter de balie als een stinkende, jammerende receptioniste in het slechtste hotel ter wereld. De seconden lijken een eeuwigheid te duren terwijl mijn hersenen het verband leggen.

Dat kan Max niet zijn aan de andere kant van de balie. Ik kijk naar hem en naar zijn dure reiskleding, zwarte T-shirt en beige pantalon. Ik richt mijn blik op zijn sandalen van Reef en kijk weer omhoog naar zijn haar, dat, zoals altijd, aan een knipbeurt toe is en dreigt zijn natuurlijke slag te verraden. Het kan hem niet zijn, maar het is wel iemand die erg op hem lijkt.

Hij kijkt me aan met een bezorgde, achterdochtige en totaal verbijsterde blik.

'Max?' vraag ik fluisterend. 'De echte Max?'

Hij glimlacht. 'Ja,' zegt hij. 'De echte Max.'

'Wat doe jij hier?'

'Er zijn me geruchten ter ore gekomen dat jij misschien wat hulp nodig had.'

'Hoe dan? Door toverij?' De wereld wordt vlekkerig, de vlekken gaan in elkaar over en opeens is alles zwart. Ik grijp me vast aan de balie terwijl ik een hoge pieptoon in mijn oren hoor. In een tel staat Max naast me. Hij pakt me bij mijn schouders en leidt me voorzichtig naar de banken waar ik voor het eerst met Amber en Sam heb gesproken en waar een vrouw een foto van me nam omdat ze mijn broek zo mooi vond.

Hij legt me op de bank. Hij houdt een fles water tegen mijn lippen en hoewel bijna de hele inhoud over de bank en de vloer druipt, belandt er genoeg in mijn mond om me weer een beetje tot leven te wekken.

'Logeer jij hier?' vraag ik hem.

'Dat was wel de bedoeling. Maar toen zag ik een nieuwe receptioniste staan. Ze kwam me bekend voor, maar ze zag er veel minder blij uit dan ik had gehoopt. Ik was van plan om het hotel vannacht als basiskamp te gebruiken en vanavond rond te gaan bellen om erachter te komen wat er in godsnaam aan de hand is.'

'Ga een kamer boeken,' zeg ik tegen hem. 'Haal ook wat eten en kom daarna met me praten.'

Hij raakt mijn gezicht aan. Ik sluit mijn ogen en pak zijn hand. Zo blijven we zitten terwijl we elkaar vasthouden. Daarna buigt hij zich voorover en geeft me een zoen op mijn wang. Ik sla mijn armen om zijn nek en druk hem stevig tegen me aan. Na een paar minuten maakt hij mijn vingers voorzichtig los, en ik hoor vaag dat hij een hotelkamer boekt.

45

Wanneer ik wakker word, belt hij via de vaste verbinding in onze slaapkamer. Ik kom langzaam bij, en sta er versteld van hoe ik me voel. Ik heb geen honger. Ik ben schoon en ik heb geslapen. In een bed nog wel. De dingen die ik vroeger elke dag vanzelfsprekend vond, zijn nu een onvoorstelbare luxe. Maar ik ben nog niet helemaal uit de problemen. Max heeft geen flauw idee hoe diep ik in de puree zit.

Het daglicht glipt om de randen van de dunne gordijnen. De ventilator aan het plafond is stoffig. Dit is niet dezelfde kamer waar ik eerst in heb gelogeerd, maar het had hem kunnen zijn.

'Kamer 41,' zegt hij. 'Bedankt. Dan zie ik je zo.'

'Wie zie je zo?' vraag ik nerveus.

'De man van de roomservice die ons het ontbijt komt brengen.'

'O. Goed.'

Hij glimlacht naar me en ik glimlach terug. Hij komt op de rand van het bed zitten.

'Goed,' zegt hij teder, 'Gisteravond kon ik niet veel wijs worden uit je verhaal. Eigenlijk kon ik je toen helemaal niet volgen. Zullen we maar bij het begin beginnen?'

'Vertel me over de jongens. Ik heb hun foto's de hele tijd in mijn zak gehad. Maar die ben ik kwijtgeraakt. In het bos of in de bus. Ik mis het dat ik ze niet kan zien.' Ik snik, en doe een poging om mezelf in de hand te houden. Wanneer Max me aankijkt, staat er zo veel in zijn ogen te lezen dat ik zenuwachtig word, omdat ik weet dat er heel veel is wat hij me niet vertelt.

'Met Toby en Joe gaat het prima,' zegt hij ferm. 'Ze logeren bij je vader en Lola. Vandaag is de eerste schooldag na de vakantie.'

'O, ja?'

'En ze zullen het er prima naar hun zin hebben, heus.' Hij kijkt me zijdelings aan. 'Ze vinden het wel een beetje spannend dat ik je ben gaan ophalen. Je gaat toch wel mee terug?'

Ik knipper met mijn ogen en doe een poging om mezelf in de hand te houden.

'Ik wil niks liever,' zeg ik met verstikte stem. 'Echt niet. Maar ik weet niet zeker of ik wel weg mag, Max. Ik weet niet wanneer ik hier vandaan kan, en ik weet ook niet hoe...' Ik hik en snik. '... wanneer ik ze weer zal zien. Als ik bij hen was, dacht ik er de hele tijd aan om weg te gaan en nu ik zo ver bij ze vandaan ben en ze niet meer kan zien, zullen ze me vergeten en helemaal verkloot opgroeien omdat hun moeder ze heeft verlaten, en dat is helemaal mijn bedoeling niet. Je mag ze zelfs niet meenemen om me te bezoeken als ik in de gevangenis zit. Ik zou het niet kunnen verdragen dat zij me zo zouden zien. Dan heb ik liever dat ze gewoon verdergaan met hun leven zonder dat...' Ik kijk naar mijn man die zijn best doet om me een geruststellende glimlach toe te werpen. Hij komt naast me zitten en slaat zijn arm om mijn schouder. Ik leun tegen hem aan, net als ik gisteren bij Ethan heb gedaan.

'Nou, vertel me alles maar opnieuw, en ditmaal graag zo dat ik je kan volgen. Vertel me vooral wie de volgende mensen zijn: Anjali, Amber en Ethan. Je hebt ze wel genoemd in je e-mails, maar ik ben er nooit echt achter gekomen.'

'Je moet me eerst eens vertellen hoe je hem dit hebt geflikt,' zeg ik. 'Hoe ben je erin geslaagd om hier op te duiken?'

'Toen ik die ene e-mail van je las waarin je schreef dat we dat kind moesten adopteren, vond ik dat er iets vreemds aan de hand was. Ik bedoel, ze stuurden jou om papieren op te halen zonder je te vertellen dat er een kind bij zou zijn? Ik vond dat je een beetje, nou ja... een beetje oogkleppen droeg. Ik had ook het gevoel dat je enkel de positieve kanten van Ellie zag, terwijl zij duidelijk bijbedoelingen had. Ik was bang dat je in iets verzeild zou raken waar je niet bij betrokken zou moeten zijn.

Maar daarna kreeg ik een telefoontje dat alles veranderde. Ik ontdekte dat je op de vlucht was voor de politie, dat je in het bos was en dat je al uren door niemand meer was gezien. Toen heb ik eerst mijn werk gebeld en daarna Lola om vervolgens hiernaartoe te komen zo snel als British Airways me kon brengen.'

Ik voel me misselijk worden. Ik heb het gevoel dat ik elk moment kan overgeven. Toch dwing ik mezelf de vraag te stellen.

'Wie heeft je gebeld?' vraag ik.

'Je beste vriendin.'

'Sarah?'

Hij begint te lachen. 'Nee, niet Sarah, gekkerd. Ellie.'

'Ellie? Waar is ze? Wat heeft ze gezegd?'

Met een grimmige blik zegt hij: 'Ze heeft bijna niets gezegd. Alleen dat jij in de problemen zat, dat je was weggerend toen je dat niet had moeten doen en dat je gered moest worden. En ik moest tegen jou zeggen dat het haar spijt, maar dat ze geen andere keuze had.'

'Wat heeft ze dan gedaan?'

'Dat komt zo. Nu jij weer.'

Ik vertel Max wat ik denk dat er is gebeurd. Ellie en Anjali probeerden kinderen te redden, maar onder een heel slechte dekmantel. Ik was kennelijk de enige die stom genoeg was om erin te trappen. Toen ze merkten dat het net zich om hen sloot, hebben ze mij in de val laten lopen en ervoor gezorgd dat de politie het bij de inval op mij had gemunt en zijn zij ervandoor gegaan. Meer weten we niet.

We spreken af om een pauze van een uur in te lassen. We gaan de stad in, en voor een korte, heel mooie tijd, voelt het alsof alles in orde is. Ganesh brengt ons naar Peters Road waar we een willekeurig restaurantje induiken en tegenover elkaar zitten aan een wankele houten tafel en elk drie kopjes *chai* drinken.

Max grijnst. 'India, hè?' zegt hij. Er komen klanten binnen en anderen gaan weg. Een blanke, ontzettend jong uitziende man met een backpack komt binnen en gaat aan het tafeltje zitten dat het dichtst bij ons staat. Een man en een vrouw zitten in een hoek te ruziën. Een lapjeskat ligt ineengedoken in een hoekje.

'Jij zei dat ik overal trammelant zou ondervinden,' breng ik hem in herinnering. 'Maar dat was niet zo.'

'Ik denk dat het zuiden een beetje anders is,' zegt hij. 'Of misschien zijn er dingen veranderd. Maar om eerlijk te zijn, ben je erin geslaagd om je eigen trammelant te scheppen. We kunnen maar beter naar de ambassade gaan.'

We hebben dit gesprek al talloze malen gevoerd.

'Maar dat kan ik niet,' zeg ik. 'Dan arresteren ze me.' Weer springen er tranen in mijn ogen. Het wordt me allemaal te veel: niemand kan er iets aan veranderen dat ik op de loop ben gegaan voor de politie. Niets is verdachter dan dat. Ik ga terug in de tijd en bedwing de neiging om te vluchten. Ik laat me arresteren door de magere politieagent en ik regel de zaak als een volwassene.

'Ze zullen je niet arresteren. Ze moeten de autoriteiten misschien wel op de hoogte stellen, maar daar is niks mis mee omdat jij dan de kans krijgt om alles uit te leggen.'

'Dat kan ik niet. Laten we vanmiddag gaan.'

Max slaakt een zucht. 'We kunnen ook gewoon proberen te vertrekken. De kans is groot dat je zo door de douane heen komt.'

'Er is ook een grote kans dat dat niet lukt.'

We lopen terug naar het hotel. Als ik de weg op stap, de riksja-chauffeurs van me afschud en alle voorbijgangers dankbaar negeer, begint mijn paranoia weer op te spelen. Tegen de tijd dat we het Shiva hebben bereikt, verwacht ik dat ik geboeid zal worden afgevoerd zodra ik een stap over de drempel heb gezet. Zo kan ik niet doorgaan. Ik heb Max terug en ik sta op het punt om van hem te worden gescheiden door handboeien, gesloten deuren en bezoekuren.

Max stopt even om wat water te halen bij het stalletje naast het zwembad.

Ik ga onze hotelkamer binnen, schop de krant opzij die elke ochtend onder de deur door wordt geschoven en zet de ventilator aan. De muren beginnen op me af te komen.

Opeens schiet me te binnen dat ik in Pondi heb geluncht met een oud-politieman die zei dat hij 'nog een vinger in de pap had'. Iets anders kan ik niet bedenken. Er ligt wel een telefoonboek in de hotelkamer, maar dat is niet van Pondicherry.

Ik bel naar nummerinformatie en al snel gaat de telefoon over in het huis van Brian Thevar.

'Goedemorgen?'

Ik kan geen woord uitbrengen. De plafondventilator lijkt steeds sneller te gaan draaien en de muren komen steeds dichterbij.

'Hallo?' blaft hij. 'Met wie spreek ik?'

Maar hij was aardig tegen me. Ik vond hem aardig. We hebben het over *Monty Python* gehad.

'Hallo?'

Hij staat op het punt om op te hangen.

'Hallo,' zeg ik rustig. 'Brian?'

'Ja, met Brian. Met wie spreek ik?'

'We hebben elkaar ontmoet in een restaurant in Pondicherry. Ik had een klein meisje bij me.'

'Tansy!' Een paar seconden is hij sprakeloos, maar dan herstelt hij zich. 'Lieve help, Tansy. Ben jij het echt?'

'Ja.'

Hij fluit. 'Wat is er met jou gebeurd?'

'Brian, weet jij wat er aan de hand is?'

'Natuurlijk. Je had moeten blijven om de gevolgen onder ogen te zien. Waar heb je uitgehangen en wat heb je gedaan? Ben je nog steeds in het bos? Bel je me mobiel?'

Ik zucht. Natuurlijk had ik niet moeten verwachten dat een gepensioneerde politieman me te hulp zou snellen.

'Nee. Zeg eens, zit ik diep in de problemen?'

'Je bent gevlucht. Dat was niet slim. Waar ben je heen gegaan?'

'Ik kan je niet zeggen waar ik ben, Brian. Ik wil gewoon weten wat er aan de hand is.'

'Kunnen we in Pondi afspreken?'

'Niet echt.'

'Dezelfde plek als de vorige keer?'

Ik lach, hoewel het niet grappig is. 'Waarschijnlijk niet. Wat zou er gebeuren als ik probeer om het land te verlaten?'

'Dat moet je niet doen.'

'Brian, ik heb niks misdaan. Ik wist niet dat ik iets verkeerds deed.'

'O, dat weet ik best.'

'Dat weet je?'

'Heb je de krant niet gelezen?'

'Nee. Hoezo?' Ik rek de telefoondraad uit, en probeer de krant met mijn voet te pakken. Ik haal hem naar me toe en pak hem op.

We rijden een stuk comfortabeler naar het zuiden dan toen ik naar het noorden reed. Ik moet steeds naar hem kijken. We praten nerveus over hoe we elkaar hebben gemist, hoe ik de kinderen mis en hoe de jongens mij hebben gemist. Er is zo veel te bespreken, maar daar is dit niet het geschikte moment voor.

'Hoe gaat het met Sarah?' vraag ik. Ik kijk naar zijn reactie. Hij ontwijkt mijn blik.

'Goed, hoor,' mompelt hij terwijl hij zijn blik afwendt en uit het raam kijkt. 'Hé, moet je dat zien: Dizzee World. Daar ben ik een keer geweest. Ik kan niet geloven dat Disney in de afgelopen tien jaar geen rechtszaak tegen ze is begonnen.'

Eindelijk bereiken we de buitenwijken van Pondi.

'Nou, daar zijn we dan,' zegt Max vrolijk. 'Het einde van de reis.'

We glimlachen naar elkaar, maar zonder blijdschap. Op de achterbank pak ik aarzelend Max' hand. Hij knijpt in de mijne. Ik doe mijn ogen dicht.

Twee uur later sta ik bevend voor een politieman. Alles is ouderwets en bureaucratisch. Er zijn stempels, stempelkussens, documenten met doorslagen op carbonpapier, computers en mobiele telefoons.

'En dat is dus alles,' zegt Max bevestigend tegen de politieman. 'Een boete.'

'Een flinke,' zegt hij tegen Max. De politieman is lang en mager. Ik ben er nog niet achter of het dezelfde man is voor wie ik ben gevlucht, maar dat zou best eens kunnen. Hij is blij dat hij deze zaak kan regelen met mijn man, in plaats van met de onbetrouwbare, impulsieve vrouw die het bos in is gevlucht en die pas dagen later weer is opgedoken.

'Accepteren jullie Visa?' vraagt Max terwijl hij zijn portefeuille tevoorschijn haalt.

Zodra ik in de krant de korrelige foto van het verlaten Kindercentrum zag, waar ons aanplakbiljet nog steeds treurig een uitvoering aankondigde van een toneelstuk over een beer, besefte ik dat het ondanks alles weer goed zou komen.

ASHRAMLEIDERS VLUCHTEN MET KINDEREN vermeldde de krantenkop. Ik had, zo bleek, slechts een kleine rol in het geheel gespeeld. Ellie en Anjali wisten dat de politie hen in de gaten hield vanwege hun adoptiefraude. Ze lieten mij in de val lopen door me Sasika en de stapel vervalste papieren van het weeshuis te laten ophalen. Ook hebben ze die arme Alexia en Duncan erin laten lopen, die dachten dat zij het meisje zouden adopteren. Anjali en Ellie hebben anoniem de autoriteiten gewaarschuwd over onze 'transactie', waarbij ze mij alle schuld in de schoenen schoven. Terwijl de hele politieoperatie op het moment was gericht dat ik die arme kleine Sasika overhandigde, hebben zij alle andere kinderen verzameld en zijn met hen verdwenen.

Brian bleek al langer verdenkingen tegen het KC te koesteren. Eigenlijk ben ik de enige die het niet doorhad. Daarom ging hij er in zijn vrije tijd heen om de zaak te controleren. Hij wist dat de kinderen vanaf daar naar nieuwe gezinnen gingen, en in tegenstelling tot mij liet hij zich niet bedotten door het verhaal dat ze bij verre familieleden zouden gaan wonen.

'Niemand die ook maar een beetje logisch nadenkt, zou dat hebben geloofd,' zei hij lachend. 'Het verhaaltje was een dekmantel dat ervoor zorgde dat iedereen een smoesje klaar had. Iedereen wist ervan. En weet je, door de omstandigheden in het weeshuis is het wel heel makkelijk om een oogje dicht te knijpen. Dat heb jij ook gedaan, Tansy.'

Ik laat hem in die waan. En ik neem aan dat ik dat onbewust inderdaad heb gedaan.

Ik herinner me dat Ellie het had over aardse wetten, en over mensen zoals ik die altijd in staat zijn om onze natuurlijke voorrechten te gebruiken om iets ongestraft te doen. Toen de politie het Kindercentrum was binnengevallen en haar e-mailaccount controleerde, bleek ze genoeg bewijsmateriaal te hebben achtergelaten om mij van alle blaam te zuiveren. En ze heeft Max gebeld toen ze van Helga had gehoord (die helemaal in het complot betrokken was) dat ik was gevlucht. Sasika is in een kindertehuis geplaatst dat op de Cara-lijst staat en van waaruit kinderen geadopteerd mogen worden. Ik hoop dat ze er snel weg zal zijn: ik heb de naam van het weeshuis, en ik heb me heilig voorgenomen dat ik haar in de gaten zal houden en haar geld zal sturen. Misschien probeer ik zelfs wel om een internationale adoptie te regelen: er zijn wel gekkere dingen gebeurd. Het Amerikaanse echtpaar heeft toestemming gekregen om naar huis te gaan, maar ze mogen nooit meer in India komen.

En Ellie, Anjali en de kinderen zijn in rook opgegaan.

'Wat dat betreft,' zegt Brian, 'heeft ze haar sporen goed uitgewist. Ze is ontzettend voorzichtig geweest. We hebben geen flauw idee waar ze zitten, behalve dan dat we geen aanwijzingen hebben gevonden dat deze kinderen per vliegtuig zijn vertrokken. Ze zullen zich niet lang kunnen verbergen.'

Als we weer buiten het politiebureau staan, geef ik Brian een kus op zijn wang. Hij kijkt gegeneerd.

'Je hoeft me niet te bedanken,' zegt hij. 'Je moet nu eerst terug naar de ashram om je spullen te halen. Daarna moet je naar huis naar je zoontjes.'

Terwijl we op de binnenplaats van het gastenverblijf staan, komt Nick aanlopen.

'Hé, hallo,' zegt hij. 'Je bent weer terug.'

'Nick,' zeg ik tegen hem, 'dit is Max.'

Hij begint te lachen. 'Meneer Tansy?'

'Ik denk dat ik wel op die naam zou reageren,' zegt Max. 'Als het niet anders kan.'

'Mucho respect voor jou,' zegt Nick. 'Dus jij woont met haar samen?'

'Heb jij Amber nog gezien?' vraag ik hem.

'Helemaal niet. Het is haar gelukt om er vlak na jou stiekem tussenuit te knijpen.' Dan wendt hij zich tot Max. 'Ik vind het heel leuk om kennis met je te maken. Je vrouw heeft ons eh... vermaakt in het Vredige Toevluchtsoord. Het is een pittige tante.'

'Daar weet ik alles van,' beaamt Max.

46

Het pension is klein, goedkoop en bijna leeg. We hebben een kleine suite: twee slaapkamers en een woonkamer met een kaart van India aan de muur en een televisie in een hoek.

Van dichtbij zorgt de geplastificeerde kaart ervoor dat ik besef hoezeer Ethan gelijk had. Mijn kennis van India is heel oppervlakkig. Ik weet weinig meer over hoe de mensen in India leven dan toen ik aankwam. Ik weet dat een groot deel van de bevolking ondervoed is, maar de enige ondervoede persoon die ik heb gesproken was een blanke man. Ik heb me bewogen onder de goed geklede, rijke mensen van Chennai en ik heb als een kip zonder kop rondgerend terwijl het leven om me heen zijn gewone gang ging.

Ik zet mijn vinger op de kaart.

'Pondicherry,' zeg ik. Ik beweeg mijn vinger een klein stukje, naar de plek waar ik denk dat de ashram ligt. Daarna zet ik hem midden op het platteland om het gebied aan te wijzen waarin Sams dorp ligt. Ik stel me voor dat Amber daarheen is gegaan. Ik kijk naar Mamallapuram en Chennai. Naar Madurai waar ik gedurende twintig afschuwelijke minuten dacht te zijn. Goa. Met Mumbai daarboven. Daar zijn Delhi, Rajastan, Agra, Amritsar, Dharamsala.

Daartussen ligt het grootste stuk van het onbekende, mysterieuze India. Ik ga met mijn vinger over de namen van willekeurige steden. Jabalpur. Hyderabad. Ranchi. Ik heb amper van die plekken gehoord. Ik zie nu in hoe arrogant ik was om te denken dat India zou bestaan uit backpackers en armoede en om het in termen te benoemen die mij goed uitkwamen. India is reusachtig groot en ik bevind me helemaal in de periferie. Ik ben slechts een toerist, een klein stipje dat even geland is op een enorm, duizelingwekkend groot geheel.

En toch, op mijn verwrongen en onnavolgbare manier, ben ik terechtgekomen op de plek waar ik wilde zijn. Dit is Pondicherry; en Max en ik zijn hier. In deze plaats had ons leven samen kunnen beginnen en misschien wordt het de plek waar ons leven samen zal eindigen.

Ik sta in tweestrijd. Ik heb de jongens al eerder gesproken terwijl ik zo normaal en vrolijk klonk als ik maar kon.

'Hoe was je eerste schooldag?' vroeg ik aan Toby.

'Goed, hoor,' zei hij.

'Was Mr Trelawney er ook?'

'Natuurlijk was hij er ook, mam! Wanneer komen papa en jij terug?'

'Binnenkort,' zei ik tegen hem. 'Dat duurt echt niet lang meer.'

Joe zei zoals altijd alleen een paar keer 'mammie' voor hij de telefoon aan Lola gaf. Ik verlangde er vreselijk naar om zijn stevige, liefhebbende lichaampje in mijn armen te houden.

'Het gaat prima met ze,' hield ze vol. 'Zie dit maar als een tweede huwelijksreis voor Max en jou. Dat in je eentje reizen moet maar eens afgelopen zijn. Je moet je echtgenoot niet negeren. Besteed aandacht aan hem.'

Max komt de woonkamer van de suite binnen met een rinkelende boodschappentas. We gaan op het kleine balkon zitten en delen een grote fles Kingfisher. Ik hou mezelf voortdurend voor dat ik niet stomdronken moet worden. Ik moet echt mijn best doen om me te matigen. Dat is de enige manier om deze avond door te komen.

'Wat is er?' vraagt hij. 'Waarom trek je zo'n gek gezicht?'

'Hoe zie ik er dan uit?'

Hij tuit zijn lippen en fronst.

'Nou, een fraaie aanblik. Het spijt me.'

'Vanwaar die blik?'

'Om me eraan te herinneren dat ik vanavond niet dronken moet worden.'

'O. Nou, daar is toch niks mis mee? Je mag er best mee doorgaan als je wilt.'

'Ik heb in geen tijden alcohol gedronken,' breng ik hem lichtelijk gegriefd in herinnering.

We hebben twee plastic stoelen op het balkon gepropt. Ruimte voor iets anders is er niet. Heel even vraag ik me af of het balkon ons wel zal houden: ik stel me voor hoe we met z'n tweeën naar beneden storten, allebei met een biertje in de hand terwijl we nog steeds in onze stoelen zitten en in precies hetzelfde tableau op de stoep beneden belanden.

'Als het metselwerk begint te scheuren, gaan we weer naar binnen,' zeg ik tegen hem.

'Afgesproken.'

'Heel snel.'

'Goed idee.'

Zo leefden we vroeger toen we elkaar net kenden, maar sinds de jongens er zijn, hebben we nooit meer zoiets gedaan. Ik wil Max vragen of hij het heeft gemist nu hij weer terug is.

De lucht is zwoel, en ondanks de duisternis is het pas negen uur. Dit is de eerste keer dat we het echt over onze relatie zullen moeten hebben, een onderwerp dat als een zwaard van Damocles boven ons hoofd hangt.

Er komt een riksja voorbij: ik zie zijn zwakke koplampen naderen en verderop in de straat weer verdwijnen.

'Nou, daar zitten we dan,' zegt Max.

'Hoe ging het op je werk?'

Hij haalt zijn schouders op. 'Goed. Ik heb ze geen keus gegeven. Wat konden ze doen? Ik kon moeilijk thuisblijven terwijl jij me nodig had enkel omdat iemand zegt dat er geen ik in samenwerking zit.'

Ik glimlach weifelend naar hem.

'Ik kan niet geloven dat ik zo in de problemen ben geraakt,' zeg ik. 'En ik weet nog steeds niet wat er precies is gebeurd. Waarom ben ik niet gewoon vijf dagen in de ashram gebleven om daarna als de bliksem te vertrekken?'

Hij kijkt me sceptisch aan. 'Omdat je bij een van je allerbeste vriendinnen was.' Zijn stem klinkt heel ironisch.

Ik leun achterover in mijn stoel. 'Volgens mij denken Ellie en Anjali dat ze voor een hoger doel werken, weet je. Echt waar. Jij hebt de plek waar Sasika vandaan komt niet gezien. Ga daar voor de aardigheid eens heen en ga dan naar het KC in de ashram. Het verschil is... nou, het is reusachtig. Het is toch niet verkeerd om een kind van de ene plaats naar de andere te brengen? Ze willen alleen het beste voor de kinderen en ze zullen geen middel onbenut laten om dat te bewerkstelligen. Waar die kinderen nu ook zijn, ik durf te wedden dat ze uiteindelijk worden geadopteerd en een goed leven zullen krijgen.'

'Idioten. Ik vind dat je veel te goed van vertrouwen bent. Joost mag weten hoeveel geld je kunt verdienen aan vijftien Indiase kindertjes zonder familie. En dan dat adoptieplan. We weten nu dat ze zich daar al een tijdje mee bezighouden. Ze halen kinderen uit weeshuizen en bezorgen ze vervolgens valse papieren, en dat allemaal uit humanitaire overwegingen. God mag weten hoe lang ze dit al ongestraft doen. En denk jij dat ze de families doorlichten? Of zouden ze gewoon het papierwerk regelen voor iedereen die e-mailt met de mededeling dat ze een klein meisje willen adopteren? Wees toch niet zo naief. Ze zouden de kinderen aan iedereen hebben verkocht zonder navraag te doen, en het leven van zo'n kind zou er niet per se beter op worden.

De ellende begon pas goed met die Amerikanen, en dat was precies Ellies bedoeling. Geef toe dat zoiets niet kenmerkend is voor een idealist. Ze heeft de politie nota bene verteld dat jij een klein meisje het land uit probeerde te smokkelen, en daarna is ze vertrokken en heeft ze het laten gebeuren. Goed, ze heeft mij gebeld, maar dat was haar godverdomme geraden ook. Nu kan ze God weet waar zitten met al die andere kinderen.' Hij legt een hand tegen zijn hoofd. 'En Tansy, ik heb geprobeerd om dit deel te vermijden. Maar een groot deel van dit alles is mijn schuld.'

'O, hou toch op. Hoe kan dit jouw schuld nou zijn? Luister, als er vijftien kinderen zijn die er een goed tehuis aan overhouden dan is het misschien de moeite waard geweest. Ondanks alles. Echt, jij hebt dat weeshuis niet gezien, Max.'

'Als jij er zelfs nog een kind door wilde nemen, kan ik me voorstellen dat het erg was. Maar stel je eens voor dat die vijftien kinderen er géén goed tehuis aan hebben overgehouden? Dat ze in een ergere situatie zijn beland?' Hij zwijgt even. 'Maar goed, als je het heel erg positief bekijkt, dan lijkt de adoptiewereld in India heel ingewikkeld, een bureaucratische nachtmerrie om precies te zijn. En vooral na de tsunami wonen in deze streek natuurlijk honderden kinderen in afschuwelijke omstandigheden waar niemand weet van heeft. Als ze in elk geval een poging hebben gedaan om de families na te trekken, prima. Maar Tans, je begrijpt me verkeerd. Ik probeer iets op te biechten.'

'Waar heb je het over?'

'Dat probeer ik je nu net te vertellen. Heb je je ooit afgevraagd waarom Ellie zomaar contact met je opnam met de vraag om op stel en sprong het vliegtuig te nemen en met de baby's te helpen?'

Ik kijk hem nieuwsgierig aan. 'Nou, ik neem aan dat het was omdat ze wilde dat ik mijn deel zou bijdragen aan het laaghartige complot.' Ik sla mijn ogen neer. 'Ik was van plan om twee van de kinderen naar Engeland te brengen, hoor. Dat heb ik echt aangeboden.'

'O, hou dat alsjeblieft voor je. Ik wil het niet weten.'

'De kinderen. Ik zou echt alles hebben gedaan. Ga verder.'

Max zucht. Hij schuift zijn stoel wat naar de mijne toe en legt een hand op mijn dij.

'Ergens wist ik natuurlijk wel dat je... niet erg gelukkig was. Je dronk te veel en ik wist niet wat ik daaraan moest doen. Ik kon mezelf er niet toe zetten om tegen je te zeggen dat je naar een ontwenningskliniek moest gaan of om je mee te sleuren naar de AA, maar iedereen zei dat ik dat moest doen. Niet alleen je vader en Lola. Iedereen. En ik wist dat je had zitten nadenken over Azië en dat je altijd nog een keer terug wilde. Dus toen heb ik... nou, toen heb ik Ellie geschreven en haar gevraagd of jij haar kon helpen.' Hij krimpt even ineen. 'Ze kon jouw hulp natuurlijk goed gebruiken, maar ik heb erbij gezegd dat het verzoek van haar moest komen en dat jij nooit ofte nimmer mocht ontdekken dat ik erachter zat. Het spijt me. Ik geloof niet dat ik ooit zo'n slechte beslissing heb genomen. Ik bedoel, jij hebt zelf ook een paar domme dingen gedaan, maar ik heb de aanzet gegeven.'

Ik staar hem aan. 'Jij? Zat jij overal achter?'

Hij ziet er doodongelukkig uit.

'Ik dacht dat het precies was wat je nodig had. Maar zelfs in Londen zag ik al dat het een vergissing was omdat je toestand ineens duizend keer verergerde; je sliep niet meer. Je begon weer meer te drinken. Je raakte gefixeerd op het idee dat we met z'n allen zouden gaan, maar dat was helemaal mijn bedoeling niet.'

Het duizelt me. 'Ellie moet hebben gedacht dat jouw e-mail een geschenk uit de hemel was.'

'Dat weet ik.'

'Ik heb me destijds wel afgevraagd waarom ze me zo dringend nodig had, want toen ik aankwam, was ze er niet eens. Ik heb bijna alleen aan yoga gedaan en de kinderen voorgelezen. Het was wel duidelijk dat ze me niet echt dringend nodig had, zoals ze had gezegd.' Ik kijk hem aan. 'Maar dat geeft niet.' Ik zet de fles bier weer neer. Ik hoef niet meer. 'In zekere zin heeft het gewerkt. Wat betreft de drank dan. Ondanks alles heb ik daar een geweldige tijd gehad.'

'En daarom ben ik trots op je.'

'Denk je dat we ooit nog wat van haar zullen horen?'

'Nee.'

Ik schuif mijn stoel dichter naar de zijne, iets wat niet zo makkelijk gaat, en luister naar het geluid van een onverlichte, onzichtbare motorfiets die door de straat onder ons rijdt. Ik moet iets bekennen. Nu.

'Eh,' zeg ik, en ik probeer zo terloops mogelijk te klinken. 'Toen ik in Mamallapuram was, kreeg ik een sms waarin stond dat er op school geruchten gaan dat wij uit elkaar zijn.'

Ik kijk naar Max' gezicht, en daarna wend ik mijn blik af. Ik moet dit doen.

'Wie heeft je dat sms'je over die geruchten op school gestuurd?' vraagt Max. 'Nee, laat me raden. Was het Jim Trelawney toevallig?'

Ik sla mijn blik neer. 'Waarom denk je dat...?'

Hij slaakt een zucht. 'Ik heb Ellie gevraagd om me van tijd tot tijd te mailen, want ik maakte me grote zorgen om je. Zij vroeg of ik wist dat jij een oogje had op Toby's leraar. Zij heeft me zo'n beetje op de hoogte gehouden. Weet je wat het volgens mij met Ellie is? Het kan haar allemaal echt niks schelen. Haar gedachten zijn elders. Ze schreef wel dat jij je er schuldig om voelde, en dat was wel weer fijn. Maar niet zo schuldig om op te houden met sms'en. Kennelijk heeft hij aan iedereen die het maar horen wilde verteld waar jij allemaal mee bezig was. Het lijkt erop dat je hem meer vertelde dan mij.'

Ik ben ontsteld. Ik weet niet wat ik moet zeggen.

'Heb je daar niks aan toe te voegen?' vraagt Max vriendelijk.

'Ik vertel hem niet meer dan jou! Ik heb hem een paar sms'jes van één of twee zinnetjes gestuurd. Meer niet. Het stelt niks voor. Wat heeft Ellie nog meer gezegd?' Ik slik even en tuur de duisternis in. In het zwakke licht van een straatlantaarn zie ik aan de overkant van de straat een vrouw in een deuropening zitten. Ze is gehuld in een lichtgekleurde stof en ik kan niet zien hoe oud ze is.

Max' stem klinkt strak. 'Wat denk je zelf?'

'Ik zou het niet weten.'

'Je kunt vast wel iets raden.'

Er snelt een auto door de straat die daarna weer verdwijnt. In de verte klinken claxons. Na een stilte die urenlang lijkt te duren, zucht Max ineens.

'Kennelijk ben je een paar maanden flink verliefd op hem geweest.' Zijn stem klinkt toonloos. 'Je hebt hem in het klaslokaal gekust. Als je niet was weggegaan, was het uitgelopen op een heuse affaire. Je houdt van hem omdat hij is zoals je mij graag zou zien. Dat drukte mij wel even met mijn neus op de feiten.'

Ik ben als versteend. Ik weet wat Max heeft gedaan. Hij is naar India gekomen om me te redden en nu hij weet dat ik in veiligheid ben, gaat hij bij me weg. En wie kan hem dat kwalijk nemen? Ik merk dat ik laaiend ben op Ellie, maar ik heb nu geen tijd om dat te verwerken. Dat komt later wel: ze is geen vriendin van me en ik wil nooit meer iets met haar te maken hebben.

'Ik heb niks gedaan,' zeg ik. 'Het stelde niks voor. Echt niet. Hij was gewoon een vriend, iemand met wie ik kon praten. Ik heb vaak gewenst dat hij een vrouw was zodat we vrienden konden zijn zonder dat iemand er iets achter zocht.'

'Behalve dan toen je hem hebt gekust.'

'Een keertje maar.'

'O, ja?'

Ik moet hem de waarheid vertellen. 'Ja. Natuurlijk maar één keer. Het was de grootste vergissing die ik ooit heb begaan. Nadat hij me kort geleden vroeg of we uit elkaar waren, heb ik hem gebeld. Toen lag hij in bed met een vrouw. Echt waar. We hebben niks met elkaar.'

Max kijkt me aan. Hij hoeft niks te zeggen. Ik slik en knipper mijn tranen weg. Ik kan maar één ding doen. Ik zet de fles bier neer en ga rechtop zitten.

'Hoor eens,' zeg ik. 'Zo is het gegaan. Op een dag liep ik naar het schoolhek en daar zag ik een man die me aan jou deed denken, aan hoe je vroeger was.'

Zittend in de Indiase avond vertel ik mijn man het hele verhaal.

47

Alexia's gedachten

Alles is zo hectisch geweest. Ik weet nauwelijks waar ik moet beginnen. O, het is trouwens nog steeds Dee die schrijft.

Ik zag het al somber voor haar in. Ik bedoel, ze hebben wel een rechtssysteem, maar dat is heel anders dan het onze. Alhoewel, toen ik een opmerking maakte over de knullige manier waarop de zaken hier worden aangepakt, nam Rajiv daar aanstoot aan en hij heeft me uitgelegd hoe het Indiase rechtssysteem werkt en dat de Indiase wet buitengewoon grondig is. En weet je, nu zie ik in dat hij gelijk heeft. Alles neemt heel veel tijd in beslag en alles wordt zorgvuldig afgewogen. Maar voor mensen als Alexia en Duncan is dat natuurlijk niet zo fijn.

Ik ben vanzelfsprekend elke dag bij haar op bezoek geweest. Op een gegeven moment keek ze me zelfs niet meer aan. Het was alsof ze enkel nog een leeg omhulsel was. Toen ze eraan begon, was ze zo opgewekt en optimistisch en we hadden met z'n allen een groot feest voorbereid voor wanneer ze weer terugkwamen; we stonden te popelen om Sasika in onze familie te verwelkomen.

Het ging me elke dag meer aan het hart om haar daar te zien zitten. Met Duncan ging het een stuk beter. George en ik gingen ook bij hem op bezoek. Duncan was vreselijk kwaad om alles wat er was gebeurd. Volgens mij heeft dat hem op de been gehouden. Hij vloekte, stampvoette, raasde en tierde. Dat was een kant van Duncan die ik nog niet kende. Hij had nog nooit een voet buiten de Verenigde Staten gezet voor dit alles gebeurde (en hij zegt dat hij dat ook nooit weer zal doen). Hij is altijd een echte huismus geweest. Zijn wereld bestond uit Alexia, de garage en zijn vriendenkring. Hij is eigenlijk ongeschikt om in de gevangenis te zitten, maar hij weet zich te redden. De laatste keer dat ik hem heb gezien, sprak hij zelfs een paar woordjes Tamil, de plaatselijke taal.

Maar goed, zo gingen de dagen voorbij, en om eerlijk te zijn begon ik bang te worden. Rajiv had gezegd dat het maanden zou duren voor hun zaak zou voorkomen. Ik was niet bepaald kapot van het idee om maandenlang in Chennai te blijven en elke dag twee gevangenissen te bezoeken. Daar kwam nog bij dat George me elke keer vergezelde, en ik wist dat dat zijn taak niet was en dat hij er snel mee zou ophouden. Ik ben dol op zijn gezelschap en ik zag er als een berg tegenop om het allemaal in mijn eentje te moeten doen, terwijl mijn eigen zus zelfs weigert te praten.

George is een geweldige vent, en (het is niet leuk om toe te geven) hij heeft me 's avonds wat bezienswaardigheden van Chennai laten zien. Wat ik echt vervelend vind is dat het me de schellen van de ogen heeft doen vallen. Als ik hier onder andere omstandigheden was geweest, dan zou ik er verdomme van hebben genoten. We zijn naar Pizza Hut geweest (een kleine herinnering aan thuis!), maar ook naar een aantal Indiase restaurants. Het is voornamelijk vegetarisch hier – George zegt dat zelfs de restaurants die "niet vegetarisch" op de deur hebben staan waarschijnlijk geen echt vlees zullen serveren. Daardoor lijkt mijn maag voorlopig weinig te lijden te hebben. EVEN AFKLOPPEN. Het is moeilijk om hier aan drank te komen, maar George kent de weg en hij heeft me meegenomen naar een paar bars die eerlijk gezegd een stuk leuker zijn dan de cafés thuis.

Maar goed, jullie willen vast geen verslag van de avonden dat ik ben uitgeweest in Chennai. Of wel soms? Dit is er gebeurd: gistermiddag belde Rajiv me geheel onverwacht in het hotel.

'Ik heb goed nieuws voor je, Miss Dee,' zei hij. 'Er hebben zich nieuwe ontwikkelingen voorgedaan.'

Die ontwikkelingen bleken geweldig te zijn. De politie heeft de papieren van de vrouwen in de ashram gecontroleerd en ontdekt wat er werkelijk aan de hand was. Het hele gedoe rond Sasika's adoptie was een afleidingsmanoeuvre om vijftien andere kinderen het land uit te smokkelen. We hebben allemaal ontzettend geboft, hoewel ze wat mij betreft mogen worden opgeknoopt aan de hoogste boom, dat ze aanwijzingen hebben achtergelaten waaruit bleek dat Alexia en Duncan dachten dat ze de juiste papieren hadden. Alle vervalste documenten zijn aangetroffen op de computer.

En wat de verblijfplaats betreft van die andere kleine kinderen – wie zal het zeggen? Die arme kleine stakkers. Ik probeer me voor te houden dat ze elders een beter leven hebben gekregen bij een liefhebbend gezin, maar eigenlijk weet ik dat niet zeker. Rajiv zegt dat het net zich om hen sluit.

Het resultaat is dat Rajiv en George hebben aangedrongen op een spoedzitting voor Alexia en Duncan, en daar bleek zelfs de logge, oude Indiase wet toe in staat. Ze werden voor een rechter gebracht. Alexia werd te verstaan gegeven dat ze hem moest aankijken en zich moest dwingen om iets te zeggen en Duncan kreeg te horen dat hij zich moest inhouden en dat hij niet mocht vloeken. De rechter viel mee. Hij zei dat ze een beetje dom waren geweest (hij formuleerde het anders) en dat ze een boete moesten betalen. Ook mochten ze India nooit meer in. Op dat moment schreeuwde Duncan iets. Daarna liet de rechter ze vertrekken, al zei hij nog wel dat ze morgen naar de luchthaven zullen worden geëscorteerd om op het vliegtuig te worden gezet. Raad eens wie de boete kon betalen.

Goed, morgen vertrekken we dus. Alexia en Duncan logeren in dit hotel. Ik ben zonet nog even bij ze wezen kijken.

Duncan sliep. Alexia staarde nog steeds met een lege blik voor zich uit. Ik heb geprobeerd om met haar te praten.

'Lieverd, het is voorbij,' zei ik. 'Je gaat naar huis.' Zelfs toen zei ze niets. Maar net toen ik het wilde opgeven en terug wilde gaan naar mijn kamer om George te bellen over onze afspraak van vanavond, zei ze heel zachtjes: 'Ik heb haar vastgehouden.'

Pas toen besefte ik dat ik geen flauw idee had van wat er van Sasika was geworden.

48

Ik sta op het balkon te kijken en als ik ze over de Rue Dumas zie aankomen, draai ik me om en ren naar beneden om ze te begroeten. Hoewel we dit via e-mail hebben afgesproken, had ik niet echt verwacht ze ooit terug te zien.

Ik ren de stoep op en omhels eerst Amber, daarna Delphine en vervolgens Sam. Ik kijk Amber en Sam belangstellend aan terwijl ik erachter probeer te komen hoe de zaken tussen hen er voorstaan.

'Hoi, Sam!' zeg ik en Sam werpt me een glimlach toe. Hij lijkt anders: relaxter, en lekkerder in zijn vel dan eerst.

'Hoi, Tansy,' zegt hij. 'Alles goed met je?'

'Ja, min of meer. En met jou?' Ik kijk van Amber naar Sam. 'Dus jullie zijn niet getrouwd of iets dergelijks?'

Amber en Delphine lachen. Delphine wipt op en neer, vast omdat ze haar volgende stap voorbereidt. Ze was op zoek gegaan naar Sams dorp nadat ze op een ochtend wakker was geworden en had besloten dat 'ik dit gewoon moest doen'.

'Natuurlijk ben ik niet getrouwd,' zegt Sam grinnikend. 'Ik val niet op meisjes van vijftien. En bovendien was ik al bezet.' Amber en hij kijken elkaar grijnzend aan. 'En het is heel spannend om niet meer in Poosarippatti te zijn, niet dan, Ambs? Weet je, je gaat de geneugten van de stad pas waarderen als je een poosje ergens anders bent geweest.'

'Ja,' stem ik in. 'Ja, ik weet precies wat je bedoelt.'

'Nou,' zegt Amber. 'Is alles goed gekomen? Maar hoe dan? Ik heb echt geen flauw idee. Je moet ons het hele verhaal vertellen.'

'Hoe zit het dan met jou?' vraag ik. 'Jij moet mij ook alles vertellen.'

'O, dat is niet zo moeilijk,' zegt ze direct. 'Ik heb de politie gezegd dat ik niets wist. Ze geloofden me maar vroegen wel of ik in de buurt wilde blijven. Ik ben er stiekem vandoor gegaan, wat heel gemakkelijk ging, want tegen die tijd waren ze erachter gekomen dat alle kinderen waren verdwenen. Ik heb al mijn geld aan een taxichauffeur laten zien en heb met hem onderhandeld over een rit naar Poosarippatti. Een andere plek kon ik niet bedenken. Ik voelde me nogal stom toen ik er uit de taxi stapte. Ik zei tegen de chauffeur dat hij moest wachten tot ik Sam had gevonden. Een stel jongens zag me en voor ik het wist, waren ze weggerend om hem te halen. Het was ontzettend vreemd om hem in zijn dorp te zien, omringd door familieleden die allemaal op hem lijken. En wat ik absoluut niet had verwacht was dat het vreselijk aardige mensen waren. Iedereen glimlachte en heette me van harte welkom waardoor ik me helemaal thuisvoelde. Ze gaven me heerlijk eten en een van Sams nichtjes stelde haar bed beschikbaar, en iedereen probeerde Engels te spreken. Ik heb het daar echt heel erg naar mijn zin gehad. Wie had dat ooit gedacht?'

Ik knuffel haar nog een keer. Ik kan er niets aan doen. Ze heeft er nog nooit zo gelukkig uitgezien.

'En jij?' vraag ik terwijl ik Sam aankijk.

'Ik heb het gedaan,' zegt hij vrolijk. 'Het is heel vreemd om te bedenken dat mijn leven er anders uit zou hebben gezien. Maar ze zijn geweldig. Ik bedoel, ik voelde me er meteen thuis. En over een poosje ga ik terug. We stellen Nepal een poosje uit om nog een keer naar het dorp te gaan en er wat langer te blijven. Maar niets kon Amber en mij ervan weerhouden om even hierheen te gaan en jou nog een keer te zien voor je weer naar huis gaat. We zijn op de kar van de boer naar de bushalte gereden, moet je weten.'

'En,' zegt Amber, 'het is onvoorstelbaar hoe dol Sams familie op Delphine is. Ze willen haar voor altijd bij zich houden.'

Ik kijk Delphine glimlachend aan. 'We willen Delphine allemaal voor altijd bij ons houden,' zeg ik.

'Ik dacht dat jij wist van het KC,' zegt Delphine ineens. 'Het is zo duidelijk. Het is te luxueus, weet je? Ze verkopen die kinderen. Volgens mij weet je dat best. Volgens mij weet iedereen dat.'

Ik krimp ineen. 'Nee, dat wist ik niet. Volgens mij ben ik de enige die het niet doorhad. Ik wilde zo graag alles geloven wat Ellie me vertelde. Dat wilde ik echt heel graag.'

We lopen naar het einde van de weg, richting de zee. Ik blijf wat achter om met Sam te kunnen praten. 'Hoe zit het tussen jou en Amber?' vraag ik.

Hij glimlacht. Ik hoor de golven stukslaan op de rotsige kust. 'Ja, ik weet waar je heen wilt. Amirtha was heel erg lief. Haar moeder zal nooit meer een woord met me wisselen. Toen Amber opdook, was het net alsof ik de oude Amber terughad. Ze was zichzelf weer geworden. Het gaat goed tussen ons. Ik bedoel, wie zal het zeggen? Maar voorlopig voelt alles behoorlijk solide aan. Ik denk dat alle dramatische gebeurtenissen ervoor hebben gezorgd dat ze niet langer piekert. Ze zat werkelijk over je in, maar ik heb haar gezegd dat jij heel goed voor jezelf kon zorgen. Trouwens, waar is je man? Ik dacht dat we hem ook zouden ontmoeten.'

Ik doe mijn best om er onbekommerd uit te zien. 'Hij is naar de botanische tuin gegaan. We gaan over een paar dagen naar huis.'

Ik merk dat Sam me aankijkt en ik wend mijn blik af. Ik probeer eruit te zien als iemand die teruggaat naar een stabiel, gelukkig gezinsleven. Het probleem is alleen dat ik niet weet hoe zo iemand eruit hoort te zien, en dat ik er weinig van terechtbreng om me zo voor te doen.

We zitten met z'n vieren aan de rand van het rotsige strand, en ik vraag me af of we eruitzien als echte backpackers. Amber geeft een fles water door. Ze steekt haar armen nogal optimistisch uit naar de donkere wolken. De zee komt tot ver op het strand en de lucht is zo vochtig dat je doorweekt zou raken als je er een speld in steekt.

Plotseling sta ik op. Ik kan niet stil blijven zitten.

'Kom op, jongens,' zeg ik. 'Er komt een reusachtige bui aan en ik vind niet dat we dan op zo'n klote-tsunamistrandje moeten zitten.'

Ze kijken me aan en staan op als gehoorzame kinderen. Het verbaast me niks: mijn gevoel voor humor en alle voorkomendheid die ik ooit heb bezeten hebben me ineens verlaten. Ik voel me somberder dan ik me in jaren heb gevoeld. Max weet alles en hij is er in z'n eentje vandoor gegaan om naar bloemen te kijken. Ik heb hem het hele verhaal over Jim verteld, maar hij heeft er amper op gereageerd. Alles staat op het spel, en hij heeft zijn luiken dichtgedaan.

Ik neem ze mee naar het restaurant aan de overkant van de weg, de plek waar ik Brian voor het eerst heb ontmoet.

'Wanneer komt Max terug?' vraagt Amber terwijl we een paar riksja's proberen te ontwijken bij het oversteken, 'Ik wil graag met hem kennismaken. Anders zullen we nooit echt geloven dat hij bestaat. Aan de andere kant heb je zo veel over hem gepraat dat ik het gevoel heb dat ik hem al ken.'

Ik kijk haar aan. 'Heb ik het echt zo veel over hem gehad?'

'Natuurlijk. En je sliep met zijn foto onder je kussen. Ik weet dat jullie de laatste tijd wat problemen hadden, maar je weet best dat die onbelangrijk zijn. Ik hoop dat ik ooit met zo'n soort man zal eindigen.' Ik zie dat Sam haar een tikje geamuseerd aankijkt. Ze glimlacht en slaat haar blik koket neer.

'Meen je dat nou? Meen je dat oprecht? Wil jij écht zijn zoals Max en ik?'

Ze lacht. 'Ja.'

Tegelijk zegt Sam: 'Verdorie, Tansy. Natuurlijk willen we dat. Domoor.'

49

Die middag lopen we naast elkaar door Pondicherry zonder een echt doel voor ogen te hebben. Max vertelt me een lang verhaal over Joe en de leeuwen in Longleat.

'En toen zei hij: "Meneer Leeuw, raaaargh!"' besluit Max. Zoals altijd glimlach ik, en ik probeer niet aan Joe te denken. Het verscheurt me: Joe is degene die een mammie nodig heeft en hij heeft het al veel te lang zonder mij moeten stellen. Toby heeft eigenlijk nooit een echte moeder gehad. Het lijken nu wel denkbeeldige kinderen die, net als Ellies wezen, in het niets zijn verdwenen. Het kan niet zo zijn dat ik kinderen heb die daadwerkelijk van mij zijn terwijl ik vijfduizend mijl bij ze vandaan ben.

Ik werp Max een zijdelingse blik toe.

'Wat is er?' vraagt hij met een glimlachje.

'Je lijkt wat toeschietelijker te zijn.'

Hij draait zich om en kijkt me aan. Het voelt alsof dit het eerste oogcontact tussen ons is sinds we het over Jim hebben gehad. Het eerste eerlijke oogcontact. Iets in me voelt een enorme opluchting en ik bijt op mijn lip.

'Daar kun je wel eens gelijk in hebben,' zegt hij. 'Het spijt me. Ik ben een klootzak geweest.'

'Doe niet zo stom. Is je vriendelijkheid blijvend, of is het enkel omdat het het leven voorlopig wat makkelijker maakt?'

Max schraapt zijn keel. We stappen de weg op om een groep mensen in gewaad te passeren. Aan de overkant zie ik een Franse school.

'Eh,' zegt hij 'Je weet toch wel dat ik niet van je zal scheiden vanwege één kus, of zelfs niet vanwege twee?' Ik kijk omlaag. Ik kan de elektrische schok van pijn voelen die hij moet hebben ervaren om die woorden hardop te zeggen.

'Nee, dat wist ik niet,' zeg ik voorzichtig. Ik denk even na over wat hij heeft gezegd. 'Houdt dat in dat je een scheiding gaat aanvragen om een andere reden?'

'Ik begrijp waarom je het hebt gedaan, op je eigen malle manier. En weet je wat het belachelijkst is? Je had gelijk. Dat wist ik zodra ik uit het vliegtuig stapte. Hij kijkt me aan en richt zijn blik dan weer op de stoep. Ik grijp zijn arm om hem daarmee te laten ophouden.

'Zeg dat nog eens,' zeg ik. Hij kijkt me aan, en alleen Max en ik lijken nog te bestaan.

'Ik meen het,' zegt hij terwijl hij glimlacht met slechts een kant van zijn mond. 'Ik heb mezelf gedwongen om ons oude backpackersleven te vergeten. Ik wilde er niet echt meer aan denken. Ik vond dat we een goed leven in Londen hadden en dat we daarmee moesten doorgaan vanwege... nou, je weet wel waarom. Zelfs toen de tekenen dat jij je opgesloten en ellendig voelde overduidelijk waren. Zelfs toen ik plannen smeedde om je hierheen te krijgen zodat je weer gelukkig zou worden, herinnerde ik me gewoon niet hoe geweldig het is en wat een voorrecht het is om te kunnen trekken.'

'Meen je dat?'

'Maar goed, ik worstel al een tijdje met een probleem. Het is niet eerlijk van me om jou alles over Jim te laten vertellen als ik dit zou verzwijgen.'

'Wil ik het eigenlijk wel weten?'

'Dat denk ik niet, maar ik moet het je wel vertellen.'

'Moet dat echt?'

Ik wil dit niet horen omdat ik een vermoeden heb wat hij gaat zeggen.

'Jouw affaire met Jim,' zegt hij. We staan nog steeds dicht bij elkaar op de stoep. Er lopen mensen om ons heen, maar die zie ik nauwelijks. 'Dat was een enorme dreun voor me. Het gebeurde vlak onder mijn neus, zonder dat ik er iets van merkte. Op een avond was ik thuis met jou, ik weet niet meer welke dag het was, maar ik was in elk geval thuis, en die dag had jij een andere man gekust. Ik dacht dat ik zoiets aan je gezicht zou kunnen zien, maar ik heb verdomme niks gemerkt. Daardoor zag ik in dat ik jou zou verliezen als ik niet een beetje meer aandacht zou besteden aan jouw behoeften. Misschien is dit iets typisch mannelijks, maar nadat ik over het gevoel heen was dat ik hem op zijn verrekte zelfvoldane smoel moest timmeren, besefte ik dat, nou... dat als een andere man mijn vrouw zo onweerstaanbaar vond dat hij haar in een klaslokaal probeerde te verleiden, dat wij ons huwelijk moesten evalueren. Dat ik moest proberen om vast te houden wat ik heb in plaats van haar door een of andere gladde klootzak onder mijn neus vandaan te laten stelen. En, weet je, ik ben ook niet helemaal eerlijk geweest. Om je de waarheid te zeggen ben ik ook geen engeltje geweest.'

Ik verstijf van angst. 'O.' Ik luister naar het geluid van de branding in de verte. Ik wil mijn vingers in mijn oren stoppen en iets willekeurigs roepen zodat ik het niet hoef te horen, maar in plaats daarvan zeg ik: 'Het is Sarah.'

'Er is niet echt iets gebeurd, maar ja, het was Sarah. Ik neem aan dat je dat aan mijn e-mails hebt gemerkt. Die waren eigenlijk een beetje bedoeld om jou, heel kinderachtig, jaloers te maken. Na je vertrek hebben we alles samen gedaan, met de kinderen.'

'Dat had ik gemerkt. Bij de laatste serie foto's wist ik het zeker.'

'En toen Gav wegging, gebeurde het zelfs nog vaker. Ik heb me helemaal op haar verlaten omdat het veel moeilijker was om dag in dag uit voor de jongens te zorgen dan ik had gedacht. Ik moest alle dingen doen die jij altijd deed en dan is het een stuk fijner als er een andere volwassene is om mee te praten.'

Ik glimlach, ondanks mezelf. 'Ja, vind je ook niet?'

'Ik maakte me ook zorgen over haar drankgebruik. Ik zei tegen mezelf dat ik een oogje in het zeil moest houden. En ik neem aan dat we een beetje nader tot elkaar kwamen dan...'

'En?'

We lopen verder. Waarschijnlijker is het makkelijker om dit te horen als we iets doen, bewegen of vooruit kijken. Ik kan hem op dit moment niet aankijken.

'We begonnen met elkaar te flirten,' zegt hij gespannen. 'Het ene moment was het nog onschuldig – we vonden het heel grappig dat de mensen zouden denken dat we een getrouwd stel met vier kinderen waren – en het volgende niet meer. We keken elkaar steeds vaker lang in de ogen. We begonnen met elkaar te praten en we vertelden elkaar alles. Het spijt me, ik weet dat je dit echt niet wilt horen. Op een bepaalde avond hebben we bijna...' Hij zwijgt. 'Nou, echt bijna.'

'Maar je hebt het niet gedaan?'

'We hebben het bijna gedaan. We hebben het erover gehad. Het spijt me.'

Hoewel ik het helemaal niet wil, kan ik me dat gesprek voorstellen: de flirterige spijtbetuigingen, de 'als er geen andere mensen in het spel waren', de samenzweerderige glimlachjes. Ik heb gelezen dat zulke dingen kunnen gebeuren: ik weet zelfs hoe zoiets wordt genoemd.

'Jij hebt een "emotionele affaire" gehad,' zeg ik tegen hem. Mijn stem klinkt vlak en opzettelijk effen. 'Het zou bijna beter zijn geweest als er wel iets was gebeurd en jullie daarna een hekel aan elkaar hadden gekregen en nooit meer met elkaar hadden gesproken.'

'Bijna. Maar ik denk het eigenlijk niet.' Hij laat een stilte vallen. 'Maar goed, ik snap wat je bedoelt. In zekere zin is dit even erg als jouw affaire met Jim. Niet erger. Niet beter. Een vergissing. Tansy, ik heb geen idee wat me heeft bezield om zoiets te doen. Jij bent altijd de enige voor mij geweest. Er is nooit een ander geweest.'

'O, jezus,' zeg ik tegen hem. 'Max, voor mij geldt hetzelfde. Niemand anders. Geen mens op aarde zou ooit...' Ik kan mijn zin niet afmaken. Hij weet wat ik bedoel.

De eerste regendruppels beginnen te vallen. 'Ik weet waar we naartoe kunnen,' zegt Max. Hij pakt mijn hand en trekt me een zijstraat in.

Het kan me niet schelen dat ik nat word. Ik loop langzaam en geniet van de manier waarop mijn kleren tegen mijn lichaam kleven.

'Een minuutje geleden,' zeg ik tegen hem, 'zei je dat ik wist waarom jij in Londen wilde blijven en wilde vergeten dat er ook nog andere mogelijkheden waren.' Hij vertraagt zijn pas en kijkt me aan.

'Ja.'

'Maar dat weet ik niet.' De regen druppelt langs mijn neus. Het kan me niets schelen.

Hij verheft zijn stem zodat ik hem boven de regen uit kan horen. 'Echt niet? Meen je dat?'

'Ja.'

Hij glimlacht. Zijn haar plakt tegen zijn voorhoofd en hij ziet er heel anders uit. Hij ziet er net zo uit als toen ik hem voor het eerst ontmoette.

'Ik dacht dat je dat wel wist,' schreeuwt hij. 'Ik dacht dat het wel duidelijk was. Het was om ervoor te zorgen dat jij veilig bent. Dat was alles. Om er zeker van te zijn dat jou nooit meer iets naars zou overkomen, na alle ellende die je al in je leven hebt meegemaakt. Het is pas kort geleden tot me doorgedrongen dat een leven waarin nooit iets gebeurt misschien niet zo geweldig is. Hij pakt mijn hand en trekt me de weg over. Ik ren naast hem en geniet van het gevoel van water op mijn lichaam, mijn plakkende kleding en mijn gladde huid. 'Kijk, we zijn er. De tempel van Ganesha.'

Er staat een levende olifant voor de tempel. Ik zie meteen dat het de olifant op Ellies ansichtkaart is, de kaart waar ik in Londen vaak naar stond te staren. Het dier is beschilderd met heldere lijnen en patronen. Er hangt een bloemenkrans om zijn reusachtige nek. De bloemen zijn aan het verleppen en de geschilderde versieringen beginnen uit te lopen in de regen. Zijn slurf zwaait rond terwijl hij iets zoekt om aan te raken.

'Ga eens voor hem staan,' zegt Max, en hij pakt de camera. Zodra ik binnen zijn bereik ben, raakt de olifant mijn hoofd aan met zijn slurf. Er loopt een man voorbij die een zwarte paraplu opsteekt.

'Aangeraakt door Olifant!' zegt hij. 'Dat betekent veel geluk.'

50

De zon komt op en verblindt me terwijl hij weerkaatst in een plasje regenwater dat zich op het balkon heeft gevormd. Amber en Sam zijn met de trein naar het zuiden, naar Madurai, gegaan. Ik hoop dat hun trein veilig is. De stortbuien zouden hem zo van de rails kunnen spoelen. Het regent nog steeds, maar wel minder hard. Ik steek mijn hoofd net lang genoeg naar buiten om te kijken of er een regenboog is.

Delphine loopt wat rond. 'Ik wacht op een plek die me roept,' zei ze. 'Terwijl ik wacht, blijf ik bij het strand.'

Onze rugzakken zijn gepakt. Ik was ontroerd toen ik ontdekte dat Max, de zakenman, een rugzak had gekocht in plaats van een dure koffer om op reddingsmissie te gaan. Toen ik hem dat vertelde, moest hij glimlachen.

'Maar je weet toch wel dat het geen reddingsmissie was?' vraagt hij.

'Wat bedoel je daarmee? Natuurlijk was het dat. Ik was de wanhoop nabij en toen was jij er ineens.'

'Nee, echt niet. Wat zou er zijn gebeurd als ik niet op dat moment was verschenen? Je was er zelf al in geslaagd om het bos uit te komen. Daarna heb je de bus genomen naar die dakloze man, wat trouwens een geniale ingeving van je was, en vervolgens naar het hotel. Jij hebt de dingen op een rijtje gezet door de krant te lezen terwijl ik bezig was om een briljant plan te bedenken en tegelijk doodsbang dat de jongens je de komende twintig jaar niet zouden zien. Jij zou op je pootjes terecht zijn gekomen. Ik ben niet komen binnen stormen om je voor een ramp te behoeden, Tans. Geef er nou geen andere draai aan waardoor jij minder bekwaam lijkt.'

Ik heb wel overwogen om dat te doen. 'O,' zeg ik. 'Ja. Misschien.'

Door de regendruppels heen zie ik een man over straat rennen. Hij houdt een plastic tas boven zijn hoofd, wat geen enkel nut heeft, en zijn kleding is doorweekt. Hij komt bij het hotel en een paar seconden later staat hij in onze kamer in zijn eigen plasje water.

'Hé,' zegt hij terwijl hij zijn gezicht tevergeefs met een dunne handdoek afveegt, 'Eh... onze taxi is besproken. En ik ben nat.'

Ik laat me door hem omhelzen. Het kan me niets schelen dat hij nat is.

Ik trek hem dichter naar me toe. 'Volgens mij kunnen we die natte kleren maar beter uittrekken,' zeg ik tegen hem. 'Nietwaar?'

Niemand heeft me ooit verteld dat dit zou gebeuren. Lola zei telkens dat ik de behoeften van mijn man niet moest negeren en dat ik goed voor mezelf moest zorgen. Zij noch iemand anders heeft me ooit verteld dat je opnieuw verliefd kunt worden in de wetenschap dat het ditmaal echt en volwassen is en gebaseerd op meer dan enkel een bevlieging.

We gaan terug naar Londen, naar onze banen, ons appartement en ons oude leventje. Ik hoop dat de dingen anders zullen worden. Max heeft beloofd dat hij over een jaar of twee een sabbatical zal aanvragen, zodat we met zijn vieren een half jaar naar een nieuwe plek kunnen gaan om iets te doen. We hebben tijden overlegd waar we naartoe kunnen gaan. Ik wil nog steeds naar India en verrassend genoeg staat Max open voor dat idee.

'Beloof je dat echt?' vroeg ik hem sceptisch. 'Het is toch niet zo dat je straks weer helemaal opgaat in je werk en je je verder overal voor afsluit?'

'Ja, dat beloof ik,' zei hij. 'Reizen naar verre landen doet je goed en wij boffen ontzettend dat we dat kunnen doen. Maar goed, tegen die tijd hebben ze mij misschien ontslagen. Die kans is vrij groot. Dan kunnen we ons ergens settelen waar het leven goedkoop is.'

'We moeten eigenlijk ophouden met vliegen. Broeikasgassen en zo.'

'Dan gaan we toch over land. Dan beleef je tien keer zoveel avontuur.'

Ik wierp hem een grijns toe. 'Afgesproken.'

Als tegenprestatie heb ik hem beloofd dat ik mijn alcoholconsumptie zal beperken tot twee drankjes per avond, behalve bij speciale gelegenheden. En ik ga twee dagen in de week bestempelen als droge dagen. Ik hoop dat het me lukt. Op dit moment heb ik helemaal geen behoefte aan drank, maar ik weet dat daar verandering in zal komen wanneer ik weer thuis ben en mijn leven weer draait om het halen en brengen van de kinderen of wanneer ik zonder werk zit en geen zin heb om me aan mijn eigen bedrijfje te wijden en me afvraag wat ik moet doen. Ik zou wel iets met kinderen willen doen, zoals met de meisjes in het weeshuis. Misschien zal ik daar op een bepaalde manier in slagen. Ik moet het perspectief dat ik daar heb gekregen zien te behouden.

Ik vraag me af hoe het zal zijn om naar huis te gaan en de draad van mijn leven weer op te pakken. In zekere zin is dat het moedigste wat ik ooit heb gedaan en het is zeker een stuk griezeliger dan mijn komst naar India.

Terwijl we in de jeep stappen die ons naar het vliegveld zal brengen, kijk ik naar Max' profiel. Hij staart naar de regen die langs de ruit naar beneden stroomt. Ik richt mijn blik op de koloniale landhuizen die doorweekt in de stromende regen achter ons verdwijnen. Als we langs de kust rijden, zie ik reusachtige golven opzwellen die bijna de promenade bereiken. Ik kijk naar de paar mensen die zich nog op straat bevinden en hard doorlopen terwijl ze alles wat voorhanden is boven hun hoofd houden.

'Naar huis,' zeg ik.

Hij kijkt me aan. 'Naar huis,' zegt hij instemmend.

'Maar onderweg moet ik nog één ding doen,' zeg ik.

Ethan zit op zijn vaste plek te trillen en te schudden terwijl hij gesprekken voert met mensen die niemand kan zien. Hij lijkt niets te merken van de regen die van het puntje van zijn neus druipt en wat van zijn vuiligheid wegspoelt. Hij beeft en draait, lacht en trekt gezichten.

'Goedemorgen,' zeg ik. Hij ziet me en glimlacht terwijl hij naar de stoep knikt. Ik ga zonder aarzeling zitten.

Ethan kijkt me aan en vraagt luid fluisterend: 'Wie is dat? Weet je wel dat er een man achter je staat?'

'Dit is Max,' zeg ik tegen hem. 'Mijn echtgenoot.'

'Is de echtgenoot gekomen?'

Max knikt. 'De echtgenoot is gekomen,' beaamt hij. 'Zeg, nog bedankt dat je haar te hulp bent geschoten. Dat stellen we zeer op prijs.'

'Hier,' zeg ik tegen hem. 'Jij zei immers dat het de kloteparabel van de talenten was. Dus alsjeblieft, je geld is gegroeid.'

Ik overhandig hem een stapel bankbiljetten. Hij kijkt er niet naar, maar verbergt het geld bliksemsnel, alsof wij elk moment van gedachten kunnen veranderen.

'Ja,' zegt hij. 'Graag gedaan.'

Max hurkt neer. Hij heeft duidelijk geen zin om op de stoep te gaan zitten. 'Luister,' zegt hij. 'Het is natuurlijk niet aan mij om jou te vertellen wat je moet doen, maar als je wilt, zouden we je kunnen helpen. Je kunt nu met ons meegaan. Dan kun je een douche nemen, je opfrissen, je haar laten knippen en wat nieuwe kleren kopen. Dat is meer dan genoeg geld voor nieuwe kleren en andere spullen. Je kunt er weer bovenop komen. Jij mag het zeggen.'

Ethan wendt zijn blik af en draait zijn hoofd zo ver mogelijk van ons weg.

'Het is wel goed,' zegt hij.

Ik zie dat Max wil aandringen en ik weet dat Ethan daar niet goed op zal reageren, dus probeer ik van onderwerp te veranderen.

'We gaan nu, Ethan,' zeg ik tegen hem. 'We gaan terug naar Londen. Dus ik zal je niet weer zien, maar ik zal wel aan je denken. Mijn maatje uit Chennai.'

Hij grijnst. 'Ja. Ik zal ook aan jou denken, schat. Misschien zal ik je bezoekjes zelfs wel missen.'

'Je kunt hier verandering in brengen, hoor.'

'Ja.'

Ik kijk naar Max. Hij knikt. Ik hou mijn adem in, kus Ethans wang en spring overeind. De taxi wacht.

51

Alexia's gedachten

Weer thuis.
Nou, het enige wat ik kan zeggen is: het is tijd geworden om op te houden met dit blog. Dit wordt mijn laatste bericht, hoewel het volgens Rajiv, mijn advocaat, wel heeft geholpen om ons vrij te krijgen. Hij heeft mijn blog gebruikt als bewijs voor onze goede bedoelingen.

Ik kan niet in details treden over wat er in India is gebeurd. En het doet me verdriet om aan dat kleine meisje te denken. Maar ik zie haar in mijn dromen. Ze kijkt over haar schouder naar die vrouw, en dan doet ze haar hand omhoog en pakt de mijne. Dat is wat er toen gebeurde. Ze pakte mijn hand en toen had ik mijn dochter. Het duurde maar een paar seconden. Daarna kwam de politie uit het bos en veranderde mijn leven voorgoed.

Ik zie dat Dee goed werk heeft geleverd door dit blog bij te houden toen ik daar niet toe in staat was. Ik heb haar berichten op het blog echter nog niet gelezen omdat ik er niet aan wil denken. Zowel Duncan als ik zijn er niet blij mee dat zij India leuk vond ondanks onze nare tijd daar. Mam heeft gezegd dat Dee overweegt om er een keer op vakantie te gaan. Duncan zegt dat Dee George leuk vindt en daar zou hij best eens gelijk in kunnen hebben. Maar dat wil ik niet weten.

Wij kunnen niet terug zelfs al zouden we het willen. Maar dat is niet zo erg.

Ik ben inlichtingen aan het inwinnen over adoptie vanuit China. Ditmaal zullen we de officiële weg bewandelen. We blijven net zo lang op de wachtlijst staan als nodig is en we zullen zorgen dat we alle vereiste papieren hebben. Deze keer heb ik geen haast. Ik ben doodsbang dat onze belevenissen in India in ons nadeel zullen werken.

Maar voorlopig doen we alsof we geen plaatselijke beroemdheden zijn. We negeren dat iedereen naar ons kijkt en over ons praat. Iedereen vindt dat we vreselijk stom zijn geweest.

Ik denk niet meer aan dat kleine meisje. Elk moment van de dag denk ik niet aan haar.

Ik hou er voorgoed mee op,
Alexia

Reacties uitgeschakeld.

52

Ik ren naar het appartement, terwijl Max de taxichauffeur betaalt, en druk vijf keer op de deurbel. Als Lola opendoet, wurm ik me langs haar heen en ren langs de trouwfoto's de hoek om het appartement in. De jongens zitten op de grond en bouwen legokastelen.

'Daar is mama!' roept Joe.

'Dag, mam,' zegt Toby terwijl hij opstaat en me stilletjes verheugd aankijkt. Ik loop meteen naar hem toe en til hem op. Hij is groter en zwaarder geworden, en hij is zo slungelig dat het moeilijk is om hem op te tillen, maar ik weet hem toch tot mijn middel omhoog te sjorren.

'Toby,' zeg ik. Ik druk mijn gezicht in zijn haar en streel met mijn neus langs zijn wangen en hals. Ik ruik zijn geur. Het is net een drug. 'Schat, ik heb je vreselijk gemist. Ik ga nooit, nooit meer weg als jullie niet meegaan.'

Hij laat zich een tijdje gewillig door me knuffelen en kussen.

'Zo lang ben je nou ook weer niet weg geweest,' zegt hij dan terwijl hij zich loswurmt om te gaan staan.

'Toby!' zegt Max vanuit de deuropening.

'Maar we hebben je wel gemist,' voegt hij eraan toe. 'Natuurlijk hebben we je gemist, want jij bent onze mama.'

Ik doe mijn best om niet te huilen, maar slaag daar niet in. Max legt een hand op mijn schouder.

'Toen ik weg was,' weet ik uit te brengen, 'besefte ik dat ik de gelukkigste moeder ter wereld ben. Er zijn daarginds heel veel mensen... en ook heel veel kinderen... Nou ja, ik vind gewoon dat we allemaal van elkaar moeten houden, elkaar moeten waarderen en aardig tegen elkaar moeten zijn omdat we zo ongelooflijk boffen.'

'Heb je een cadeautje voor me meegebracht?'

Joe staat een stukje verderop en kijkt me verbaasd aan.

'Mama,' zegt hij, en als ik mijn armen spreid, rent hij als een pijl uit een boog op me af. Ik heb nog net tijd om te hurken voor hij tegen me op botst. Ik druk hem stevig tegen me aan, ik ruik aan hem en druk hem dan nog dichter tegen me aan. Over zijn hoofd heen kijk ik naar Toby die mijn handtas al doorzoekt op cadeautjes.

'We zijn weer thuis,' zeg ik tegen Max. De hele thuiskomst voelt goed aan.

'Er zit geen ik in samenwerking,' zegt hij met een glimlach. 'Maar er zit wel een wij in huwelijk.'

'Niet waar,' protesteert Toby.

'Ik bedoel het figuurlijk, Tobes,' zegt Max. 'Ik bedoel het figuurlijk.' Hij geeft hem een reusachtige Toblerone-reep.

Joe worstelt zich los uit mijn armen en rent op de chocolade af. In hun leven is dit slechts iets onbelangrijks, een korte onderbreking, geweest.

Ik ben bijna een week thuis als me iets opvalt.

Ik heb een grote familie, en ik heb vrienden. Sarah is, hoe onbegrijpelijk dan ook, nog steeds mijn vriendin. In het begin was het moeilijk, maar ik hou mezelf voor dat Max tijd nodig had om mijn misstap te verwerken en zich erbij moest neerleggen dat ik Toby elke dag bij meneer Trelawney aflever. En ik heb tijd nodig om Max' misstap te verwerken. Ik doe mijn best en ik ontdek dat het me lukt: ik kan ze allebei vergeven. In eerste instantie is Sarah doodsbang voor me. Als ik haar bij de ingang van het schoolplein zie, slentert ze weg en ontwijkt ze mijn blik.

'Sarah,' zeg ik. 'Het is wel goed. Heus.'

Ze kijkt me bedachtzaam aan. 'Nee, niet echt,' zegt ze. 'Of wel soms?'

Over zes maanden gaat ze in Singapore wonen. Dat maakt het makkelijker. Ik probeer haar ervan te overtuigen dat we nog steeds vriendinnen kunnen zijn en uiteindelijk gelooft ze me. Het is wel anders geworden dan vroeger, maar er moesten sowieso wat dingen veranderen. Ik ben verbaasd over mijn eigen grootmoedigheid. Ze stemt in om elke dinsdagavond met me naar yoga te gaan tot ze vertrekken. We hebben de vrijdag aangewezen als drinkdag, als we daar zin in hebben. En verder gaan we ons best doen om samen thee te drinken. Daar willen we een gewoonte van maken. Ik moet ervoor zorgen dat ik niet opnieuw in mijn eentje ga drinken. Er staat te veel op het spel.

Toen ik Toby voor het eerst weer zelf naar school bracht, was ik zo gespannen dat me nauwelijks opviel hoe vreemd het was dat een magere vrouw met een lelijk kapsel me bij het schoolplein staande hield en vroeg: 'Hoe was het in India?' Ik mompelde wat clichés waarop ze tegen me zei: 'Ik wil er altijd nog eens heen. Ik denk dat iedereen wel even jaloers op je is geweest.'

Ik was zo verbaasd dat ik wel een praatje moest maken.

'Ik ken je naam niet eens,' bekende ik. 'Toe, Olivia's moeder, vertel me hoe je werkelijk heet.'

Ze schoot in de lach. 'Hannah. En ik weet dat jij Tansy heet, al heb ik dat pas kort geleden ontdekt.'

We liepen samen naar binnen, waardoor ik de onwaarschijnlijkste morele steun had die je je kunt voorstellen, toen ik oog in oog met Jim kwam te staan.

'Goedemorgen,' zei hij glimlachend. Ik vond het een aardige glimlach, geen wellustige.

'Dag, meneer Trelawney,' zei ik ferm, en daarna gaf ik Toby een afscheidszoen.

'Heb je het al gehoord?' vroeg Jim. 'Ik heb ontslag genomen. Als het zomer wordt, ga ik hier weg en neem ik het eerste vliegtuig naar de golven.'

'O, wat leuk,' zei ik beleefd waarna ik me omdraaide en het lokaal uit liep.

Hannah was nog steeds bij me.

'Dat is in elk geval achter de rug,' zei ze met een knipoogje, en ze liep weg.

Ik breng tijd door met mijn broers en zussen, Lola en mijn vader. Ik kom tot de ontdekking dat ze allemaal aangenaam gezelschap zijn. Eigenlijk is mijn netwerk om op terug te vallen net zo goed als dat van Sams familie in Poosarippatti. Mijn vader en Lola willen dolgraag betrokken worden bij alles wat we doen. Briony, Jake en Archie wonen nog thuis en zouden het heerlijk vinden om tijd door te brengen met mij en de jongens. Als ik nu om me heen kijk, zie ik overal mensen. Zelfs het appartement is ruim en fris. Het lijkt totaal niet op de gevangenis die het in mijn gedachten was geworden. Het is ons thuis en er is ruimte genoeg voor ons vieren. Ik denk aan de kleine tuin die ik altijd heb verwaarloosd. Ik kan er dingen planten. Er stoelen neerzetten voor een barbecue.

Op zondagochtend loop ik met een jongen aan elke hand naar een restaurantje voor een feestelijk ontbijt. Over hun hoofd werpt Max me een grijns toe. Ik weet dat het een soort huwelijksreis is, en ik weet ook dat het niet altijd zo gemakkelijk zal gaan, maar ik ga ongelooflijk mijn best doen.

'Niet meer naar India gaan, hoor, mam,' zegt Toby tegen me als we midden op de straat staan. Er komt een auto om de hoek en we lopen snel door naar de overkant.

'Ik zou eigenlijk best nog eens willen,' zeg ik tegen hem. 'Op een goede dag.'

'Maar dan gaan wij met je mee naar Inieja,' stelt Joe voor.

Toby kijkt me aan terwijl hij op het antwoord wacht. Net als Max.

'Ja,' zeg ik. 'De volgende keer gaan jullie mee.'

53

Alexia's gedachten

Ik was met dit blog gestopt, maar nu schrijf ik toch nog een keer, alleen om te zeggen dat we in de herfst naar China willen gaan om een klein meisje te ontmoeten dat Mei-li heet. Die naam betekent 'mooi' en we zijn niet van plan om die te veranderen, hoewel we de spelling misschien wat veramerikaniseren.

Ik ga hier geen verslag van bijhouden omdat dat me te veel herinnert aan wat ons in India is overkomen.

Maar toch wil ik het nieuws met jullie delen.

Ik ben doodsbang. Duncan doet alsof hij niet met onze ervaringen in Chennai zit, en we praten er zelden over. Ik zal pas weer rust hebben als we thuis zijn.

Duim maar voor ons,
Alexia

Reacties: 1

Alexia, vat dit alsjeblieft op in de geest zoals het is bedoeld, namelijk als een excuus. Je weet wel iets van wat er is gebeurd, maar de reden erachter ken je niet. Geloof me als ik zeg dat de andere kinderen in veiligheid zijn en nu bij liefhebbende pleeggezinnen wonen. Je hebt de mensheid een grote dienst bewezen en we zijn ongelooflijk blij voor je dat je uiteindelijk je dochtertje zult krijgen. Je weet niet half hoeveel je de andere kinderen hebt geholpen.

Ik geloof niet dat je in het weeshuis in Mamallapuram waar Sasika woonde bent geweest. Ik weet (en betreur) dat je hebt moeten kennismaken met het Indiase gevangenissysteem. Denk aan de naarste kanten daarvan, vermenigvuldig die met tien, en dan weet je wat de kinderen moeten doorstaan. In zulke omstandigheden leven zij, zonder uitzicht op ontsnapping als dat weeshuis niet op de Cara-adoptielijst staat.

Dankzij Duncan en jou wonen er vijftien kinderen minder in zo'n soort tehuis. Dat zijn dus vijftien kinderen die jij een toekomst hebt gegeven. De plek waar Sasika nu woont is een stuk draaglijker en we hebben goede hoop dat ze terecht zal komen bij een liefhebbend gezin, dat misschien al onderweg is.

Echt, daarbij vergeleken is alles onbelangrijk. Ik heb nergens spijt van. Goed, we hebben mensen gebruikt en we hebben zelf veel schepen achter ons verbrand, maar daar hadden we een goede reden voor. Ik hoop dat je daar ooit begrip voor kunt opbrengen.

Bedankt. Denk eraan, aardse wetten stellen niets voor. Probeer ons niet te zoeken, maar op een goede dag zullen wij tweeën weer contact opnemen met jou.